수능 국어 문법 필수 개념서

국어 문법

F A Q

수능 국어 문법 필수 개념서

국어 문법 FAQ

1판 2쇄 발행 2024년 2월 2일

발행인 박광일
기획 홀수 편집부
편집 · 검토 윤지숙 장혜진 이수현 이소정 박효비 장종필 조나리 박지선 위혜리 김현주
디자인 유초아 이재욱
마케팅 · 제작 지원 김창수 민동윤 문희수 김주현 권지희 이연주

발행처 주식회사 도서출판 홀수
출판사 신고번호 제374-2014-0100051호
ISBN 979-11-89939-85-4

홈페이지 www.holsoo.com

'국어 문법 FAQ' 는 수능 국어 고득점을 목표로 언어(문법) 만점을 받기 위해 반드시 학습해야 하는 **필수 국어 문법 개념서**랍니다!

이 책은 **수능에서 꼭 필요로 하는 문법 지식을 백과사전 형식으로 체계적으로 정리**했고, 국어 문법에 대한 궁금증을 해결하기 위해 학생들이 자주 물은 **100개의 질문을 'Q&A' 코너**로 제시했어요. **'국어 문법 FAQ'**를 통해 헷갈렸던 국어 문법 개념을 확실히 해결할 수 있을 거예요!

그리고 각 파트별로 문법 개념 지도인 **'문법 체계 한눈에 보기'**를 실어 두었으니, 본격적인 학습에 앞서 머릿속에 국어 문법 체계의 큰 틀을 잡고 공부를 시작하면 좋아요. 이 밖에도 평가원의 표현에 익숙해질 수 있도록 기출에서 개념 정의 부분을 발췌한 **'평가원 밑줄'**과 문법 개념의 역사적 변천 과정을 한눈에 확인할 수 있는 **'문법 타임슬립'** 등의 코너를 활용하면 국어 문법을 더욱 효과적으로 공부할 수 있을 거예요!

자, 그럼 지금부터 **'국어 문법 FAQ'**를 시작해 볼까요?

헷갈리는 100개의 질문에 명쾌하게 답하는 국어 문법 FAQ

1. **국어 문법 FAQ**는 수능을 위해 꼭 필요한 문법 지식을 쉽게 찾아볼 수 있도록 백과사전 형식으로 구성하여 체계적인 학습이 가능하도록 하였습니다.
2. **100개의 질문과 답변**을 통해 학생들이 국어 문법에서 자주 묻는 질문(FAQ: frequently asked questions)과 이에 대한 명쾌한 답을 제시하였습니다.
3. **국어 문법 체계**를 도식화하여 수능 국어 언어(문법)를 대비하기 위해 필요한 개념과 이론들의 체계를 한눈에 볼 수 있도록 했습니다.
4. **INDEX**를 제시하여 공부할 때 헷갈리는 개념과 100개의 질문과 답변을 쉽게 찾아볼 수 있도록 했습니다.

개념 국어 문법 개념 • 이론 + FAQ

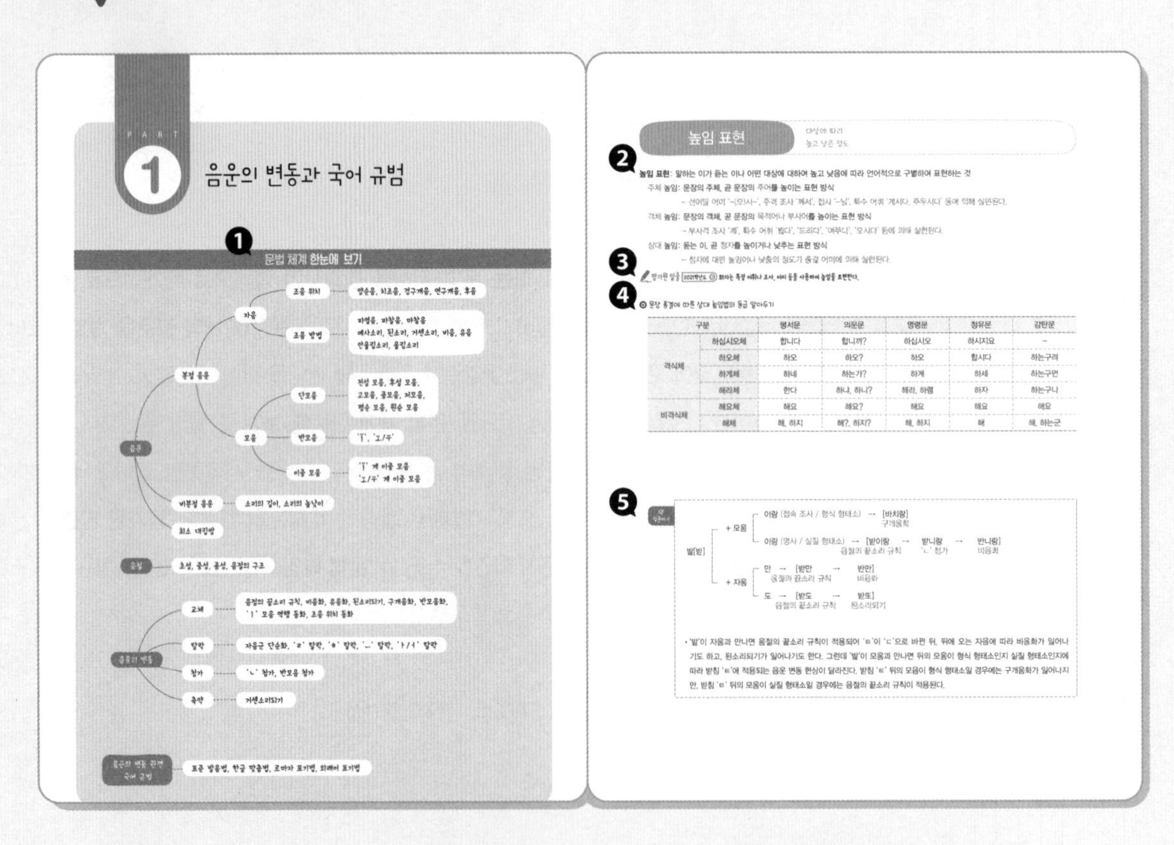

❶ '문법 체계 한눈에 보기'는 단원별로 국어 문법 체계를 쉽게 파악할 수 있도록 구성한 문법 개념 지도입니다.

❷ 수능에서 요구하는 필수 국어 문법 개념을 보다 쉽게 이해할 수 있도록 주요 문법 용어의 뜻을 풀이하여 설명하였습니다.

❸ 평가원 밑줄은 기출에서 다룬 중요 개념이나 이론 및 예시를 지문과 〈보기〉, 선지 등에서 발췌하여 실은 것으로, 평가원에서 문법 개념을 어떻게 설명하는지 보여줍니다.

❹ ⊕는 학습 요소 중에서 조금 더 자세히 알고 넘어가야 할 부분으로, 심화 · 확장하여 살펴보아야 할 내용을 담았습니다.

❺ 적용하기 는 구체적인 사례를 제시하여 앞서 학습한 문법 개념과 이론을 적용할 수 있도록 했습니다.

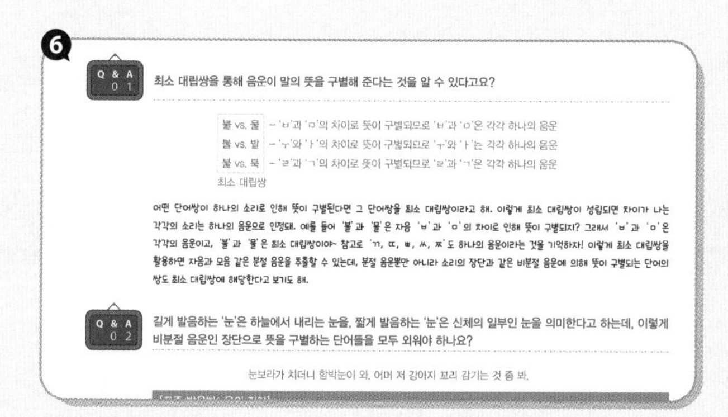

❻ 학생들이 헷갈려 하는 문법 내용을 'Q&A' 코너로 구성하여 궁금증을 해소하고 개념을 더욱 깊게 이해할 수 있도록 했습니다.

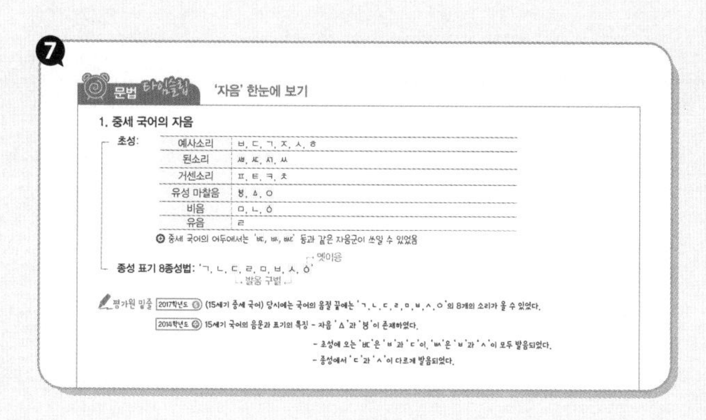

❼ 문법 타임슬립은 최근 평가원 출제 경향에 맞추어 문법 개념이나 이론의 역사적 변천 과정을 한눈에 볼 수 있도록 정리한 코너입니다.

적용 기출 문제로 훈련하기

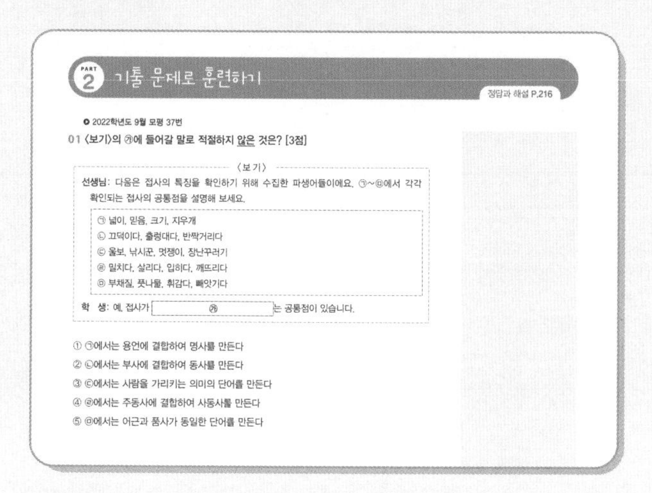

기출 언어(문법) 문제 풀이를 통해 앞에서 학습한 문법 개념과 이론을 완벽히 이해했는지 스스로 점검해 볼 수 있습니다.

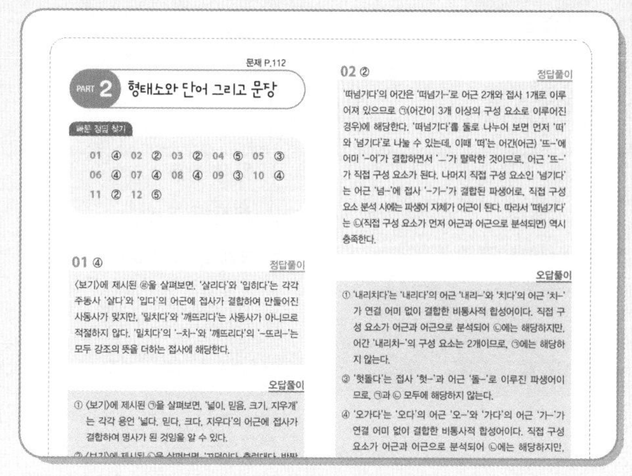

친절하고 자세한 정 · 오답 풀이와 해설을 통해 혼자서도 언어(문법) 기출 분석을 완벽하게 할 수 있도록 했습니다.

Contents

PART 1

음운의 변동과 국어 규범

PART 2

형태소와 단어 그리고 문장

문법 요소

의미 관계와 동의성

국어의 역사

4주 완성 학습 Plan

1주차 PART 1 음운의 변동과 국어 규범

요일	학습 내용	페이지	학습 체크		
			1회	2회	3회
월	문법 체계 한눈에 보기 음운 자음 모음 음절 음운의 변동	**22~31**	☐	☐	☐
화	Ⅰ. 교체	**32~41**	☐	☐	☐
수	Ⅱ. 탈락 Ⅲ. 첨가	**42~47**	☐	☐	☐
목	Ⅳ. 축약 Ⅴ. 기타	**48~52**	☐	☐	☐
금	국어의 규범	**53~57**	☐	☐	☐
토	기출 문제로 훈련하기	**58~65**	☐	☐	☐

2주차 PART 2 형태소와 단어 그리고 문장

요일	학습 내용	페이지	학습 체크		
			1회	2회	3회
월	문법 체계 한눈에 보기 형태소 단어	**68~73**	☐	☐	☐
화	Ⅰ. 품사	**74~91**	☐	☐	☐
수	Ⅱ. 단어의 형성	**92~100**	☐	☐	☐
목	문장 Ⅰ. 문장 성분	**101~107**	☐	☐	☐
금	Ⅱ. 문장의 구조	**108~111**	☐	☐	☐
토	기출 문제로 훈련하기	**112~119**	☐	☐	☐

3주차 PART 3 문법 요소

요일	학습 내용	페이지	학습 체크		
			1회	2회	3회
월	문법 체계 한눈에 보기 종결 표현	**122~125**	☐	☐	☐
화	높임 표현	**126~129**	☐	☐	☐
수	시간 표현	**130~135**	☐	☐	☐
목	피동 표현 사동 표현	**136~143**	☐	☐	☐
금	부정 표현	**144~146**	☐	☐	☐
토	기출 문제로 훈련하기	**148~155**	☐	☐	☐

4주차 PART 4 의미 관계와 중의성 & PART 5 국어의 역사

요일	학습 내용	페이지	학습 체크		
			1회	2회	3회
월	문법 체계 한눈에 보기 단어의 의미 관계 관용 표현 의미 변화의 유형 중의적 표현 정확하지 못한 문장	**158~168**	☐	☐	☐
화	기출 문제로 훈련하기	**170~177**	☐	☐	☐
수	문법 체계 한눈에 보기 훈민정음 기타 용어 국어의 역사 Ⅰ. 고대 국어	**180~184**	☐	☐	☐
목	Ⅱ. 중세 국어 (1)	**185~189**	☐	☐	☐
금	Ⅱ. 중세 국어 (2) Ⅲ. 근대 국어	**190~199**	☐	☐	☐
토	기출 문제로 훈련하기	**200~206**	☐	☐	☐

국어 문법은 반복적으로 학습하는 것이 중요합니다.
위의 계획표를 참고하여 1회독 공부가 끝났다면, 2, 3회독을 해 보세요.
이때에는 2~3일 분량을 묶어 하루치로 학습하는 것이 효율적입니다.

Index

PART 1 음운의 변동과 국어 규범

PART 2 형태소와 단어 그리고 문장

PART 4 의미 관계와 동의성

PART 5 국어의 역사

기타 국어 문법 공부 방법에 대하여

국어 문법 체계표

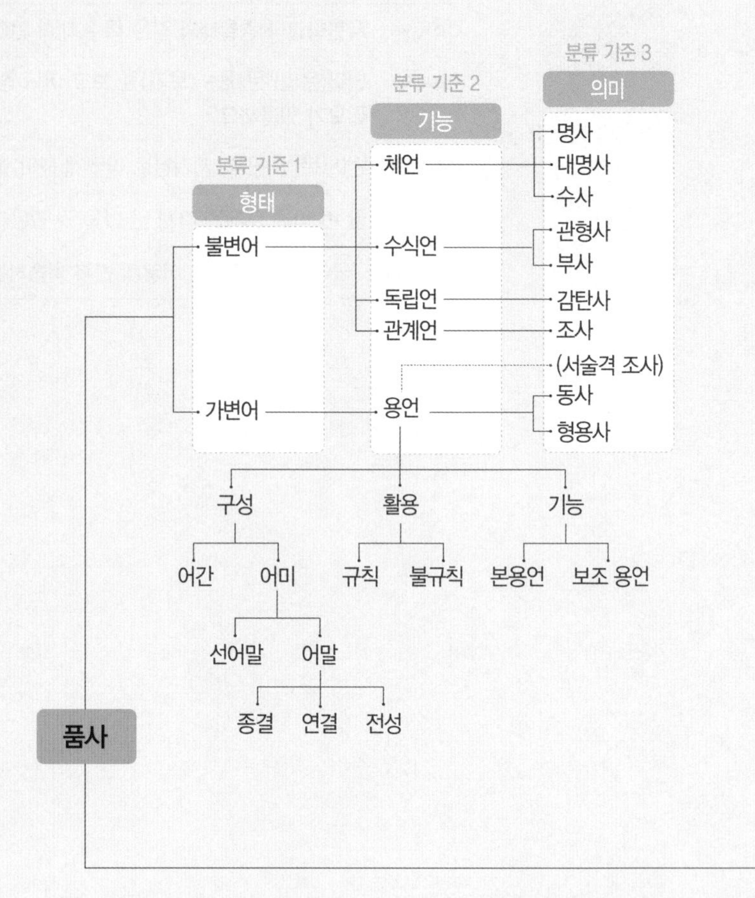

분류 기준 1
형태
불변어
가변어
분류 기준 2
기능
체언
수식언
독립언
관계언
용언
분류 기준 3
의미
명사
대명사
수사
관형사
부사
감탄사
조사
(서술격 조사)
동사
형용사
구성
어간
어미
선어말
어말
종결
연결
전성
활용
규칙
불규칙
기능
본용언
보조 용언
품사

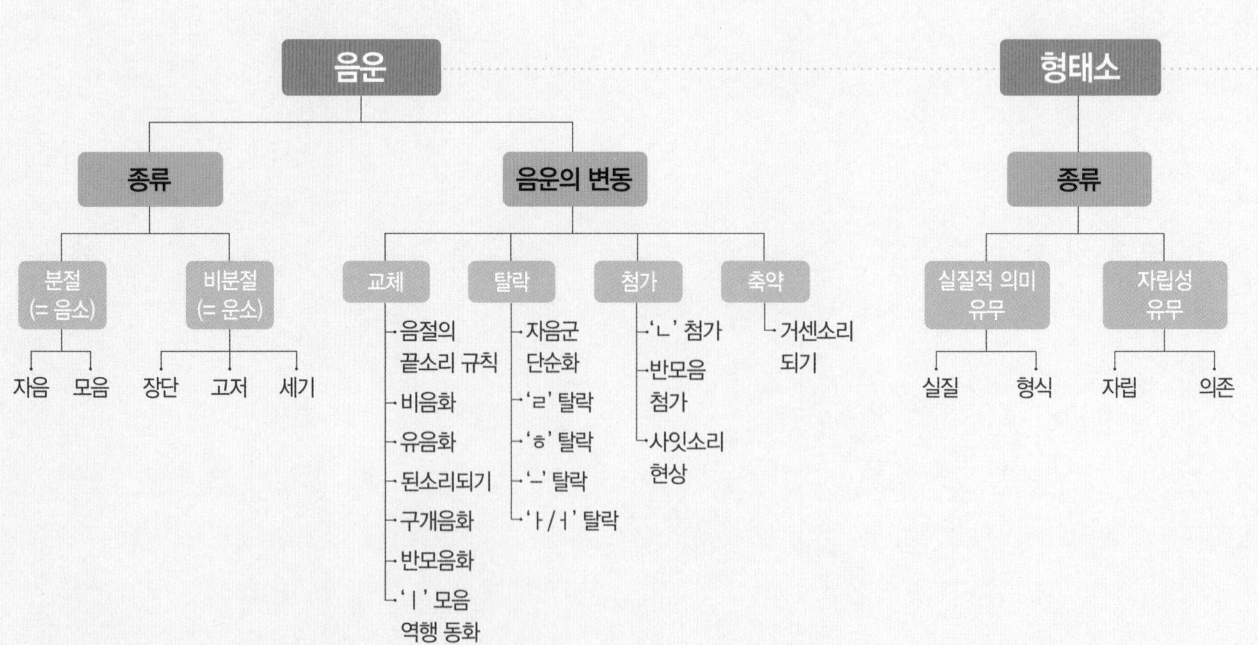

음운
종류
분절
(= 음소)
자음
모음
비분절
(= 운소)
장단
고저
세기
음운의 변동
교체
음절의
끝소리 규칙
비음화
유음화
된소리되기
구개음화
반모음화
'ㅣ' 모음
역행 동화
탈락
자음군
단순화
'ㄹ' 탈락
'ㅎ' 탈락
'ㅡ' 탈락
'ㅏ/ㅓ' 탈락
첨가
'ㄴ' 첨가
반모음
첨가
사잇소리
현상
축약
거센소리
되기
형태소
종류
실질적 의미
유무
실질
형식
자립성
유무
자립
의존

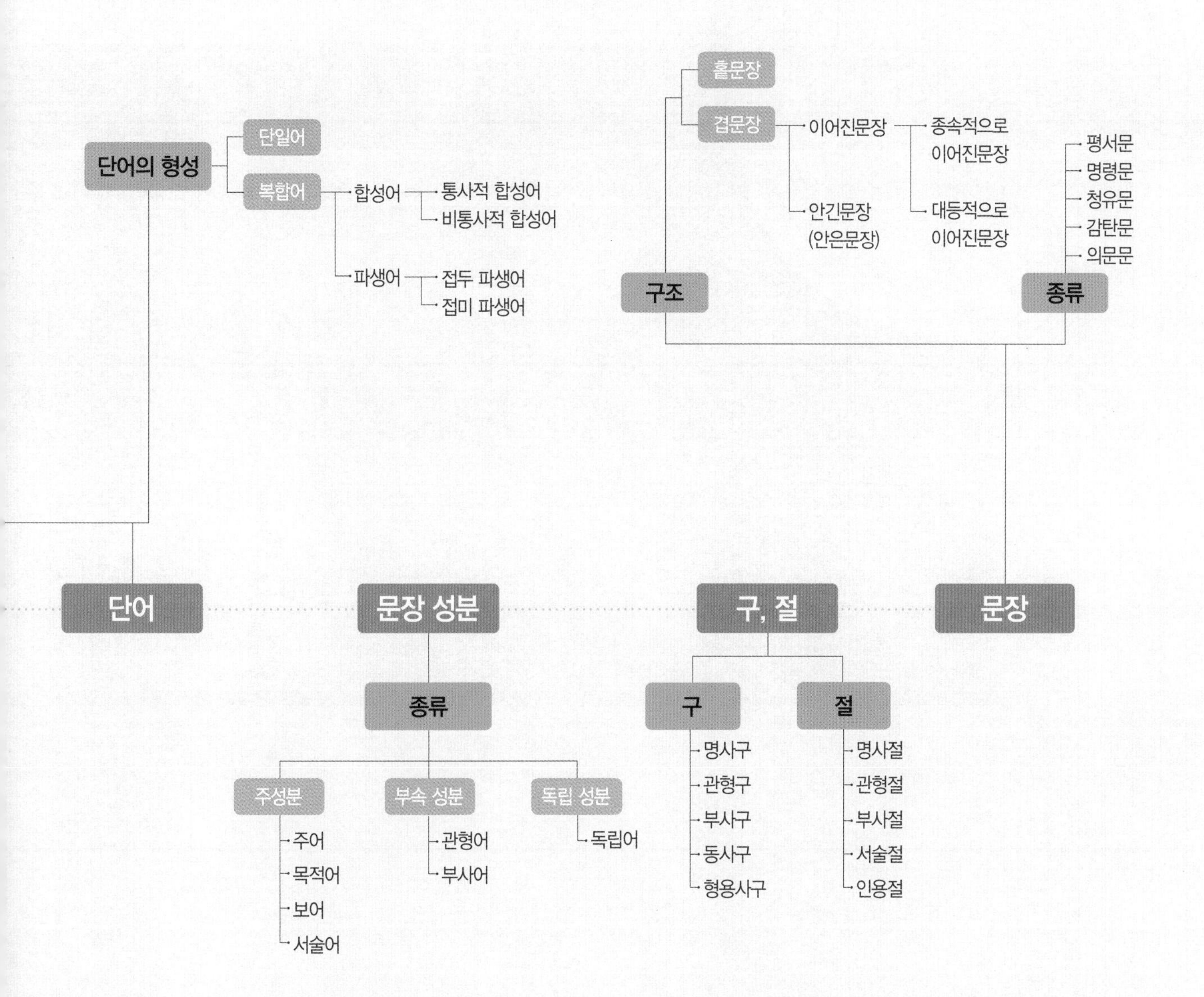

홑문장
겹문장
이어진문장
종속적으로
이어진문장
대등적으로
이어진문장
안긴문장
(안은문장)
평서문
명령문
청유문
감탄문
의문문
단어의 형성
단일어
복합어
합성어
통사적 합성어
비통사적 합성어
파생어
접두 파생어
접미 파생어
구조
종류
단어
문장 성분
구, 절
문장
종류
주성분
부속 성분
독립 성분
주어
목적어
보어
서술어
관형어
부사어
독립어
구
절
명사구
관형구
부사구
동사구
형용사구
명사절
관형절
부사절
서술절
인용절

수능 국어 문법 필수 개념서

국어 문법

F A Q

PART

1

음운의 변동과 국어 규범

음운의 변동과 국어 규범

문법 체계 한눈에 보기

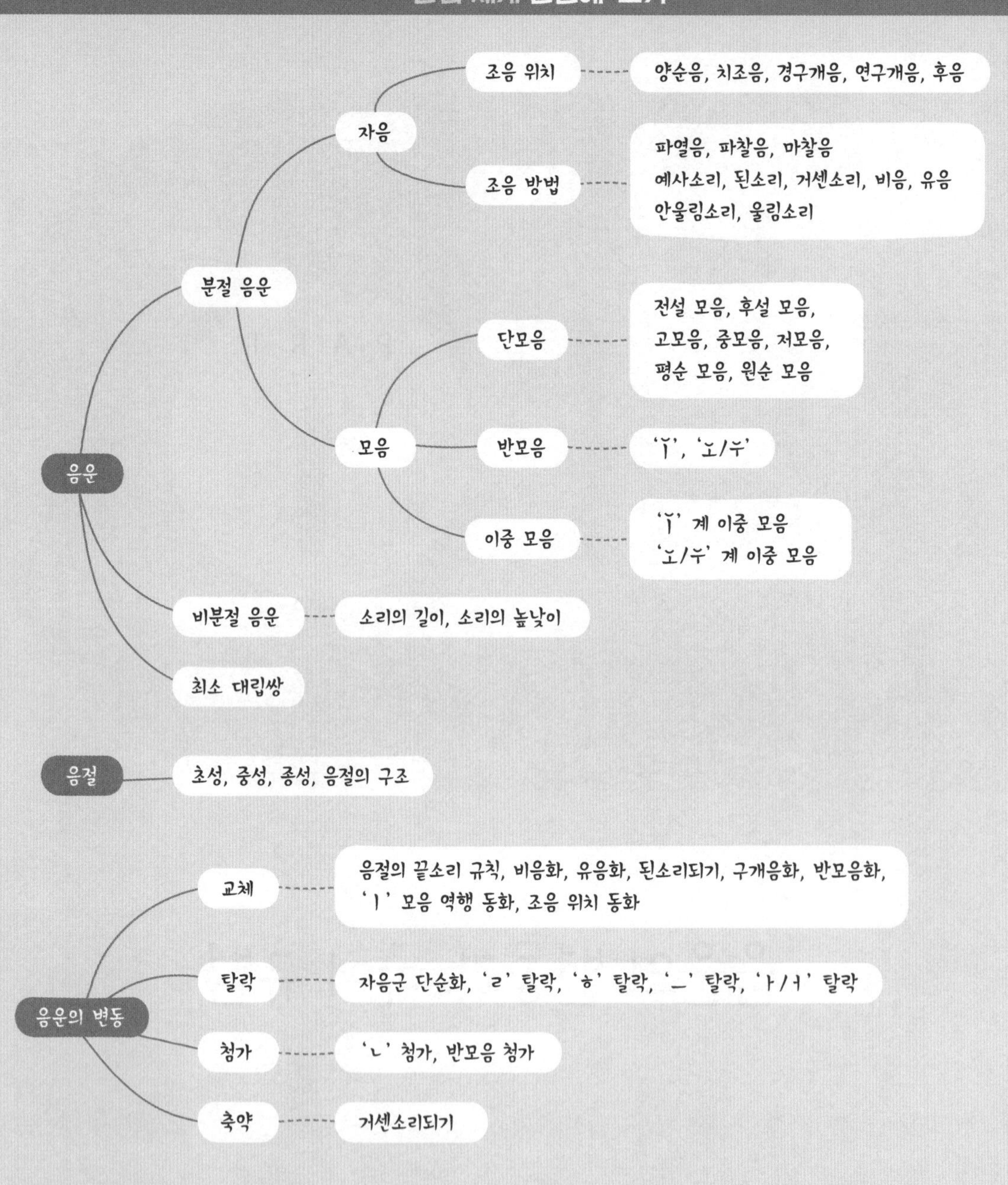

음운

음운에 대하여
소리 내봐 ㄱ, ㄴ, ㄷ, ㄹ…ㅏ, ㅑ, ㅓ, ㅕ…

음운: 말의 뜻을 구별해 주는 소리의 최소 단위
분절 음운(음소): 나눌 수 있는 음운으로 자음과 모음을 가리킴
비분절 음운(운소): 나눌 수 없는 음운으로 소리의 길이, 높낮이, 세기 등을 가리킴
최소 대립쌍: 단 하나의 음운 차이로 인해 그 뜻이 구별되는 단어의 쌍

평가원 밑줄 2019학년도 ⓐ 최소 대립쌍이란 하나의 소리로 인해 뜻이 구별되는 단어의 짝을 말한다. 예 '살 – 쌀', '쉬리 – 소리', '마루 – 머루', '구실 – 구슬'

Q & A 01

최소 대립쌍을 통해 음운이 말의 뜻을 구별해 준다는 것을 알 수 있다고요?

불 vs. 물 – 'ㅂ'과 'ㅁ'의 차이로 뜻이 구별되므로 'ㅂ'과 'ㅁ'은 각각 하나의 음운
불 vs. 발 – 'ㅜ'와 'ㅏ'의 차이로 뜻이 구별되므로 'ㅜ'와 'ㅏ'는 각각 하나의 음운
불 vs. 북 – 'ㄹ'과 'ㄱ'의 차이로 뜻이 구별되므로 'ㄹ'과 'ㄱ'은 각각 하나의 음운
최소 대립쌍

어떤 단어의 쌍이 하나의 소리로 인해 뜻이 구별된다면 그 단어의 쌍을 최소 대립쌍이라고 해. 이렇게 최소 대립쌍이 성립되면 차이가 나는 각각의 소리는 하나의 음운으로 인정돼. 예를 들어 '불'과 '물'은 자음 'ㅂ'과 'ㅁ'의 차이로 인해 뜻이 구별되지? 그래서 'ㅂ'과 'ㅁ'은 각각의 음운이고, '불'과 '물'은 최소 대립쌍이야~ 참고로 'ㄲ, ㄸ, ㅃ, ㅆ, ㅉ'도 하나의 음운이라는 것을 기억하자! 이렇게 최소 대립쌍을 활용하면 자음과 모음 같은 분절 음운을 추출할 수 있는데, 분절 음운뿐만 아니라 소리의 장단과 같은 비분절 음운에 의해 뜻이 구별되는 단어의 쌍도 최소 대립쌍에 해당한다고 보기도 해.

Q & A 02

길게 발음하는 '눈'은 하늘에서 내리는 눈을, 짧게 발음하는 '눈'은 신체의 일부인 눈을 의미한다고 하는데, 이렇게 비분절 음운인 장단으로 뜻을 구별하는 단어들을 모두 외워야 하나요?

눈보라가 치더니 함박눈이 와. 어머 저 강아지 꼬리 감기는 것 좀 봐.

[표준 발음법: 음의 길이]

제6항 모음의 장단을 구별하여 발음하되, 단어의 첫음절에서만 긴소리가 나타나는 것을 원칙으로 한다.
눈보라[눈:보라]　말씨[말:씨]　밤나무[밤:나무]
첫눈[천눈]　참말[참말]　쌍동밤[쌍동밤]
다만, 합성어의 경우에는 둘째 음절 이하에서도 분명한 긴소리를 인정한다.
반신반의[반:신바:늬/반:신바:니]　재삼재사[재:삼재:사]　선남선녀[선:남선:녀]
[붙임] 용언의 단음절 어간에 어미 '–아/–어'가 결합되어 한 음절로 축약되는 경우에도 긴소리로 발음한다.
보아 → 봐[봐:]　기어 → 겨[겨:]　두어 → 둬[둬:]
다만, '오아 → 와, 지어 → 져, 찌어 → 쪄, 치어 → 쳐' 등은 긴소리로 발음하지 않는다.
제7항 긴소리를 가진 음절이라도, 다음과 같은 경우에는 짧게 발음한다.
1. 단음절인 용언 어간에 모음으로 시작된 어미가 결합되는 경우
감다[감:따]–감으니[가므니]　신다[신:따]–신어[시너]　알다[알:다]–알아[아라]
2. 용언 어간에 피동, 사동의 접미사가 결합되는 경우
감다[감:따]–감기다[감기다]　꼬다[꼬:다]–꼬이다[꼬이다]　밟다[밥:따]–밟히다[발피다]

음의 길이와 관련된 문제가 나온다면 자료가 제시될 거야. 원칙은 단어의 첫음절에서만 긴소리가 나타난다는 것! 나머지는 제시된 자료를 보고 적용할 수 있으면 돼! 그럼 '눈보라가 치더니 함박눈이 와. 어머 저 강아지 꼬리 감기는 것 좀 봐.'에서 긴소리로 나는 것만 찾아보자!

눈보라[눈:보라], 봐[봐:]

자음

자음, 어디까지 아니?
조음 위치와 조음 방법을 알면 음운 변동 현상을 자연스럽게 이해할 수 있다!

조음: 말소리를 낼 때 관여하는 발음 기관인 성대, 목젖, 혀, 이, 입술 따위를 움직이는 것

조음 위치: 말소리를 낼 때 발음 기관에서 공기의 흐름이 방해를 받는 위치

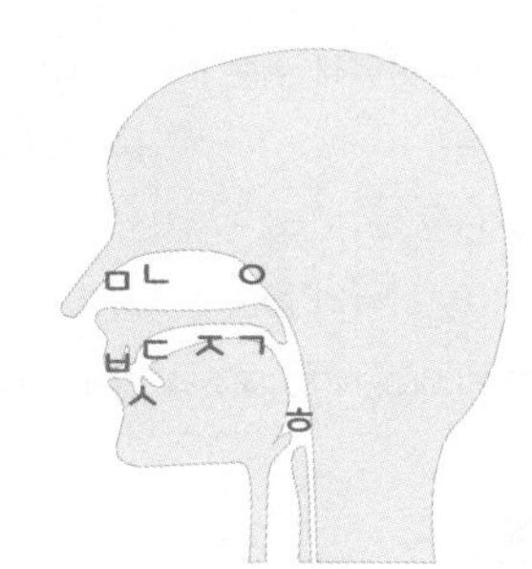

양순음: 두 입술을 맞대고 나는 소리 (ㅂ, ㅃ, ㅍ, ㅁ)

치조음: 혀끝이 윗잇몸에 닿아서 나는 소리 (ㄷ, ㄸ, ㅌ, ㅅ, ㅆ, ㄴ, ㄹ)

경구개음: 혀의 앞부분과 센입천장 사이에서 나는 소리 (ㅈ, ㅉ, ㅊ)

연구개음: 혀의 뒷부분과 여린입천장 사이에서 나는 소리 (ㄱ, ㄲ, ㅋ, ㅇ)

후음: 목청 사이에서 나는 소리 (ㅎ)

⊕ 치아 뒤에서부터 혀로 입천장을 건드려 보면 앞쪽은 딱딱하고 뒤쪽으로 갈수록 부드러워지는데, 딱딱한 부분을 경구개(센입천장), 부드러운 부분을 연구개(여린입천장)라고 함

조음 방법: 말소리를 낼 때 발음 기관이 장애를 일으키는 방법

파열음: 허파에서 나오는 공기의 흐름을 막았다가 터뜨리며 내는 소리 (ㅂ, ㅃ, ㅍ, ㄷ, ㄸ, ㅌ, ㄱ, ㄲ, ㅋ)

파찰음: 허파에서 나오는 공기의 흐름을 막았다가 서서히 터뜨리면서 마찰을 일으키며 내는 소리 (ㅈ, ㅉ, ㅊ)

마찰음: 입안이나 목청 사이의 공간을 좁혀 마찰을 일으키며 내는 소리 (ㅅ, ㅆ, ㅎ)

⊕ 파열음, 파찰음은 소리의 세기에 따라 예사소리, 된소리, 거센소리로 나뉘고, 마찰음은 예사소리, 된소리로 나뉨

예사소리(평음): 긴장도가 낮아 약하게 발음 (ㅂ, ㄷ, ㄱ, ㅅ, ㅈ)
된소리(경음): 긴장도가 높아 강하게 발음 (ㅃ, ㄸ, ㄲ, ㅆ, ㅉ)
거센소리(격음): 숨이 거세게 나오면서 발음 (ㅍ, ㅌ, ㅋ, ㅊ)

비음: 입 안의 통로를 막고 코로 공기를 내보내면서 내는 소리 (ㅁ, ㄴ, ㅇ)

유음: 혀끝을 잇몸에 가볍게 대었다가 뗀 채 공기를 그 양 옆으로 흘려보내면서 내는 소리 (ㄹ)

⊕ 'ㄴ, ㄹ, ㅁ, ㅇ'을 제외한 자음은 모두 안울림소리, 'ㄴ, ㄹ, ㅁ, ㅇ'과 모음은 모두 울림소리임

안울림소리: 발음할 때 성대가 울리지 않는 소리 (파열음, 파찰음, 마찰음)
울림소리: 발음할 때 성대가 울리는 소리 (비음, 유음)

조음 방법 \ 조음 위치			양순음 (입술소리)	치조음 (잇몸소리)	경구개음 (센입천장소리)	연구개음 (여린입천장소리)	후음 (목청소리)
안울림 소리 (무성음)	파열음	예사소리	ㅂ	ㄷ		ㄱ	
		된소리	ㅃ	ㄸ		ㄲ	
		거센소리	ㅍ	ㅌ		ㅋ	
	파찰음	예사소리			ㅈ		
		된소리			ㅉ		
		거센소리			ㅊ		
	마찰음	예사소리		ㅅ			ㅎ
		된소리		ㅆ			
울림소리 (유성음)	비음		ㅁ	ㄴ		ㅇ	
	유음			ㄹ			

⊕ 'ㅎ'은 음운 체계에서 예사소리로 보는 견해와 거센소리로 보는 견해, 혹은 어디에도 속하지 않는다고 보는 견해가 있음

파열음, 파찰음, 마찰음, 비음, 유음, 양순음, 치조음 … 이런 용어들을 모두 암기해야 하나요?

밤단강

조음 방법과 조음 위치와 관련된 용어들을 달달달 외울 필요는 없어! 다만 이 용어들이 무엇을 의미하는지 한 번은 정확히 이해하고 넘어간다면 각 자음이 갖고 있는 속성을 알게 되기 때문에 나중에 음운 변동 현상을 이해할 때 큰 도움이 돼. 참! '밤단강'이 뭐냐고? 암기하기 쉽게 같은 조음 위치에 있는 자음들을 초성과 종성에 배치하고 모음 'ㅏ'를 넣어 만들어 본 거야! 양순음부터 후음까지 위치한 자음들 중 기본적인 자음들 'ㅂ(양순음), ㄷ/ㅅ(치조음), ㅈ(경구개음), ㄱ/ㅇ(연구개음), ㅎ(후음)'을 먼저 기억해 두면 나머지 거센소리와 된소리는 저절로 외워지겠지? 그리고 'ㅂ'에서 튀어나온 부분을 지우면 'ㅁ'이 되니까 'ㅁ'은 'ㅂ'과 같은 위치, 'ㄷ'에서 획 하나를 지우면 'ㄴ'이, 획을 두 개 더 그으면 'ㄹ'이 되니까 'ㄴ, ㄹ'은 'ㄷ'과 같은 위치야. 일단 이렇게 외워두자!

'자음' 한눈에 보기

1. 중세 국어의 자음

초성:

예사소리	ㅂ, ㄷ, ㄱ, ㅈ, ㅅ, ㅎ
된소리	ㅽ, ㅼ, ㅺ, ㅆ
거센소리	ㅍ, ㅌ, ㅋ, ㅊ
유성 마찰음	ㅸ, ㅿ, ㅇ
비음	ㅁ, ㄴ, ㆁ
유음	ㄹ

⊕ 중세 국어의 어두에서는 'ㅳ, ㅄ, ㅵ' 등과 같은 자음군이 쓰일 수 있었음

종성 표기 8종성법: 'ㄱ, ㄴ, ㄷ, ㄹ, ㅁ, ㅂ, ㅅ, ㆁ'
- ㆁ → 옛이응
- ㄷ, ㅅ → 발음 구별

평가원 밑줄 2017학년도 ⑥ (15세기 중세 국어) 당시에는 국어의 음절 끝에는 'ㄱ, ㄴ, ㄷ, ㄹ, ㅁ, ㅂ, ㅅ, ㆁ'의 8개의 소리가 올 수 있었다.

2014학년도 ㊌ 15세기 국어의 음운과 표기의 특징 – 자음 'ㅿ'과 'ㅸ'이 존재하였다.
- 초성에 오는 'ㅲ'은 'ㅂ'과 'ㄷ'이, 'ㅄ'은 'ㅂ'과 'ㅅ'이 모두 발음되었다.
- 종성에서 'ㄷ'과 'ㅅ'이 다르게 발음되었다.

2. 근대 국어의 자음

초성:

예사소리	ㅂ, ㄷ, ㄱ, ㅈ, ㅅ, ㅎ
된소리	ㅽ, ㅼ, ㅺ, ㅾ, ㅆ(ㅄ)
거센소리	ㅍ, ㅌ, ㅋ, ㅊ
비음	ㅁ, ㄴ, ㅇ
유음	ㄹ

종성 표기 7종성법: 'ㄱ, ㄴ, ㄹ, ㅁ, ㅂ, ㅅ, ㅇ'
- ㅇ → 'ㆁ'(옛이응)이 현대 국어의 'ㅇ' 자로 바뀜
- ㅅ → 표기는 'ㅅ'으로 적으나, [ㄷ]으로 발음

평가원 밑줄 2019학년도 ㊌ (근대 국어로 오면서는) 받침 'ㅅ'과 'ㄷ'의 발음이 구분되지 않게 되었다.

2017학년도 ⑥ 'ㅸ', 'ㅿ'은 15세기와 16세기를 지나면서 소실되었다.

3. 현대 국어의 자음

초성:

예사소리	ㅂ, ㄷ, ㄱ, ㅈ, ㅅ, ㅎ
된소리	ㅃ, ㄸ, ㄲ, ㅉ, ㅆ
거센소리	ㅍ, ㅌ, ㅋ, ㅊ
비음	ㅁ, ㄴ, ㅇ
유음	ㄹ

종성 :

받침 표기	겹받침 포함 자음 27자 ('ㄸ, ㅃ, ㅉ' 제외)
받침 발음	음절의 끝소리 규칙 : 받침소리로는 'ㄱ, ㄴ, ㄷ, ㄹ, ㅁ, ㅂ, ㅇ'의 7개만 발음

⊕ 외래어 표기법: 받침에는 'ㄱ, ㄴ, ㄹ, ㅁ, ㅂ, ㅅ, ㅇ'만 적음
- ㅅ → 외래어 표기에서는 받침에서 [ㄷ] 발음을 'ㅅ'으로 표기함
- 예 robot: 로봇 (발음은 [로봇])

모음

모음, 어디까지 아니?
단모음의 분류 기준은 혀의 위치와 입술 모양, 이중 모음의 구성 요소 중 하나는 반모음!

단모음: 발음할 때 입술 모양이나 혀의 위치가 달라지지 않는 모음

혀의 전후 위치

전설 모음: 발음할 때 혀의 최고점이 앞쪽에 놓이는 모음

후설 모음: 발음할 때 혀의 최고점이 뒤쪽에 놓이는 모음

⊕ 혀의 최고점이란 발음할 때 혀의 가장 높은 부분을 말함

혀의 높이

고모음: 혀의 높이가 높음

중모음: 혀의 높이가 중간

저모음: 혀의 높이가 낮음

⊕ 혀의 높이가 높을수록 입은 조금 벌어지고 혀의 높이가 낮을수록 입은 크게 벌어짐

입술 모양

평순 모음: 입술을 오므리지 않고 평평하게 하고 발음

원순 모음: 입술을 동그랗게 오므리고 발음

혀의 위치	전설 모음		후설 모음	
입술 모양 / 혀의 높이	평순 모음	원순 모음	평순 모음	원순 모음
고모음	ㅣ	ㅟ	ㅡ	ㅜ
중모음	ㅔ	ㅚ	ㅓ	ㅗ
저모음	ㅐ		ㅏ	

[표준 발음법: 자음과 모음]

제4항 'ㅏ ㅐ ㅓ ㅔ ㅗ ㅚ ㅜ ㅟ ㅡ ㅣ'는 단모음으로 발음한다.

[붙임] 'ㅚ, ㅟ'는 이중 모음으로 발음할 수 있다.

⊕ 'ㅚ, ㅟ'를 단모음으로 발음할 경우: [ø], [y] / 이중 모음으로 발음할 경우: [we], [wi]

이중 모음: 입술 모양이나 혀의 위치를 처음과 나중이 서로 달라지게 하여 내는 모음 (이중 모음의 구성 요소는 '반모음'과 '단모음')

반모음: 모음과 같이 발음하지만 음절을 이루지 못하는 아주 짧은 모음으로, 'ㅣ̆' [j]와 'ㅗ̆/ㅜ̆' [w]가 있음

'ㅣ̆'계 이중 모음: 'ㅣ̆' + 단모음 → 'ㅑ, ㅒ, ㅕ, ㅖ, ㅛ, ㅠ' / 단모음 + 'ㅣ̆' → 'ㅢ'

'ㅗ̆/ㅜ̆'계 이중 모음: 'ㅗ̆/ㅜ̆' + 단모음 → 'ㅘ, ㅙ, ㅝ, ㅞ'

상향 이중 모음: 반모음이 단모음보다 앞에 오는 것 (반모음 + 단모음)

하향 이중 모음: 반모음이 단모음보다 뒤에 오는 것 (단모음 + 반모음)

⊕ 현대 국어의 이중 모음은 대부분 상향 이중 모음이고 하향 이중 모음은 단모음 'ㅡ'와 반모음 'ㅣ̆'가 결합된 'ㅢ' 하나뿐이지만 'ㅢ'의 경우에도 반모음이 앞에 오는지 뒤에 오는지에 대한 견해가 다양함

'단모음 체계' 한눈에 보기

1. 중세 국어의 단모음 (7모음 체계)

혀의 위치	전설 모음		후설 모음	
입술 모양 / 혀의 높이	평순 모음	원순 모음	평순 모음	원순 모음
고모음	ㅣ		ㅡ	ㅜ
중모음			ㅓ	ㅗ
저모음			ㅏ	·

2. 근대 국어의 단모음 (8모음 체계)

혀의 위치	전설 모음		후설 모음	
입술 모양 / 혀의 높이	평순 모음	원순 모음	평순 모음	원순 모음
고모음	ㅣ		ㅡ	ㅜ
중모음	ㅔ		ㅓ	ㅗ
저모음	ㅐ		ㅏ	

⊕ 근대 국어의 단모음 체계는 '·'(아래아)의 소실과 'ㅐ', 'ㅔ'가 단모음으로 바뀌면서 8모음 체계가 됨

평가원 밑줄 2014학년도 ⑥ 모음 '·'(아래아)는 중세 국어 이후 크게 두 단계의 변화를 겪었다. 제1 단계 변화에서는 단어의 둘째 음절 이하에 놓인 모음 '·'가 'ㅡ'로 변화하였다. 이 변화가 일어나고 난 뒤 제2 단계 변화에서는 첫째 음절에 놓인 모음 '·'가 'ㅏ'로 변화하였다.

3. 현대 국어의 단모음 (10모음 체계)

혀의 위치	전설 모음		후설 모음	
입술 모양 / 혀의 높이	평순 모음	원순 모음	평순 모음	원순 모음
고모음	ㅣ	ㅟ	ㅡ	ㅜ
중모음	ㅔ	ㅚ	ㅓ	ㅗ
저모음	ㅐ		ㅏ	

평가원 밑줄 2014학년도 ⑥ 국어의 단모음은 'ㅏ, ㅐ, ㅓ, ㅔ, ㅗ, ㅚ, ㅜ, ㅟ, ㅡ, ㅣ'의 10개를 원칙으로 한다. 다만 'ㅚ, ㅟ'는 이중 모음으로 발음하는 것도 허용하는데, 특히 'ㅚ'를 이중 모음으로 발음하면 [ㅞ]와 같아진다. 예 금괴: [금괴]로 발음하는 것이 원칙, [금궤]로 발음하는 것도 허용

표준 발음법에서 이중 모음에 대한 발음 규정이 너무 헷갈려요!

무늬가 예쁜 시계를 가져가 강의의 시간을 확인했다.

[표준 발음법: 자음과 모음]

제5항 'ㅑ ㅒ ㅕ ㅖ ㅘ ㅙ ㅛ ㅝ ㅞ ㅠ ㅢ'는 이중 모음으로 발음한다.

다만 1. 용언의 활용형에 나타나는 '져, 쪄, 쳐'는 [저, 쩌, 처]로 발음한다.

가지어 → 가져[가저]　　찌어 → 쪄[쩌]　　다치어 → 다쳐[다처]

다만 2. '예, 례' 이외의 'ㅖ'는 [ㅔ]로도 발음한다.

계집[계:집/게:집]　　계시다[계:시다/게:시다]　　시계[시계/시게]　　연계[연계/연게]

다만 3. 자음을 첫소리로 가지고 있는 음절의 'ㅢ'는 [ㅣ]로 발음한다.

늴리리[닐리리]　　무늬[무니]　　띄어쓰기[띠어쓰기]　　희망[히망]

다만 4. 단어의 첫음절 이외의 '의'는 [ㅣ]로, 조사 '의'는 [ㅔ]로 발음함도 허용한다.

주의[주의/주이]　　우리의[우리의/우리에]　　협의[혀븨/혀비]

평가원 밑줄 2014학년도 ⑥ 자음을 첫소리로 가지고 있는 음절의 'ㅢ'는 항상 [ㅣ]로 발음하되, 단어의 첫 음절 이외의 '의'는 [ㅣ]로, 조사 '의'는 [ㅔ]로 발음할 수 있다.

위의 표준 발음법은 이중 모음에 대한 발음을 설명하고 있어. 'ㅑ ㅒ ㅕ ㅖ ㅘ ㅙ ㅛ ㅝ ㅞ ㅠ ㅢ'는 원칙적으로 이중 모음으로 발음해야 하지만 '다만 1~다만 4'를 덧붙여 예외적인 경우와 허용하는 경우를 설명하고 있지! 주의할 점은 '다만 1'에서 'ㅈ, ㅉ, ㅊ'가 'ㅕ'와 만났을 때는 [저, 쩌, 처]로만 발음하고, '다만 3'에서 자음을 첫소리로 가지고 있는 음절의 'ㅢ'는 [ㅣ]로만 발음할 수 있다는 거야. 자, 그럼 표준 발음법 제5항을 참고하여 '무늬가 예쁜 시계를 가져가 강의의 시간을 확인했다.'를 발음해 보자.

[무니가 예쁜 시계/시게를 가저가 강의의/강이의/강의에/강이에 시가늘 화긴핻따]

음절

음절은 소리의 마디
지바프로말근무리흐른다

음절: 한 덩어리로 소리 낼 수 있는 소리 마디
초성: 음절의 구성에서 처음 소리인 자음
중성: 음절의 구성에서 중간 소리인 모음
종성: 음절의 구성에서 마지막 소리인 자음

⊕ 음절을 이루려면 반드시 모음이 있어야 하기 때문에 국어의 음절의 구조에서 중성은 필수적이며, 음절의 유형을 따질 때에는 표기가 아닌 발음을 기준으로 판단해야 함

국어 음절의 구조

1.			중성		
2.	초성	+	중성		
3.			중성	+	종성
4.	초성	+	중성	+	종성

평가원 밑줄 2022학년도 ⑨ 음절의 구조에 제약이 존재한다.
1. 초성에는 'ㅇ'이 올 수 없음
2. 종성에는 'ㄱ, ㄴ, ㄷ, ㄹ, ㅁ, ㅂ, ㅇ'만 올 수 있음(이외의 자음은 다른 자음으로 교체됨)
3. 종성에 둘 이상의 자음이 올 수 없음(둘 이상이면 둘 중 하나 탈락)

2020학년도 ⊕ 음절은 발음할 수 있는 최소의 언어 단위이다.

2015학년도 ⑥ 음운이 모여서 이루어지는 소리의 결합체를 음절이라고 한다. 현대 국어의 음절 유형은 다음 네 가지로 나눌 수 있다.
1. '중성'으로 이루어진 음절 예 아, 야, 와, 의
2. '초성+중성'으로 이루어진 음절 예 끼, 노, 며, 소
3. '중성+종성'으로 이루어진 음절 예 알, 억, 영, 완
4. '초성+중성+종성'으로 이루어진 음절 예 각, 논, 딸, 형

음절을 한 글자로 보면 되나요?

높이[노피]
발음[바름]

음절은 한 덩어리로 소리 낼 수 있는 소리 마디야. 즉, 음절은 표기가 아닌 발음을 기준으로 하는 소리의 단위라는 말이지! 그러니까 음절을 한 글자로 보면 안 되겠지? '높이[노피]'의 음절은 '노'와 '피'이고, '발음[바름]'의 음절은 '바'와 '름'이 되는 거야. 하나 더 예를 들어 볼까? '집 앞으로 맑은 물이 흐른다.'를 소리 나는 대로 이어서 발음해 보면 [지바프로말근무리흐른다]가 되지? 이때 '지, 바, 프, 로, 말, 근, 무, 리, 흐, 른, 다' 각각이 하나의 음절이야. 음절은 한 번에 소리 낼 수 있는 '소리 마디'라는 것, 잊지 말자!

높이[노피] – 첫째 음절과 둘째 음절의 유형 모두 동일하게 '초성 + 중성'으로 이루어짐
발음[바름] – 첫째 음절은 '초성 + 중성', 둘째 음절은 '초성 + 중성 + 종성'으로 이루어짐

'ㅏ, ㅓ'와 같이 모음으로만 쓰인 글자를 본 적이 없는데, 중성으로만 음절을 이룰 수 있다고요?

ㅏ ㅣ ㅢ ㅜ ㅠ → 아이의 우유

모음으로만 음절이 이루어질 경우에는 초성 자리에 'ㅇ'을 써줘. 이때 'ㅇ'은 소릿값 없이 형식적으로만 표기한 거야. 음절의 구성 방식이 모두 중성으로만 이루어진 'ㅏ ㅣ ㅢ ㅜ ㅠ'를 '아이의 우유'라고 표기하기로 약속한 거지. 참고로 현대 국어에서 초성에 쓰인 'ㅇ'은 모두 소릿값이 없고, 종성에 쓰인 'ㅇ'만 소릿값이 있는 자음 'ㅇ'이야.

양, 잉어, 용

즉, 위의 단어들에서 초성에 쓰인 'ㅇ'은 모두 형식적으로 쓰인 'ㅇ'이고, 종성에 쓰인 'ㅇ'만 소릿값이 있는 자음 'ㅇ'이라는 것!

임 vs. 힘

하나만 더! 앞에서 최소 대립쌍을 배웠지? 단 하나의 음운 차이로 인해 서로 다른 단어가 된 단어쌍이 최소 대립쌍이었잖아! 이때 차이가 나는 음운은 같은 자리에서 소리가 나야 해. 그럼 '임'과 '힘'은 어때? 최소 대립쌍을 이루는 것 같니? 절대 아니지! '임'의 초성에 쓰인 'ㅇ'은 자음으로서의 'ㅇ'이 아니라 형식적으로 쓰인 'ㅇ'이라고 했잖아. '임'의 음절 구조는 '중성(ㅣ) + 종성(ㅁ)'이고, '힘'의 음절 구조는 '초성(ㅎ) + 중성(ㅣ) + 종성(ㅁ)'으로 서로 다른 음절 구조를 가지고 있기 때문에 음절을 이루는 음운의 개수부터가 달라. 따라서 '임'과 '힘'은 최소 대립쌍의 성립 자체가 안 되는 거야. 즉, 최소 대립쌍이 되려면 먼저 음절의 구조가 서로 같아야 해!

음운의 변동

교체, 탈락, 첨가, 축약
바뀌고, 없어지고, 생기고, 합쳐지고!

음운의 변동: 일정한 환경에서 특정한 음운이 변화하는 현상

평가원 밑줄 2014학년도 ⑨ 음운의 변동을 크게 네 가지로 나눌 수 있다. 어떤 음운이 다른 음운으로 바뀌는 교체, 어떤 음운이 없어지는 탈락, 새로운 음운이 생기는 첨가, 두 음운이 하나의 음운으로 합쳐지는 축약이 그것이다.

음운 변동의 유형

- 교체: 어떤 음운이 다른 음운으로 바뀌는 음운 변동
- 탈락: 어떤 음운이 없어지는 음운 변동
- 첨가: 새로운 음운이 생기는 음운 변동
- 축약: 두 음운이 하나의 음운으로 합쳐지는 음운 변동

⊕ 학교 문법에서 음운의 변동 유형을 말할 때에는 교체, 탈락, 첨가, 축약을 의미하고, 동화는 앞의 4가지 음운 변동의 유형과는 그 층위가 다름

동화: 한 음운이 다른 음운의 성질을 닮아 가는 음운 현상

평가원 밑줄 2015학년도 ⑤ 동화란 어떤 음운이 주위에 있는 다른 음운의 영향을 받아 그것과 동일한 음운으로 바뀌거나, 조음 위치 또는 조음 방법이 그것과 같은 음운으로 바뀌는 현상이다.
예 뽑느라[뽐느라](비음화)

형태소: 일정한 뜻을 가진 가장 작은 말의 단위 예 철수/가/ 책/을/ 읽-/-었-/-다
실질 형태소: 구체적인 대상이나 동작, 상태를 표시하는 형태소. 즉, 실질적 의미를 지닌 형태소 예 철수, 책, 읽-
형식 형태소: 실질 형태소에 붙어 문법적 관계나 형식적 의미를 더해주는 형태소 (조사, 어미, 접사) 예 가, 을, -었-, -다

Ⅰ. 교체

(1) **음절의 끝소리 규칙**: 받침소리로 'ㄱ, ㄴ, ㄷ, ㄹ, ㅁ, ㅂ, ㅇ' 이외의 자음이 오면 이 일곱 자음 중 하나로 바뀌는 현상
- 어말 또는 자음으로 시작하는 형태소 앞: 음절의 끝소리가 위의 일곱 자음 중 하나로 발음된다.
- 모음으로 시작하는 실질 형태소 앞: 음절의 끝소리가 위의 일곱 자음 중 하나로 바뀌어 다음 음절의 첫소리로 이어져 발음된다.

ㄱ, ㄲ, ㅋ → [ㄱ] / 어말 또는 자음 앞	예 국 → [국], 밖 → [박], 동녘 → [동녁]
ㄷ, ㅌ, ㅅ, ㅆ, ㅈ, ㅊ, ㅎ → [ㄷ] / 어말 또는 자음 앞	예 낟, 낱, 낫, 났, 낮, 낯, 낳 → [낟]
ㅂ, ㅍ → [ㅂ] / 어말 또는 자음 앞	예 입, 잎 → [입]

평가원 밑줄 2017학년도 수 음절의 종성에 마찰음, 파찰음이 오거나 파열음 중 거센소리나 된소리가 올 경우, 모두 파열음의 예사소리로 교체된다. 이는 종성에서 발음될 수 있는 자음의 종류가 제한됨을 알려 준다. 예 비옷[비옫]

[표준 발음법: 받침의 발음]

제8항 받침소리로는 'ㄱ, ㄴ, ㄷ, ㄹ, ㅁ, ㅂ, ㅇ'의 7개 자음만 발음한다.

제9항 받침 'ㄲ, ㅋ', 'ㅅ, ㅆ, ㅈ, ㅊ, ㅌ', 'ㅍ'은 어말 또는 자음 앞에서 각각 대표음 [ㄱ, ㄷ, ㅂ]으로 발음한다.

제12항 'ㅎ' 뒤에 'ㄴ'이 결합되는 경우에는, [ㄴ]으로 발음한다.

– 'ㅎ'이 음절의 끝소리 규칙에 의해 'ㄷ'으로 바뀐 후 뒤에 오는 비음 'ㄴ'에 동화되어 [ㄴ]으로 발음된다. 예 놓는[녿는 → 논는]

제15항 받침 뒤에 모음 'ㅏ, ㅓ, ㅗ, ㅜ, ㅟ' 들로 시작되는 실질 형태소가 연결되는 경우에는, 대표음으로 바꾸어서 뒤 음절 첫소리로 옮겨 발음한다.

⊕ 연음 현상이 나타날 때, 뒤의 모음이 실질 형태소인지 형식 형태소인지 구별하기

연음: 앞 음절의 끝 자음이 모음으로 시작되는 뒤 음절의 초성으로 이어져 나는 소리

① 받침 뒤에 모음 'ㅏ, ㅓ, ㅗ, ㅜ, ㅟ' 들로 시작되는 실질 형태소가 연결되는 경우에는 대표음으로 바꾸어서 뒤 음절 첫소리로 옮겨 발음한다.

예 젖어미[저더미], 늪 앞[느밥], 밭 아래[바다래], 부엌 안[부어간]

② 받침 뒤에 모음으로 시작되는 형식 형태소가 연결되는 경우에는 앞말의 자음을 뒤 음절 첫소리로 그대로 옮겨 발음한다.

예 겉에[거테], 꽃을[꼬츨], 웃음[우슴]

③ 겹받침 뒤에 모음으로 시작되는 형식 형태소가 올 경우에는 겹받침 중 뒤의 것만을 뒤 음절 첫소리로 옮겨 발음한다. 단, 겹받침이 'ㄳ, ㄽ, ㅄ'인 경우, 'ㅅ'을 연음하되 된소리 [ㅆ]으로 발음한다.

예 닭을[달글], 삶아[살마], 외곬으로[외골쓰로]

음절의 끝소리 규칙과 연음 현상의 관계가 헷갈려요.

헛웃음

연음은 앞 음절의 끝 자음이 모음으로 시작하는 뒤 음절의 초성으로 이어져 나는 현상이야. 다만 형식 형태소로 시작하는 모음 앞에서는 앞 음절의 받침 자음이 그대로 뒤의 모음 초성으로 옮겨 발음되지만(겹받침의 경우에는 뒤의 것만!) 뒤의 모음이 실질 형태소일 경우에는 앞 음절의 받침이 음절의 끝소리 규칙을 겪어 대표음으로 바뀐 후에 뒤 음절의 초성으로 옮겨 발음되는 거지! '헛웃음'을 살펴보자. '헛-'은 '이유 없는, 보람 없는'의 뜻을 더하는 접두사이고, '웃-'은 어근으로, 실질적인 의미가 있는 실질 형태소야. 그리고 '-음'은 동사 '웃다'를 명사로 만들어 주는 명사 파생 접미사로, 형식 형태소에 해당돼.

정리해 보면, 모음으로 시작하는 둘째 음절의 '웃-'은 실질 형태소, 셋째 음절의 '-음'은 형식 형태소야. 음절의 끝소리 규칙은 모음으로 시작하는 실질 형태소 앞에서도 일어나잖아! 따라서 실질 형태소 '웃-' 앞에서 '헛'의 받침 'ㅅ'은 음절의 끝소리 규칙을 겪기 때문에 'ㄷ'으로 바뀐 후 연음되고, 형식 형태소 '-음' 앞에서 '웃-'의 받침 'ㅅ'은 그대로 연음되겠지?

헛웃음 → [허두슴]

적용하기

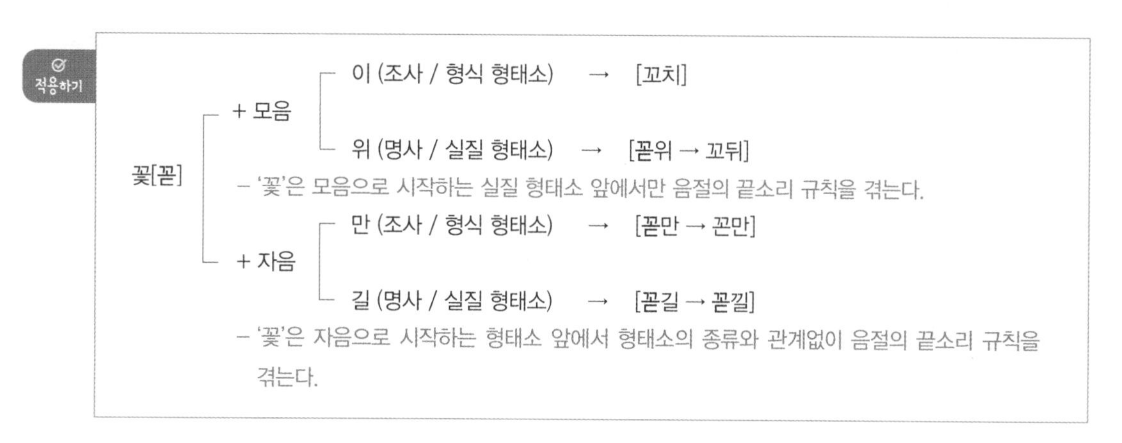

평가원 밑줄 2014학년도 ⑨ '앞앞이[아바피]'에서 '앞앞'은 같은 받침 'ㅍ'인데 [ㅍ]과 [ㅂ]으로 그 발음이 달라지는 이유를 알아보자.

1. '앞앞' 뒤에 모음으로 시작되는 형식 형태소가 올 때는 마지막 받침 'ㅍ'을 제 음가대로 뒤 음절의 첫소리로 옮겨 발음한다.

   예 무릎이야[무르피야], 서녘이나[서녀키나], 서녘에서[서녀케서], 겉으로[거트로], 배꽃이[배꼬치], 빛에[비체], 빛이며[비치며]

2. '앞'과 '앞'이 결합한 '앞앞'처럼 받침이 있는 말 뒤에 모음 'ㅏ, ㅓ, ㅗ, ㅜ, ㅟ' 들로 시작되는 실질 형태소가 오게 되면 그 받침을 대표음으로 바꾸어서 뒤 음절의 첫소리로 옮겨 발음한다.

   예 무릎 아래[무르바래], 겉아가미[거다가미], 배꽃 위[배꼬뒤]

(2) 비음화

① **비음 동화**: 파열음 'ㄱ, ㄷ, ㅂ'이 비음 'ㄴ, ㅁ' 앞에서 비음 'ㅇ, ㄴ, ㅁ'으로 바뀌는 현상

• 음절의 끝소리 규칙이나 자음군 단순화를 겪은 후 도출된 'ㄱ, ㄷ, ㅂ'도 비음 동화의 대상이 된다.

ㄱ → [ㅇ] / ㄴ, ㅁ 앞	예 국물[궁물], 낚는다[낙는다 → 낭는다], 부엌문[부억문 → 부엉문]
ㄷ → [ㄴ] / ㄴ, ㅁ 앞	예 닫는[단는], 겉모양[걷모양 → 건모양], 쫓는[쫃는 → 쫀는]
ㅂ → [ㅁ] / ㄴ, ㅁ 앞	예 밥물[밤물], 앞니[압니 → 암니], 값만[갑만 → 감만]

[표준 발음법: 음의 동화]

제18항 받침 'ㄱ(ㄲ, ㅋ, ㄳ, ㄺ), ㄷ(ㅅ, ㅆ, ㅈ, ㅊ, ㅌ, ㅎ), ㅂ(ㅍ, ㄼ, ㄿ, ㅄ)'은 'ㄴ, ㅁ' 앞에서 [ㅇ, ㄴ, ㅁ]으로 발음한다.

먹는[멍는]	국물[궁물]	깎는[깡는]	키읔만[키응만]
몫몫이[몽목씨]	긁는[긍는]	흙만[흥만]	닫는[단는]
짓는[진:는]	옷맵시[온맵씨]	있는[인는]	맞는[만는]
젖멍울[전멍울]	쫓는[쫀는]	꽃망울[꼰망울]	붙는[분는]
놓는[논는]	잡는[잠는]	밥물[밤물]	앞마당[암마당]
밟는[밤:는]	읊는[음는]	없는[엄:는]	

[붙임] 두 단어를 이어서 한 마디로 발음하는 경우에도 이와 같다.

책 넣는다[챙넌는다]　흙 말리다[흥말리다]　옷 맞추다[온맏추다]
밥 먹는다[밤멍는다]　값 매기다[감매기다]

② **'ㄹ'의 비음화**: 'ㄹ'이 다른 자음 뒤에서 'ㄴ'으로 바뀜

ㄹ → [ㄴ] / ㄹ 이외의 자음 뒤	예 담력[담녁], 종로[종노], 막론[막논 → 망논]

[표준 발음법: 음의 동화]

제19항 받침 'ㅁ, ㅇ' 뒤에 연결되는 'ㄹ'은 [ㄴ]으로 발음한다.

담력[담:녁]　침략[침:냑]　강릉[강능]　항로[항:노]　대통령[대:통녕]

[붙임] 받침 'ㄱ, ㅂ' 뒤에 연결되는 'ㄹ'도 [ㄴ]으로 발음한다.

막론[막논 → 망논]　백 리[백니 → 뱅니]　협력[협녁 → 혐녁]　십 리[십니 → 심니]

– 'ㄹ'의 비음화 이후 비음 동화가 일어난다.

'비음 동화'와 'ㄹ'의 비음화를 구분해야 하나요?

독립

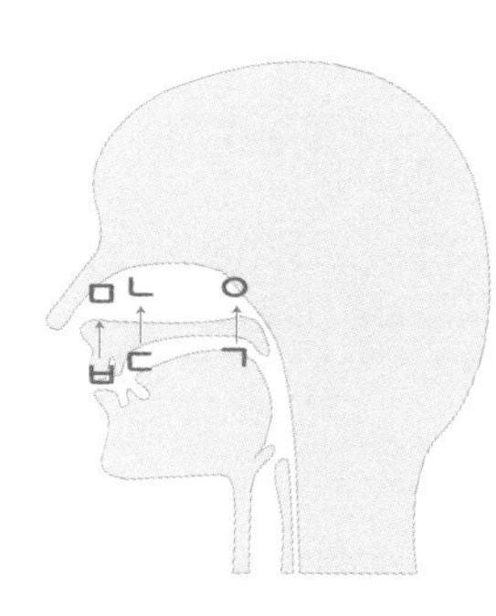

비음 동화는 파열음 'ㄱ, ㄷ, ㅂ'이 비음 'ㄴ, ㅁ' 앞에서 각각 비음 'ㅇ, ㄴ, ㅁ'으로 바뀌는 현상이야. 앞에서 자음의 조음 위치와 조음 방법에 대해서 배웠지? 비음 동화는 발음을 편리하게 하기 위해 비음 앞에 있는 파열음을 같은 조음 방법인 비음으로 바꿔 주는 거야. 이때 조음 위치는 그대로 두고, 조음 방법만 비음으로 바꾸는 거지! 그런데 'ㄹ'의 비음화는 'ㄹ'을 제외한 자음 뒤에서 'ㄹ'이 'ㄴ'으로 바뀌는 현상이야. 그래서 이 두 현상은 일어나는 조건이 다른 거지. '독립'을 살펴보자. 먼저 'ㄹ'이 'ㄱ' 뒤에서 'ㄴ'으로 바뀌어. 이때 'ㄱ'은 비음이 아니기 때문에 비음의 영향으로 'ㄹ'이 비음 'ㄴ'으로 바뀌었다고 할 수 없지? 그래서 이 경우는 'ㄹ'의 비음화라고 하는 거야. 이렇게 바뀐 비음 'ㄴ'의 영향으로 앞 음절의 받침 'ㄱ'이 비음 'ㅇ'으로 바뀌는데, 이 경우를 '비음 동화'라고 하지! 물론 이 둘을 합쳐서 일반적으로 그냥 '비음화'라고 해!

독립 → [독닙 → 동닙]
'ㄹ'의 비음화 비음 동화

평가원 밑줄 2015학년도 ⑨ '식물[싱물]'에서 '식'의 'ㄱ'이 '물'의 'ㅁ' 앞에서 [ㅇ]으로 발음되는데, 이는 두 자음이 만나서 발음될 때 앞 자음의 조음 방식이 바뀌는 것이다.
예 '입는[임는]', '뜯는[뜬는]'

(3) 유음화: 'ㄴ'이 앞이나 뒤에 오는 유음 'ㄹ'의 영향으로 'ㄴ'이 유음 'ㄹ'로 바뀌는 현상

ㄴ → [ㄹ] / ㄹ 앞이나 뒤	예 신라 → [실라], 물난리 → [물랄리], 뚫는 → [뚤는 → 뚤른]

[표준 발음법: 음의 동화]

제20항 'ㄴ'은 'ㄹ'의 앞이나 뒤에서 [ㄹ]로 발음한다.

(1) 난로[날ː로]	신라[실라]	천리[철리]	광한루[광ː할루]	대관령[대ː괄령]
(2) 칼날[칼랄]	물난리[물랄리]	줄넘기[줄럼끼]	할는지[할른지]	

[붙임] 첫소리 'ㄴ'이 'ㅀ', 'ㄾ' 뒤에 연결되는 경우에도 이에 준한다.

닳는[달른]　　뚫는[뚤른]　　핥네[할레]

– 자음군 단순화를 겪은 후 유음화가 일어난다.

다만, 다음과 같은 단어들은 'ㄹ'을 [ㄴ]으로 발음한다.

의견란[의ː견난]	임진란[임ː진난]	생산량[생산냥]	결단력[결딴녁]	공권력[공꿘녁]
동원령[동ː원녕]	상견례[상견녜]	횡단로[횡단노]	이원론[이ː원논]	입원료[이붠뇨]

(4) 된소리되기: 예사소리였던 것이 된소리로 발음되는 현상

- 된소리되기는 매우 생산적인 음운 변동이기는 하지만 다양한 조건에서 나타나기 때문에 하나의 규칙으로 설명하기 어렵다.

ㄱ, ㄷ, ㅂ, ㅅ, ㅈ → [ㄲ, ㄸ, ㅃ, ㅆ, ㅉ] / ①, ②, ③

① ㄱ, ㄷ, ㅂ 뒤

예 국밥 → [국빱], 꽃병 → [꼳뼝], 값도 → [갑또]

– '음절의 끝소리 규칙'이나 '자음군 단순화'가 적용된 'ㄱ, ㄷ, ㅂ' 뒤에서도 된소리되기가 일어난다.

② 어간의 끝 자음 ㄴ, ㅁ 뒤

예 (동생을) 안고 → [안꼬], (신발을) 신고 → [신꼬], (의자에) 앉고 → [안꼬]

– '자음군 단순화'를 겪은 후의 'ㄴ, ㅁ' 뒤에서도 된소리되기가 일어난다.

– 체언의 끝 자음 'ㄴ, ㅁ' 뒤에서는 된소리되기가 나타나지 않는다. 예 신고(申告)[신고]

– 피동, 사동 접사 '–기–'의 첫 자음은 이 변동에 참여하지 않는다. 예 안– + –기– + –다 → 안기다[안기다]

③ 관형사형 어미 –(으)ㄹ 뒤

예 할 것을 → [할꺼슬], 갈 데가 → [갈떼가], 만날 사람 → [만날싸람]

– '용언의 관형사형 + 명사'를 하나의 말토막으로 발음할 때도 된소리되기가 일어난다.

– '–ㄹ걸', '–ㄹ밖에', '–ㄹ게', '–ㄹ수록', '–ㄹ세라', '–ㄹ지라도' 등은 하나의 어미로 굳어진 형태로, 발음상으로 된소리되기를 겪는다.

ㄷ, ㅅ, ㅈ → [ㄸ, ㅆ, ㅉ] / 한자어에서 ㄹ 받침 뒤

예 갈등 → [갈뜽], 말살 → [말쌀], 열정 → [열쩡]

'긁고[글꼬]'에서 된소리되기가 어떻게 나타나는지 알려 주세요.

긁고[글꼬]

'긁고'는 [글꼬]로 발음되지? 마치 'ㄹ' 뒤에서 된소리되기가 일어난 것처럼 보이지만 음운론적으로 따져보면, 겹받침 'ㄺ' 중 뒤의 자음 'ㄱ'에 의해 된소리되기가 일어난 거야. 즉, 'ㄺ'의 'ㄱ' 뒤에서 '-고'의 'ㄱ'이 된소리되기를 겪은 후, 'ㄺ'이 자음군 단순화를 겪어 'ㄱ'이 탈락한 거야. 그런데 이와 달리 자음군 단순화를 먼저 겪고 된소리되기가 일어났다고 하는 견해도 있어. 물론 전자의 설명이 음운론적으로 더 타당해 보이지? 너무 어렵다고? 걱정하지 마! 아직까지 수능에서는 이렇게 구체적인 음운 변동의 순서까지 물어본 적은 없어. 2017학년도 6월 모의평가에서도 '긁고 → [글꼬]'가 '잃지 → [일치]'에서처럼 축약된 음운 변동이 있느냐고만 물어봤어. '긁고 → [글꼬]'에 축약이 있을까? '긁고 → [글꼬]'는 된소리되기와 자음군 단순화가 일어났으니 교체와 탈락만 나타나고 축약은 일어나지 않아. 이렇게 예시를 제시하고 어떤 음운 변동이 나타나는지 정도를 묻고 있으니, 일어나는 음운 변동이 무엇인지를 정확히 이해할 수 있으면 돼!

긁고 → [긁꼬 → 글꼬]

된소리되기　자음군 단순화

[표준 발음법: 경음화]

제23항 받침 'ㄱ(ㄲ, ㅋ, ㄳ, ㄺ), ㄷ(ㅅ, ㅆ, ㅈ, ㅊ, ㅌ), ㅂ(ㅍ, ㄼ, ㄿ, ㅄ)' 뒤에 연결되는 'ㄱ ,ㄷ, ㅂ, ㅅ, ㅈ'은 된소리로 발음한다.

국밥[국빱] 깎다[깍따] 넋받이[넉빠지] 삯돈[삭똔]
닭장[닥짱] 칡범[칙뻠] 뻗대다[뻗때다] 옷고름[옫꼬름]
있던[읻떤] 꽂고[꼳꼬] 꽃다발[꼳따발] 낯설다[낟썰다]
밭갈이[받까리] 솥전[솓쩐] 곱돌[곱똘] 덮개[덥깨]
옆집[엽찝] 넓죽하다[넙쭈카다] 읊조리다[읍쪼리다] 값지다[갑찌다]

제24항 어간 받침 'ㄴ(ㄵ), ㅁ(ㄻ)' 뒤에 결합되는 어미의 첫소리 'ㄱ, ㄷ, ㅅ, ㅈ'은 된소리로 발음한다.

신고[신:꼬] 껴안다[껴안따] 앉고[안꼬] 닮고[담:꼬]
삼고[삼:꼬] 더듬지[더듬찌] 얹다[언따] 젊지[점:찌]

다만, 피동, 사동의 접미사 '-기-'는 된소리로 발음하지 않는다.

안기다[안기다] 감기다[감기다] 굶기다[굼기다] 옮기다[옴기다]

제25항 어간 받침 'ㄼ, ㄾ' 뒤에 결합되는 어미의 첫소리 'ㄱ, ㄷ, ㅅ, ㅈ'은 된소리로 발음한다.

넓게[널께] 핥다[할따] 훑소[훌쏘] 떫지[떨:찌]

제26항 한자어에서, 'ㄹ' 받침 뒤에 연결되는 'ㄷ, ㅅ, ㅈ'은 된소리로 발음한다.

갈등[갈뜽] 발동[발똥] 절도[절또] 말살[말쌀]
불소[불쏘] 일시[일씨] 갈증[갈쯩] 물질[물찔]
발전[발쩐] 몰상식[몰쌍식] 불세출[불쎄출]

다만, 같은 한자가 겹쳐진 단어의 경우에는 된소리로 발음하지 않는다.

허허실실(虛虛實實)[허허실실] 절절-하다(切切-)[절절하다]

제27항 관형사형 '-(으)ㄹ' 뒤에 연결되는 'ㄱ, ㄷ, ㅂ, ㅅ, ㅈ'은 된소리로 발음한다.

할 것을[할꺼슬] 갈 데가[갈떼가] 할 바를[할빠를] 할 수는[할쑤는]
할 적에[할쩌게] 갈 곳[갈꼳] 할 도리[할또리] 만날 사람[만날싸람]

다만, 끊어서 말할 적에는 예사소리로 발음한다.

[붙임] '-(으)ㄹ'로 시작되는 어미의 경우에도 이에 준한다.

할걸[할껄] 할밖에[할빠께] 할세라[할쎄라] 할수록[할쑤록]
할지라도[할찌라도] 할지언정[할찌언정] 할진대[할찐대]

제28항 표기상으로는 사이시옷이 없더라도, 관형격 기능을 지니는 사이시옷이 있어야 할(휴지가 성립되는) 합성어의 경우에는, 뒤 단어의 첫소리 'ㄱ, ㄷ, ㅂ, ㅅ, ㅈ'을 된소리로 발음한다.

문-고리[문꼬리] 눈-동자[눈똥자] 신-바람[신빠람] 산-새[산쌔]
손-재주[손째주] 길-가[길까] 물-동이[물똥이] 발-바닥[발빠닥]

(5) 구개음화: 받침 'ㄷ, ㅌ(ㄾ)'인 형태소가 모음 'ㅣ' 나 반모음 'ǐ'로 시작되는 형식 형태소와 만나 'ㄷ, ㅌ'이 'ㅈ, ㅊ'으로 바뀌는 현상

- 동화는 발음의 편의를 위한 현상으로, 어떤 음이 인접해 있는 음과 같거나 비슷하게 바뀌는 현상이다. 모음 'ㅣ'와 가장 가까운 위치에서 발음되는 자음이 구개음(경구개음)인데, 'ㅣ'와 거리가 먼 'ㄷ, ㅌ'이 'ㅣ'와 거리가 가까운 'ㅈ, ㅊ'으로 발음되어 'ㅣ'와 조음 위치가 비슷하게 바뀐 것이므로 구개음화는 자음이 모음의 조음 위치에 동화된 현상이다.

ㄷ, ㅌ → [ㅈ, ㅊ] / 모음 ㅣ나 반모음 ǐ로 시작되는 형식 형태소 앞

예 굳이 → [구지], 밭이 → [바치], 닫히다 → [다티다 → 다치다]

[표준 발음법: 음의 동화]

제17항 받침 'ㄷ, ㅌ(ㄾ)'이 조사나 접미사의 모음 'ㅣ'와 결합되는 경우에는, [ㅈ, ㅊ]으로 바꾸어서 뒤 음절 첫소리로 옮겨 발음한다.

곧이듣다[고지듣따]　　굳이[구지]　　미닫이[미:다지]
땀받이[땀바지]　　밭이[바치]　　벼훑이[벼훌치]

[붙임] 'ㄷ' 뒤에 접미사 '히'가 결합되어 '티'를 이루는 것은 [치]로 발음한다.

굳히다[구치다]　　닫히다[다치다]　　묻히다[무치다]

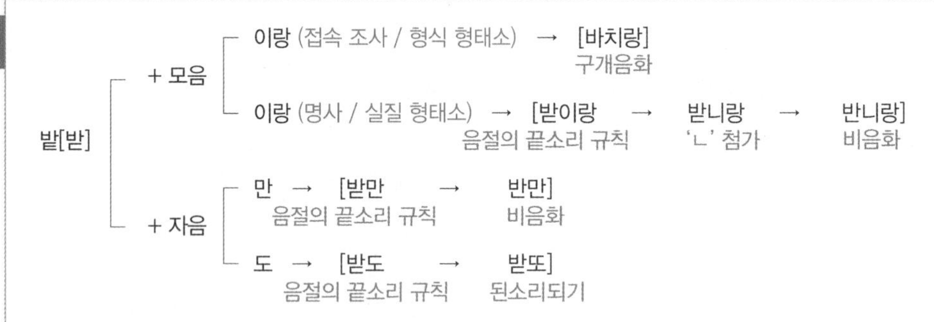

- '밭'이 자음과 만나면 음절의 끝소리 규칙이 적용되어 'ㅌ'이 'ㄷ'으로 바뀐 뒤, 뒤에 오는 자음에 따라 비음화가 일어나기도 하고, 된소리되기가 일어나기도 한다. 그런데 '밭'이 모음과 만나면 뒤의 모음이 형식 형태소인지 실질 형태소인지에 따라 받침 'ㅌ'에 적용되는 음운 변동 현상이 달라진다. 받침 'ㅌ' 뒤의 모음이 형식 형태소일 경우에는 구개음화가 일어나지만, 받침 'ㅌ' 뒤의 모음이 실질 형태소일 경우에는 음절의 끝소리 규칙이 적용된다.

‘꽂히다[꼬치다]’도 구개음화가 일어난 것 아닌가요?

꽂히다[꼬치다]

‘꽂히다’는 ‘꽂-’의 받침 ‘ㅈ’이 뒤에 오는 ‘ㅎ’과 축약되어 [꼬치다]로 발음돼. (뒤에서 축약에 대해 자세히 배울 거야!) 그런데 구개음화의 예시로 제시된 ‘닫히다’와 조금 헷갈리지? 위의 표준 발음법 제17항의 [붙임]을 보면 받침 ‘ㄷ’ 뒤에 접미사 ‘-히-’가 결합되어 ‘티’를 이루는 것은 [치]로 발음된다고 되어 있어. 즉 ‘ㄷ’과 ‘ㅎ’이 ‘ㅌ’으로 축약된 후, ‘ㅌ’과 ‘ㅣ’가 만나 구개음화를 겪는다는 의미야. 그래서 ‘꽂히다’도 음절의 끝소리 규칙에 의해 ‘꼳히다’가 된 후 ‘ㄷ’과 ‘히’가 결합되어 ‘티’를 이루고, 구개음화를 겪어 [치]로 발음된다고 생각할 수 있을 거야. 이와 관련하여 2017학년도 수능에서 ‘꽂히다’를 축약으로 보아야 할지, 음절의 끝소리 규칙을 겪은 후 구개음화가 일어났다고 보아야 할지 논란이 되기도 했지. 하지만 구개음화는 받침 ‘ㄷ, ㅌ(ㄾ)’인 형태소가 모음 ‘ㅣ’나 반모음 ‘ǐ’로 시작되는 형식 형태소와 만나 ‘ㄷ, ㅌ’이 ‘ㅈ, ㅊ’으로 바뀌는 현상이야. 그러니까 구개음화가 일어나는 조건은 받침이 ‘ㄷ, ㅌ(ㄾ)’인 경우로 한정되어 있는 거지. 따라서 ‘꽂히다’는 구개음화의 조건에 해당되지 않아. 문법은 충돌하는 여러 견해가 있을 수 있는 영역이야. 하지만 수능을 보기 위한 문법 공부를 하기 위해서는 출제 기관이 근거로 삼고 있는 관점을 이해하는 것이 중요해. 교육과정평가원의 입장은 ‘꽂히다[꼬치다]’의 경우를 축약으로 보고 있다는 것을 알아 두자!

꽂히다 → [꼬치다]
거센소리되기 (축약)

평가원 밑줄 2017학년도 ⊕ ‘꽂힌[꼬친]’에는 음절의 끝소리 규칙에 해당되는 음운 변동이 나타나지 않는다.

문법 타임슬립 ‘구개음화’ 한눈에 보기

중세 국어 (15세기)		근대 국어 (17~19세기)		현대 국어
쉽디	⇨	쉽지	⇨	쉽지
모딘		모진		모진
그티 (긑 + 이)		긋치 (긋 + 이)		끝이 (끝 + 이)

↳ 받침 ‘ㅌ’이 근대 국어의 7종성법에 따라 ‘ㅅ’으로 표기

- 중세 국어에서는 아직 구개음화가 일어나지 않음
- 근대 국어에서부터 구개음화가 일어나기 시작함
- 현대 국어의 구개음화는 모음 ‘ㅣ’나 반모음 ‘ǐ’로 시작되는 형식 형태소와 만나 ‘ㄷ, ㅌ’이 ‘ㅈ, ㅊ’으로 바뀌는 현상을 의미하지만, 근대 국어의 구개음화는 이 조건 외에도 ‘쉽디 → 쉽지’, ‘모딘 → 모진’과 같이 하나의 형태소 내부에서도 일어남
- 현대 국어의 구개음화는 ‘끝이[끄치]’와 같이 발음에만 한정할 뿐 표기에는 반영되지 않지만, 근대 국어의 구개음화는 ‘긋치’와 같이 표기에도 반영됨

⊕ 현대 국어의 ‘쉽지, 모진’은 근대 국어 시기에 구개음화가 일어난 형태가 그대로 이어진 것!

평가원 밑줄 2016학년도 ⊕ 중세 국어의 ‘쉽디’와 현대 국어의 ‘쉽지’를 비교해 보니 ‘-디’에서는 구개음화가 확인되지 않는다.

2015학년도 ⊗ 중세 국어의 ‘모딘’이 현대 국어의 ‘모진’에 대응하는 것을 보니 (중세 국어에서는) 구개음화 현상이 나타나지 않았다.

(6) 반모음화: 모음 'ㅣ'나 'ㅗ/ㅜ'가 어미 첫 모음 'ㅏ/ㅓ'와 만날 때, 단모음이 반모음으로 교체되는 현상

어간 끝 모음 ㅣ + 어미 첫 모음 ㅓ → [ㅕ] 예 기- + -어서 → [겨:서], 피- + -어 → [펴:]
어간 끝 모음 ㅗ / ㅜ + 어미 첫 모음 ㅏ / ㅓ → [ㅘ / ㅝ] 예 보- + -아라 → [봐:라], 두- + -어라 → [둬:라]
– 기어서[기어서/기여서/겨:서], 피어[피어/피여/펴:], 보아라[보아라/봐:라], 두어라[두어라/둬:라]로 발음이 가능하다.

[한글 맞춤법: 형태에 관한 것]

제35항 모음 'ㅗ, ㅜ'로 끝난 어간에 '-아/-어, -았-/-었-'이 어울려 'ㅘ/ㅝ, , ㅘㅆ/ㅝㅆ'으로 될 적에는 준 대로 적는다.

본말	준말	본말	준말
꼬아	꽈	꼬았다	꽜다
보아	봐	보았다	봤다
쏘아	쏴	쏘았다	쐈다
두어	둬	두었다	뒀다
쑤어	쒀	쑤었다	쒔다
주어	줘	주었다	줬다

[붙임 1] '놓아'가 '놔'로 줄 적에는 준 대로 적는다.

[붙임 2] 'ㅚ' 뒤에 '-어, -었-'이 어울려 'ㅙ, ㅙㅆ'으로 될 적에도 준 대로 적는다.

본말	준말	본말	준말
괴어	괘	괴었다	괬다
되어	돼	되었다	됐다
뵈어	봬	뵈었다	뵀다
쇠어	쇄	쇠었다	쇘다
쐬어	쐐	쐬었다	쐤다

제36항 'ㅣ' 뒤에 '-어'가 와서 'ㅕ'로 줄 적에는 준 대로 적는다.

본말	준말	본말	준말
가지어	가져	가지었다	가졌다
견디어	견뎌	견디었다	견뎠다
다니어	다녀	다니었다	다녔다
막히어	막혀	막히었다	막혔다
버티어	버텨	버티었다	버텼다
치이어	치여	치이었다	치였다

반모음을 하나의 음운으로 보나요? 이중 모음을 하나의 음운으로 보나요?

오- + -아 → [와:]

동사 '오다'의 어간에 어미 '-아'가 결합해 '와[와:]'로 발음하는 것은 음운 변동 중 축약의 예에 해당할까? 교체의 예에 해당할까? 이를 축약으로 보는 관점은 두 개의 단모음 'ㅗ'와 'ㅏ'가 한 개의 이중 모음 'ㅘ'로 줄었다는 것에 주목하는 입장이고, 교체로 보는 관점은 이중 모음 'ㅘ'가 하나의 음운이 아니라, 반모음 'ㅗ̆'와 단모음 'ㅏ'가 결합한 두 개의 음운으로 구성된 것으로 보는 입장이야. 즉, 후자의 관점은 어간의 단모음 'ㅗ'가 반모음 'ㅗ̆'로 교체되었다고 보는 거야. 최근 평가원과 EBS 연계 교재에서는 이러한 현상을 '교체'로 보는 관점이 우세해졌어. 즉 반모음을 하나의 음운으로 보는 거지! 하지만 시험을 대비하는 입장에서는 이 두 가지 관점을 모두 알아 두고 <보기>나 지문에서 제시한 관점에 따라 문제에 접근하는 것이 좋아!

평가원 밑줄 2021학년도 ⑨ 용언 어간 뒤에 '-아/어'로 시작하는 어미가 결합할 때, 단모음이 반모음으로 교체되는 음운 변동이 일어날 수 있다.
예 '오- + -아 → [와]', '견디- + -어서 → [견뎌서]'

2015학년도 ㊀ 두 개의 단모음이 합쳐져 이중 모음이 되기도 한다. 예 '배우- + -어 → [배워]'

(7) **‘ㅣ’ 모음 역행 동화**: 앞 음절의 후설 모음 ‘ㅏ, ㅓ, ㅗ, ㅜ’가 뒤 음절 ‘ㅣ’ 모음에 이끌려 전설 모음 ‘ㅐ, ㅔ, ㅚ, ㅟ’로 발음되는 현상

- ‘ㅣ’ 모음 역행 동화는 표준 발음으로 인정하지 않는다. 그러나 ‘냄비’, ‘올챙이’와 같이 ‘ㅣ’ 모음 역행 동화가 적용된 형태가 그대로 굳어져 표준어로 삼은 경우도 있다.

ㅏ, ㅓ, ㅗ, ㅜ → [ㅐ, ㅔ, ㅚ, ㅟ] / 뒤 음절의 ㅣ 모음 앞	예 아비 → [애비], 아지랑이 → [아지랭이]

[표준어 규정: 모음]

제9항 ‘ㅣ’ 역행 동화 현상에 의한 발음은 원칙적으로 표준 발음으로 인정하지 아니하되, 다만 다음 단어들은 그러한 동화가 적용된 형태를 표준어로 삼는다.

서울내기, 시골내기, 신출내기, 풋내기, 냄비, 동댕이-치다, 멋쟁이, 소금쟁이, 담쟁이-덩굴, 골목쟁이

(8) **조음 위치 동화**: 앞 자음의 조음 위치를 뒤 자음의 조음 위치에 동화시키는 현상

- 조음 위치 동화는 수의적인 동화 현상으로 표준 발음으로 인정하지 않는다. 아래 예에서 [ ] 안의 / 왼쪽 부분은 표준 발음이고, / 오른쪽 부분은 조음 위치 동화가 적용된 것으로 표준 발음이 아니다.

ㄴ, ㄷ → [ㅁ, ㅂ] / 양순음 앞	예 곤봉 → [곤봉/곰봉], 꽃보다 → [꼳뽀다/꼽뽀다]
ㄴ, ㄷ → [ㅇ, ㄱ] / 연구개음 앞	예 준공 → [준공/중공], 곶감 → [곧깜/곡깜]
ㅁ, ㅂ → [ㅇ, ㄱ] / 연구개음 앞	예 감기 → [감기/강기], 잡곡 → [잡꼭/작꼭]

[표준 발음법: 음의 동화]

제21항 위에서 지적한(제17항~제20항) 이외의 자음 동화는 인정하지 않는다.

감기[감:기] (×[강:기])	옷감[옫깜] (×[옥깜])	있고[읻꼬] (×[익꼬])
꽃길[꼳낄] (×[꼭낄])	젖먹이[전머기] (×[점머기])	문법[문뻡] (×[뭄뻡])
꽃밭[꼳빧] (×[꼽빧])		

Ⅱ. 탈락

(1) 자음군 단순화: 음절의 끝에 두 개의 자음(겹받침)이 올 때, 이 중에서 한 자음이 탈락하는 현상

- 우리말에서 음절 말 위치에 놓이는 자음은 하나만 올 수 있기 때문에 겹받침 중 하나가 탈락한다. 그러나 겹받침이 모음으로 시작하는 조사나 어미와 결합될 경우 두 자음이 모두 발음된다. 예 앉으면 → [안즈면]

⊕ 쌍자음 'ㄲ, ㅆ'은 겹받침이 아니므로 자음군 단순화가 적용되지 않음

체언의 겹받침 ㄳ, ㄼ, ㅄ, ㄺ, ㄻ → [ㄱ, ㄹ, ㅂ, ㄱ, ㅁ] / 어말 또는 자음 앞
예 넋 → [넉], 여덟 → [여덜], 값 → [갑], 닭 → [닥] 삶 → [삼:]

어간의 겹받침 ㄵ, ㄶ, ㄾ, ㅀ, ㅄ, ㄻ, ㄿ → [ㄴ, ㄴ, ㄹ, ㄹ, ㅂ, ㅁ, ㅂ] / 자음 앞
예 앉고 → [안꼬], 많네 → [만:네], 핥고 → [할꼬], 앓는 → [알른], 없고 → [업:꼬], 굶다 → [굼:따], 읊다 → [읍따]
– 단, 'ㄶ, ㅀ'의 'ㅎ'은 다음 음절의 첫소리와 축약되기도 한다. 예 많다 → [만:타]

어간의 겹받침 ㄺ → [ㄹ] / ㄱ 앞 예 읽고 → [일꼬], 맑게 → [말께]
ㄺ → [ㄱ] / ㄱ 이외의 자음 앞 예 읽다 → [익따], 맑다 → [막따]

어간의 겹받침 ㄼ → [ㄹ] / 자음 앞 예 넓고 → [널꼬], 짧게 → [짤께]
ㄼ → [ㅂ] (밟-/ 자음 앞, 넓죽하다, 넓둥글다) 예 밟고 → [밥:꼬], 넓죽하다 → [넙쭈카다], 넓둥글다 → [넙뚱글다]
– 'ㄼ'은 주로 'ㄹ'이 남으나, 자음 앞에 나타난 '밟-'과, '넓죽하다, 넓둥글다'의 'ㄼ'은 'ㅂ'이 남는다.

평가원 밑줄 2017학년도 ⊕ 음절의 종성에 자음군이 올 경우, 한 자음이 탈락한다. 이는 종성에서 하나의 자음만이 발음될 수 있음을 알려 준다. 예 읊고[읍꼬]

2015학년도 ⊕ 받침 소리로는 'ㄱ, ㄴ, ㄷ, ㄹ, ㅁ, ㅂ, ㅇ'의 7개 자음만 발음한다. 이는 '받침 발음의 원칙'을 규정한 것으로 이 원칙을 지키기 위해 두 가지 음운 변동이 적용된다. 하나는 자음이 탈락되는 것이고 다른 하나는 자음이 다른 자음으로 교체되는 것이다. 예 읽다[익따], 옮는[옴는], 읊기[읍끼]

[표준 발음법: 받침의 발음]

제10항 겹받침 'ㄳ', 'ㄵ', 'ㄼ, ㄽ, ㄾ', 'ㅄ'은 어말 또는 자음 앞에서 각각 [ㄱ, ㄴ, ㄹ, ㅂ]으로 발음한다.

넋[넉] 넋과[넉꽈] 앉다[안따] 여덟[여덜] 넓다[널따]
외곬[외골] 핥다[할따] 값[갑] 없다[업:따]

다만, '밟-'은 자음 앞에서 [밥]으로 발음하고, '넓-'은 다음과 같은 경우에 [넙]으로 발음한다.

(1) 밟다[밥:따] 밟소[밥:쏘] 밟지[밥:찌]
밟는[밥:는 → 밤:는] 밟게[밥:께] 밟고[밥:꼬]
(2) 넓-죽하다[넙쭈카다] 넓-둥글다[넙뚱글다]

제11항 겹받침 'ㄺ, ㄻ, ㄿ'은 어말 또는 자음 앞에서 각각 [ㄱ, ㅁ, ㅂ]으로 발음한다.

닭[닥] 흙과[흑꽈] 맑다[막따] 늙지[늑찌]
삶[삼:] 젊다[점:따] 읊고[읍꼬] 읊다[읍따]

다만, 용언의 어간 말음 'ㄺ'은 'ㄱ' 앞에서 [ㄹ]로 발음한다.

맑게[말께] 묽고[물꼬] 얽거나[얼꺼나]

자음군 단순화도 음절의 끝소리 규칙에 포함되는 것 아닌가요?

읊고[읍꼬]

음절의 끝소리 규칙과 자음군 단순화는 서로 다른 종류의 음운 변동 현상이야. 음절의 끝소리 규칙은 하나의 음운이 다른 음운으로 교체되는 거고, 자음군 단순화는 두 개의 음운 중 하나가 탈락하는 거니까! '읊고'를 살펴보자. '읊고'는 음절의 끝소리 규칙과 자음군 단순화가 모두 적용돼. 음절의 끝소리 규칙을 겪어 '읇고'가 되고, 'ㅂ' 뒤에서 'ㄱ'은 된소리되기가 일어나니까 '읇꼬'가 돼. 그리고 자음군 단순화가 적용되니까 최종적인 발음은 [읍꼬]가 되는 거지!

읊고 → [읇고 → 읇꼬 → 읍꼬]

음절의 끝소리 규칙 　 된소리되기 　 자음군 단순화

⊕ '읊고[읍꼬]'에서 자음군 단순화가 먼저 일어나고 음절의 끝소리 규칙이 일어나도 최종 결과는 같으므로, 이런 경우에는 음운 변동의 순서는 크게 신경쓰지 말 것!

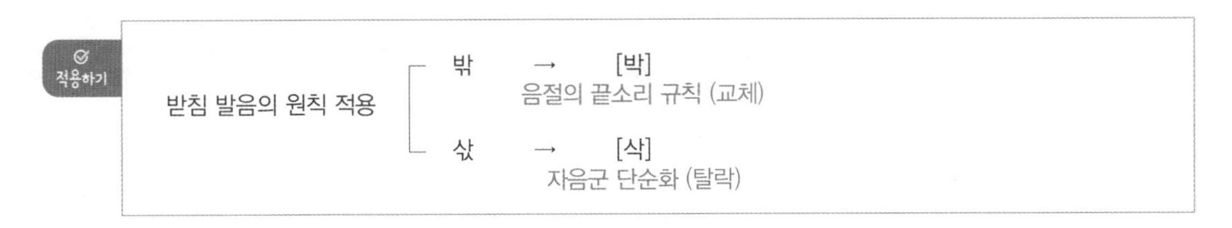

(2) **'ㄹ' 탈락**: 'ㄹ'로 끝나는 용언 어간이 몇몇 어미와 결합할 때 'ㄹ'이 탈락하거나, 합성이나 파생의 과정에서 앞말의 끝소리 'ㄹ'이 'ㄴ, ㄷ, ㅅ, ㅈ' 앞에서 탈락하는 현상

어간 끝 ㄹ 탈락: ㄹ → Ø / 어미 첫 자음 ㄴ, ㅅ 앞
/ 관형사형 어미 -(으)ㄴ, -(으)ㄹ, 어말 어미 -ㅂ시다, -ㅂ니다, -(으)오 등 앞

예 살- + -느냐 → [사:느냐], 살- + -세 → [사:세]
살- + -(으)ㄴ → [산:], 살- + -(으)ㄹ → [살:], 살- + -ㅂ시다 → [삽:씨다], 살- + -(으)오 → [사:오]

합성이나 파생의 과정에서 ㄹ 탈락: ㄹ → Ø / ㄴ, ㄷ, ㅅ, ㅈ 앞

예 딸 + -님 → 따님[따님], 열- + 닫- + -이 → 여닫이[여:다지], 활 + 살 → 화살[화살], 바늘 + -질 → 바느질[바느질]

⊕ 합성이나 파생 과정에서의 'ㄹ' 탈락은 과거 어느 시기에 일어난 'ㄹ' 탈락의 형태가 현대 국어로 이어진 것으로 볼 수 있음

평가원 밑줄 2019학년도 ⊕ 중세 국어에서는 현대 국어와 달리 명사와 명사가 결합하여 합성어가 될 때 'ㄴ, ㄷ, ㅅ, ㅈ' 등으로 시작하는 명사 앞에서 받침 'ㄹ'이 탈락하는 규칙이 있었다. 예 소나모(솔 + 나모(木))

[한글 맞춤법: 형태에 관한 것]

제18항 다음과 같은 용언들은 어미가 바뀔 경우, 그 어간이나 어미가 원칙에 벗어나면 벗어나는 대로 적는다.

1. 어간의 끝 'ㄹ'이 줄어질 적

갈다:	가니	간	갑니다	가시다	가오
놀다:	노니	논	놉니다	노시다	노오
불다:	부니	분	붑니다	부시다	부오
둥글다:	둥그니	둥근	둥급니다	둥그시다	둥그오
어질다:	어지니	어진	어집니다	어지시다	어지오

[붙임] 다음과 같은 말에서도 'ㄹ'이 준 대로 적는다.

마지못하다 　 마지않다 　 (하)다마다 　 (하)자마자 　 (하)지 마라 　 (하)지 마(아)

제28항 끝소리가 'ㄹ'인 말과 딴 말이 어울릴 적에 'ㄹ' 소리가 나지 아니하는 것은 아니 나는 대로 적는다.

다달이(달-달-이)	따님(딸-님)	마되(말-되)	마소(말-소)
무자위(물-자위)	바느질(바늘-질)	부나비(불-나비)	부삽(불-삽)
부손(불-손)	소나무(솔-나무)	싸전(쌀-전)	여닫이(열-닫이)
우짖다(울-짖다)	화살(활-살)		

(3) **'ㅎ' 탈락**: 'ㅎ'으로 끝나는 어간이 모음으로 시작하는 어미나 접사와 결합할 때 'ㅎ'이 탈락하는 현상

ㅎ → Ø / 모음으로 시작하는 어미나 접사 앞 예 좋- + -아서 → [조:아서], 않- + -은 → [아는], 끓- + -이- + -고 → [끄리고]
- 어간의 끝 자음 'ㄶ'이나 'ㅀ'의 'ㅎ'도 모음으로 시작하는 어미나 접사 앞에서 탈락한다.

[표준 발음법: 받침의 발음]

제12항 받침 'ㅎ'의 발음은 다음과 같다.

4. 'ㅎ(ㄶ, ㅀ)' 뒤에 모음으로 시작된 어미나 접미사가 결합되는 경우에는, 'ㅎ'을 발음하지 않는다.

낳은[나은]	놓아[노아]	쌓이다[싸이다]	많아[마:나]
않은[아는]	닳아[다라]	싫어도[시러도]	

Q & A 13 '않은[아는]'과 '않는[안는]' 모두 'ㅎ' 탈락 아닌가요?

않은[아는] vs. 않는[안는]

'않은[아는]'과 '않는[안는]'은 모두 탈락한 음운이 'ㅎ'이야. 그런데 '않은[아는]'은 받침 'ㅎ(ㄶ)' 뒤에 모음으로 시작하는 어미가 왔으니 'ㅎ' 탈락 현상이 맞지만, '않는[안는]'의 'ㄶ'은 겹받침이고 그 뒤에 자음이 왔으니 자음군 단순화를 겪게 돼. 그래서 '않은[아는]'과 '않는[안는]'은 모두 탈락에 해당하지만, 정확히 따지면 '않은[아는]'은 'ㅎ' 탈락이고, '않는[안는]'은 자음군 단순화에 해당하는 거지.

않은 → [아는] vs. 않는 → [안는]
'ㅎ' 탈락 자음군 단순화

(4) 'ㅡ' 탈락: 'ㅡ'로 끝나는 어간이 모음 'ㅏ/ㅓ'로 시작하는 어미와 결합할 때 'ㅡ'가 탈락하는 현상

- 두 모음을 이어 소리 내는 것은 '자음 + 모음'이나 '모음 + 자음'을 이어 소리 내는 것보다 부자연스럽기 때문에 일반적으로 가장 약한 모음인 'ㅡ'가 탈락한다.

어간의 끝 모음 ㅡ → Ø / 모음 ㅏ, ㅓ 앞 예 담그- + -아 → [담가], 끄- + -어서 → [꺼서]
⊕ 'ㅅ 불규칙' 활용에서는 'ㅡ' 탈락이 일어나지 않음 예 긋- + -어 → [그어]
체언 끝 모음 'ㅡ'는 모음으로 시작하는 조사 앞에서 탈락하지 않음 예 그 + 의 → [그의]

[한글 맞춤법: 형태에 관한 것]

제18항 다음과 같은 용언들은 어미가 바뀔 경우, 그 어간이나 어미가 원칙에 벗어나면 벗어나는 대로 적는다.
4. 어간의 끝 'ㅜ, ㅡ'가 줄어질 적

푸다: 퍼 펐다	뜨다: 떠 떴다	끄다: 꺼 껐다	크다: 커 컸다
담그다: 담가 담갔다	고프다: 고파 고팠다	따르다: 따라 따랐다	바쁘다: 바빠 바빴다

(5) 'ㅏ, ㅓ' 탈락(동일 모음 탈락): 'ㅏ/ㅓ'로 끝나는 어간이 모음 'ㅏ/ㅓ'로 시작하는 어미와 결합할 때 'ㅏ/ㅓ'가 탈락하는 현상

- 탈락하는 'ㅏ, ㅓ'가 어간 끝 모음인지 어미 첫 모음인지는 연구자마다 견해가 다르다. 어간으로만 끝나는 형태가 완전하지 않다고 보아 어미가 남고 어간의 끝 모음이 탈락했다고 보기도 하고, 명확한 의미 전달을 위하여 어간 끝 모음이 아닌 어미 첫 모음이 탈락했다고 보기도 한다.

ㅏ, ㅓ → Ø / ㅏ, ㅓ 앞 예 가- + -아서 → [가서], 건너- + -어라 → [건너라]

[한글 맞춤법: 형태에 관한 것]

제34항 모음 'ㅏ, ㅓ'로 끝난 어간에 '-아/-어, -았-/-었-'이 어울릴 적에는 준 대로 적는다.

본말	준말	본말	준말
가아	가	가았다	갔다
나아	나	나았다	났다
타아	타	타았다	탔다
서어	서	서었다	섰다
켜어	켜	켜었다	켰다
펴어	펴	펴었다	폈다

Ⅲ. 첨가

(1) 'ㄴ' 첨가: 합성어나 파생어에서 앞말이 자음으로 끝나고 뒷말이 모음 'ㅣ'나 반모음 'ǐ'로 시작할 때 'ㄴ'이 새로 생기는 현상

- 두 단어나 구를 휴지 없이 발음할 때에도 'ㄴ' 첨가 현상이 일어난다.

ø → [ㄴ] / 받침 자음 + ___ + ㅣ 또는 반모음 ǐ	예 맨- + 입 → [맨닙], 색 + 연필 → [생년필]

⊕ 'ㄴ' 첨가 현상과 동일한 환경을 갖추어도 일어나지 않는 경우가 있기 때문에 'ㄴ' 첨가는 항상 규칙적으로 일어나는 현상은 아님
예 석유 → [서규], 절약 → [저략]

[표준 발음법: 음의 첨가]

제29항 합성어 및 파생어에서, 앞 단어나 접두사의 끝이 자음이고 뒤 단어나 접미사의 첫음절이 '이, 야, 여, 요, 유'인 경우에는, 'ㄴ' 음을 첨가하여 [니, 냐, 녀, 뇨, 뉴]로 발음한다.

솜-이불[솜:니불]	홑-이불[혼니불]	막-일[망닐]	삯-일[상닐]
맨-입[맨닙]	꽃-잎[꼰닙]	내복-약[내:봉냑]	한-여름[한녀름]
남존-여비[남존녀비]	신-여성[신녀성]	색-연필[생년필]	직행-열차[지캥녈차]
늑막-염[능망념]	콩-엿[콩녇]	담-요[담:뇨]	눈-요기[눈뇨기]
영업-용[영엄뇽]	식용-유[시굥뉴]	국민-윤리[궁민뉼리]	밤-윷[밤:뉻]

다만, 다음과 같은 말들은 'ㄴ' 음을 첨가하여 발음하되, 표기대로 발음할 수 있다.

이죽-이죽[이중니죽/이주기죽]	야금-야금[야금냐금/야그먀금]	검열[검:녈/거:멸]
욜랑-욜랑[욜랑뇰랑/욜랑욜랑]	금융[금늉/그뮹]	

[붙임 1] 'ㄹ' 받침 뒤에 첨가되는 'ㄴ' 음은 [ㄹ]로 발음한다.

들-일[들:릴]	솔-잎[솔립]	설-익다[설릭따]	물-약[물략]	불-여우[불려우]
서울-역[서울력]	물-엿[물렫]	휘발-유[휘발류]	유들-유들[유들류들]	

[붙임 2] 두 단어를 이어서 한 마디로 발음하는 경우에도 이에 준한다.

한 일[한닐]	옷 입다[온닙따]	서른여섯[서른녀섣]	3 연대[삼년대]	먹은 엿[머근녇]
할 일[할릴]	잘 입다[잘립따]	스물여섯[스물려섣]	1 연대[일련대]	먹을 엿[머글렫]

다만, 다음과 같은 단어에서는 'ㄴ(ㄹ)' 음을 첨가하여 발음하지 않는다.

6 · 25[유기오]	3 · 1절[사밀쩔]	송별-연[송:벼련]	등-용문[등용문]

'불여우[불려우]'는 'ㄹ' 첨가 아닌가요?

불여우[불려우]

'불여우'의 최종적인 발음 [불려우]만 보고 'ㄹ'이 첨가되었다고 착각할 수 있겠네! 그런데 결론부터 말하자면 우리말의 음운 변동 현상에서 'ㄹ' 첨가는 없어! 그럼 '불여우[불려우]'는 어떻게 된 거냐고? 합성어나 파생어에서 앞말이 자음으로 끝나고 뒷말이 모음 'ㅣ'나 반모음 'ǐ'로 시작할 때 'ㄴ' 첨가 현상이 나타난다고 했잖아? '불여우'는 접두사 '불-'과 명사 '여우'가 합쳐진 파생어로 앞말이 자음으로 끝나고 뒷말의 이중 모음 'ㅕ'가 반모음 'ǐ'로 시작하니까 'ㄴ' 첨가 현상이 먼저 일어난 후에 'ㄹ' 뒤에서 'ㄴ'이 'ㄹ'로 바뀌는 유음화가 나타난 거야! 최종적인 발음만 보고 착각하지 않도록 주의하자!

불- + 여우 → [불녀우 → 불려우]
　　　　　　'ㄴ' 첨가　　유음화

적용하기

/홑- + 이불/ → [혼이불 → 혼니불 → 혼니불]
　　　　　음절의 끝소리 규칙　'ㄴ' 첨가　비음화

/물 + 약/ → [물냑 → 물략]
　　　　　'ㄴ' 첨가　유음화

(2) 반모음 첨가: 주로 모음으로 끝나는 용언의 어간 뒤에 '-아/-어'로 시작되는 어미가 결합될 때 반모음 'ĭ'가 첨가되는 현상

- 반모음 첨가는 두 모음을 이어 소리 내는 것이 '자음 + 모음'이나 '모음 + 자음'을 이어 소리 내는 것보다 부자연스러워 생긴 현상으로 항상 규칙적으로 일어나는 것은 아니다.

> **ø → [ĭ] / 모음으로 끝나는 어간 + ____ + -아/-어로 시작하는 어미**
>
> 예 기- + -어 → [기여], 살피- + -어서 → [살피여서]
>
> ⊕ '기- + -어'와 '살피- + -어서'는 각각 [기어]와 [살피어서]로 발음하는 것이 원칙이고, 반모음이 첨가된 [기여]와 [살피여서]로 발음하기도 함
>
> 평가원 밑줄 2015학년도 ⊕ 모음 변동의 결과 단모음 사이에 반모음이 첨가되기도 한다. 예 기- + -어 → [기여]

[표준 발음법: 음의 동화]

제22항 다음과 같은 용언의 어미는 [어]로 발음함을 원칙으로 하되, [여]로 발음함도 허용한다.

되어[되어/되여]　　　　피어[피어/피여]

[붙임] '이오, 아니오'도 이에 준하여 [이요, 아니요]로 발음함을 허용한다.

Ⅳ. 축약

거센소리되기: 예사소리 'ㄱ, ㄷ, ㅂ, ㅈ'이 'ㅎ'과 만나 거센소리 [ㅋ, ㅌ, ㅍ, ㅊ]으로 발음되는 현상

ㅎ + ㄱ, ㄷ, ㅂ, ㅈ → [ㅋ, ㅌ, ㅍ, ㅊ] 예 놓고 → [노코], 않던 → [안턴], 싫지 → [실치]
ㄱ, ㄷ, ㅂ, ㅈ + ㅎ → [ㅋ, ㅌ, ㅍ, ㅊ] 예 낙하산 → [나카산], 맏형 → [마텽], 값 흥정 → [가픙정]
– 음절의 끝소리 규칙이나 자음군 단순화를 거친 자음이 거센소리되기의 대상이 되기도 한다.

[표준 발음법: 받침의 발음]

제12항 받침 'ㅎ'의 발음은 다음과 같다.

1. 'ㅎ(ㄶ, ㅀ)' 뒤에 'ㄱ, ㄷ, ㅈ'이 결합되는 경우에는, 뒤 음절 첫소리와 합쳐서 [ㅋ, ㅌ, ㅊ]으로 발음한다.

놓고[노코] 좋던[조:턴] 쌓지[싸치] 많고[만:코]
않던[안턴] 닳지[달치]

[붙임 1] 받침 'ㄱ(ㄺ), ㄷ, ㅂ(ㄼ), ㅈ(ㄵ)'이 뒤 음절 첫소리 'ㅎ'과 결합되는 경우에도, 역시 두 음을 합쳐서 [ㅋ, ㅌ, ㅍ, ㅊ]으로 발음한다.

각하[가카] 먹히다[머키다] 밝히다[발키다] 맏형[마텽]
좁히다[조피다] 넓히다[널피다] 꽂히다[꼬치다] 앉히다[안치다]

[붙임 2] 규정에 따라 'ㄷ'으로 발음되는 'ㅅ, ㅈ, ㅊ, ㅌ'의 경우에도 이에 준한다.

옷 한 벌[오탄벌] 낮 한때[나탄때] 꽃 한 송이[꼬탄송이] 숱하다[수타다]

음절의 끝소리 규칙과 거센소리되기는 충돌하는 이론 같은데요.

꽂히다[꼬치다] vs. 낮 한때[나탄때]

먼저 음절의 끝소리 규칙은 받침소리로 'ㄱ, ㄴ, ㄷ, ㄹ, ㅁ, ㅂ, ㅇ' 이외의 자음이 오면 이 일곱 자음 중 하나로 바뀌는 현상으로, 표준 발음법 제9항에서 '받침 'ㄲ, ㅋ', 'ㅅ, ㅆ, ㅈ, ㅊ, ㅌ', 'ㅍ'은 어말 또는 자음 앞에서 각각 대표음 [ㄱ, ㄷ, ㅂ]으로 발음한다.' 라고 되어 있어! 그럼 '꽂히다'에서 받침 'ㅈ'이 'ㅎ' 앞에서 대표음 [ㄷ]으로 바뀌어야 되는 것 아니냐고? 그런데 표준 발음법 제12항의 1.-[붙임 1]에서 '받침 'ㄱ(ㄺ), ㄷ, ㅂ(ㄼ), ㅈ(ㄵ)'이 뒤 음절 첫소리 'ㅎ'과 결합되는 경우에도, 역시 두 음을 합쳐서 [ㅋ, ㅌ, ㅍ, ㅊ]으로 발음한다.' 라고 되어 있고, 그 용례로 '꽂히다[꼬치다], 앉히다[안치다]' 등을 제시하고 있어! 그런데 '꽂히다'가 음절의 끝소리 규칙을 겪었다고 본다면, '[꼳히다] (음절의 끝소리 규칙) → [꼬티다] (거센소리되기) → [꼬치다] (구개음화)'의 과정을 거쳐서 최종적인 발음인 [꼬치다]가 된 것으로 설명해야 하는데, 구개음화는 받침 'ㄷ, ㅌ(ㄾ)'인 형태소가 모음 'ㅣ' 나 반모음 'ㅣ̆'로 시작되는 형식 형태소와 만나 'ㄷ, ㅌ'이 'ㅈ, ㅊ'으로 바뀌는 현상이니까 받침이 'ㅈ'인 '꽂히다'는 구개음화의 조건에 해당되지 않아! 그래서 '꽂히다'는 'ㅈ'과 'ㅎ'이 결합하여 [ㅊ]으로 축약된 것이라고 봐야 해. 그럼 '낮 한때[나탄때]'는 왜 음절의 끝소리 규칙이 적용되냐고? '낮'과 '한때'는 자립적 성격을 지니고 있어 '낮'의 받침 'ㅈ'은 어말의 위치에 있으니까 '낮 한때'는 '[낟한때] (음절의 끝소리 규칙) → [나탄때] (거센소리되기)'의 과정을 거쳤다고 설명할 수 있지! 음운 변동 현상과 관련해서 공부할 때에는 결국 최종적인 발음이 도출되는 과정을 문법적으로 얼마나 타당하고 합리적으로 설명할 수 있느냐가 중요해!

꽂히다 → [꼬치다]
거센소리되기

낮 한때 → [낟한때 → 나탄때]
음절의 끝소리 규칙 거센소리되기

평가원 밑줄 2018학년도 ⑥ 음운 변동이 일어나는 경우 음운 개수의 변화가 나타나기도 한다.
예 뜻하다[뜨타다]: 교체 및 축약이 일어나 음운의 개수가 한 개 줄어듦
흙하고[흐카고]: 탈락 및 축약이 일어나 음운의 개수가 두 개 줄어듦

V. 기타

(1) 사잇소리 현상: 두 형태소 또는 단어가 결합하여 합성 명사를 이룰 때, 그 사이에 어떤 소리가 덧생기는 현상
- 음운 환경이 같아도 사잇소리 현상이 나타나기도 하고 그렇지 않기도 하기 때문에 사잇소리 현상은 항상 규칙적으로 일어나는 현상은 아니다.

ø → 사잇소리 / ①, ②, ③
– 앞말이 모음으로 끝난 경우에 사이시옷을 받치어 적는다.

① 두 형태소가 결합할 때 사잇소리가 첨가되어 뒤 형태소의 첫소리가 된소리로 발음되는 경우
– 앞말의 끝소리가 울림소리이고 뒷말의 첫소리가 안울림 예사소리이어야 한다.
예 밤+길 → 밤길[밤낄], 초+불 → 촛불[초뿔/촏뿔]

② 모음으로 끝나는 형태소가 ㄴ, ㅁ으로 시작하는 형태소와 결합할 때 ㄴ이 첨가되어 발음되는 경우
예 코+날 → 콧날[콛날 → 콘날], 이+몸 → 잇몸[읻몸 → 인몸]

③ 모음으로 끝나는 형태소가 모음 ㅣ 또는 반모음 ǐ로 시작하는 형태소와 결합할 때 ㄴㄴ이 첨가되어 발음되는 경우
예 후 + 일 → 훗일[훋일 → 훋닐 → 훈닐], 깨 + 잎 → 깻잎[깯입 → 깯닙 → 깬닙]

[표준 발음법: 경음화]

제28항 표기상으로는 사이시옷이 없더라도, 관형격 기능을 지니는 사이시옷이 있어야 할(휴지가 성립되는) 합성어의 경우에는, 뒤 단어의 첫소리 'ㄱ, ㄷ, ㅂ, ㅅ, ㅈ'을 된소리로 발음한다.

문–고리[문꼬리]	눈–동자[눈똥자]	신–바람[신빠람]	산–새[산쌔]
손–재주[손째주]	길–가[길까]	물–동이[물똥이]	발–바닥[발빠닥]
굴–속[굴:쏙]	술–잔[술짠]	바람–결[바람껼]	그믐–달[그믐딸]
아침–밥[아침빱]	잠–자리[잠짜리]	강–가[강까]	초승–달[초승딸]
등–불[등뿔]	창–살[창쌀]	강–줄기[강쭐기]	

'봄비[봄삐]'는 왜 사이시옷이 없는데도 사잇소리 현상이 일어났다고 보나요?

봄비[봄삐]

사잇소리 현상은 두 형태소 또는 단어가 결합하여 합성 명사를 이룰 때, 그 사이에 어떤 음운이 첨가되는 현상이야. 그걸 어떻게 아느냐고? 문법학자들이 합성 명사들의 발음들을 들여다 보니 공통적으로 나타나는 현상이 있었던 거야. 예를 들어 '봄'과 '비'가 만나 이상하게 [봄삐]라고 소리가 나는 거지. 학자들은 'ㅂ'이 된소리되기가 일어나는 이유를 문법적으로 설명하기 위해 연구했지. 그 결과 '봄'과 '비' 사이에 어떤 음운이 첨가되어 그 음운 때문에 뒤의 'ㅂ'이 된소리되기가 일어났다고 설명할 수 있게 되었어! 그리고 이러한 현상을 역사적으로 살펴보니 앞말과 뒷말 사이에 첨가되는 음운은 'ㅅ'일 것이라고 판단했지! 너무 복잡하다고? 자, 그럼 '봄비[봄삐]'를 한눈에 볼 수 있게 정리해 줄게!

봄 + 비	→	[봄 ㅅ 비	→	봄 ㄷ 비	→	봄 ㄷ 삐	→	봄삐]
	사잇소리 현상		음절의 끝소리 규칙		된소리되기		자음군 단순화	

⊕ 사잇소리 현상에서 첨가된 음운을 'ㅅ'으로 보는 이유는 역사적으로 합성 명사에 'ㅅ'을 적어 왔다는 점과 현재 한글 맞춤법에서도 사잇소리 현상이 나타날 때 'ㅅ'을 적는 점을 고려한 것임

[표준 발음법: 음의 첨가]

제30항 사이시옷이 붙은 단어는 다음과 같이 발음한다.

1. 'ㄱ, ㄷ, ㅂ, ㅅ, ㅈ'으로 시작하는 단어 앞에 사이시옷이 올 때는 이들 자음만을 된소리로 발음하는 것을 원칙으로 하되, 사이시옷을 [ㄷ]으로 발음하는 것도 허용한다.

냇가[내:까/낻:까] 샛길[새:낄/샏:낄] 빨랫돌[빨래똘/빨랟똘] 콧등[코뜽/콛뜽]
깃발[기빨/긷빨] 대팻밥[대:패빱/대:팯빱] 햇살[해쌀/핻쌀] 뱃속[배쏙/밷쏙]
뱃전[배쩐/밷쩐] 고갯짓[고개찓/고갣찓]

2. 사이시옷 뒤에 'ㄴ, ㅁ'이 결합되는 경우에는 [ㄴ]으로 발음한다.

콧날[콛날 → 콘날] 아랫니[아랟니 → 아랜니] 툇마루[퇻:마루 → 퇸:마루] 뱃머리[밷머리 → 밴머리]

3. 사이시옷 뒤에 '이' 음이 결합되는 경우에는 [ㄴㄴ]으로 발음한다.

베갯잇[베갣닏 → 베갠닏] 깻잎[깯닙 → 깬닙] 나뭇잎[나묻닙 → 나문닙]
도리깻열[도리깯녈 → 도리깬녈] 뒷윷[뒫:뉻 → 뒨:뉻]

⊕ 사잇소리 현상은 음운 환경이 같아도 개입되는 경우가 다르고, 사잇소리 현상의 개입 유무에 따라 의미가 달라짐

예 고기배[고기배] (고기의 배) ≠ 고깃배[고기빼/고긷빼] (고기잡이 배)
나무집[나무집] (나무로 만든 집) ≠ 나뭇집[나무찝/나묻찝] (나무를 파는 집)
잠자리[잠자리] (곤충) ≠ 잠자리[잠짜리] (잠을 자기 위한 자리)
회수(回收)[회수] (도로 거두어들임) ≠ 횟수(回數)[회쑤/휃쑤] (돌아오는 차례의 수효)

[한글 맞춤법: 형태에 관한 것]

제30항 사이시옷은 다음과 같은 경우에 받치어 적는다.

1. 순 우리말로 된 합성어로서 앞말이 모음으로 끝난 경우

(1) 뒷말의 첫소리가 된소리로 나는 것

고랫재	귓밥	나룻배	나뭇가지	냇가
댓가지	뒷갈망	맷돌	머릿기름	모깃불
못자리	바닷가	뱃길	볏가리	부싯돌

(2) 뒷말의 첫소리 'ㄴ, ㅁ' 앞에서 'ㄴ' 소리가 덧나는 것

멧나물	아랫니	텃마당	아랫마을	뒷머리
잇몸	깻묵	냇물	빗물	

(3) 뒷말의 첫소리 모음 앞에서 'ㄴㄴ' 소리가 덧나는 것

도리깻열	뒷윷	두렛일	뒷일	뒷입맛
베갯잇	욧잇	깻잎	나뭇잎	댓잎

2. 순 우리말과 한자어로 된 합성어로서 앞말이 모음으로 끝난 경우

(1) 뒷말의 첫소리가 된소리로 나는 것

귓병	머릿방	뱃병	봇둑	사잣밥
샛강	아랫방	자릿세	전셋집	찻잔
찻종	촛국	콧병	탯줄	텃세

(2) 뒷말의 첫소리 'ㄴ, ㅁ' 앞에서 'ㄴ' 소리가 덧나는 것

곗날	제삿날	훗날	툇마루	양칫물

(3) 뒷말의 첫소리 모음 앞에서 'ㄴㄴ' 소리가 덧나는 것

가욋일	사삿일	예삿일	훗일

3. 두 음절로 된 다음 한자어

곳간(庫間)	셋방(貰房)	숫자(數字)	찻간(車間)	툇간(退間)
횟수(回數)				

평가원 밑줄 2019학년도 ⑥ 사이시옷 표기에 고려되는 조건

1. 단어 분류상 '합성 명사'일 것
2. 결합하는 두 말의 어종이 다음 중 하나일 것: '고유어+고유어', '고유어+한자어', '한자어+고유어'
3. 결합하는 두 말 중 앞말이 모음으로 끝날 것
4. 두 말이 결합하며 발생하는 음운 현상이 다음 중 하나일 것

① 앞말 끝소리에 'ㄴ' 소리가 덧남 ② 앞말 끝소리와 뒷말 첫소리에 각각 'ㄴ' 소리가 덧남 ③ 뒷말 첫소리가 된소리로 바뀜

예 도맷값[도매깝], 아랫방[아래빵], 조갯국[조개꾹], 존댓말[존댄말], 나뭇가지[나무까지]

2014학년도 ⑨ 사이시옷 표기 조건

1단계: 앞말이 모음으로 끝난 합성어인가?

2단계: '고유어+고유어', '고유어+한자어', '한자어+고유어' 구성 중 하나인가?

3단계: ① 뒷말의 첫소리가 된소리로 나는가?

② 뒷말의 첫소리 'ㄴ, ㅁ' 앞에서 'ㄴ' 소리가 덧나는가?

③ 뒷말의 첫소리 모음 앞에서 'ㄴㄴ' 소리가 덧나는가?

예 만둣국, 장맛비, 허드렛일

사잇소리 현상과 사이시옷의 관계를 정리해 주세요!

사잇소리 현상 vs. 사이시옷 표기

먼저 사잇소리 현상이 존재하고, 이를 표기에 반영하기 위해 사이시옷 표기 규정이 나타난 거야. 그리고 사잇소리 현상은 첫째, '등불[등뿔]'이나 '콧등[콛뜽/코뜽]'처럼 뒷말의 첫소리가 된소리가 될 때, 둘째, '콧날[콘날]'처럼 원래 없던 'ㄴ' 소리가 날 때, 셋째, '깻잎[깬닙]'처럼 원래 없던 'ㄴㄴ' 소리가 날 때, 앞말과 뒷말 사이에 무엇인가 새롭게 첨가된 소리가 있다고 보는 것이지! 이때 사잇소리 현상이 나타난다고 해서 이를 모두 사이시옷으로 표기하는 것은 아니고, 앞말이 모음으로 끝난 경우에만 사이시옷을 표기하는 거야!

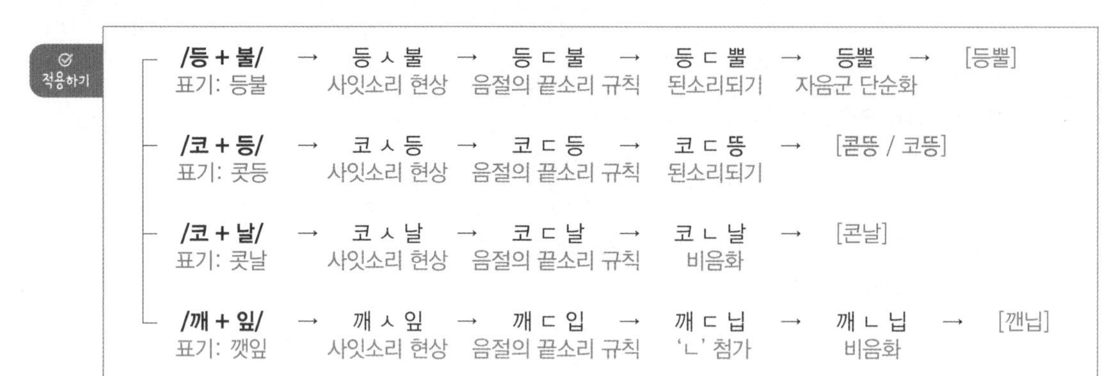

국어의 규범

기억해야 할 국어의 규칙!
앞에서 배운 표준 발음법, 한글 맞춤법, 로마자 표기법, 외래어 표기법

1. 한글 맞춤법

(1) 한글 맞춤법의 기본 원칙

제1항 한글 맞춤법은 표준어를 소리대로 적되, 어법에 맞도록 함을 원칙으로 한다.

제15항 용언의 어간과 어미는 구별하여 적는다.

믿어/믿으니 – 한글 맞춤법 제1항 중 '어법에 맞도록'이 적용

[붙임 1] 두 개의 용언이 어울려 한 개의 용언이 될 적에, 앞말의 본뜻이 유지되고 있는 것은 그 원형을 밝히어 적고, 그 본뜻에서 멀어진 것은 밝히어 적지 아니한다.

늘어나다: 앞말의 본뜻이 유지된 것 – 한글 맞춤법 제1항 중 '어법에 맞도록'이 적용

드러나다: 앞말이 그 본뜻에서 멀어진 것 – 한글 맞춤법 제1항 중 '소리대로 적되'가 적용

제18항 다음과 같은 용언들은 어미가 바뀔 경우, 그 어간이나 어미가 원칙에 벗어나면 벗어나는 대로 적는다.

1. 어간의 끝 'ㄹ'이 줄어질 적

놀다: 노니/논

불다: 부니/분

어질다: 어지니/어진

– 한글 맞춤법 제1항 중 '소리대로 적되'가 적용

2. 어간의 끝 'ㅅ'이 줄어질 적

긋다: 그어/그으니

짓다: 지어/지으니

잇다: 이어/이으니

– 한글 맞춤법 제1항 중 '소리대로 적되'가 적용

한글 맞춤법 제1항 '소리대로 적되, 어법에 맞도록'이 어떤 뜻인가요?

표준어를 소리대로 적는다는 것은 표준어의 발음대로 적는다는 뜻이야. 즉, '구름[구름], 나무[나무]' 등과 같이 발음과 표기를 일치시켜 적는다는 의미지. 그런데 표준어를 소리대로 적는다는 원칙을 적용하기 어려운 경우도 있어. '꽃이[꼬치], 꽃나무[꼰나무], 꽃다발[꼳따발]' 등은 발음과 표기를 일치시키기 어렵지. 예를 들어 '꼰나무에서 꼬츨 따서 만든 꼳따발'이라고 소리대로 적는다면 동일한 의미의 '꽃'을 '꼰'이라고 쓰기도 하고, '꼳'이라고 쓰기도 할 테니까, 그 뜻이 얼른 파악되지 않아 독서의 능률이 크게 떨어지겠지? 그래서 각 형태소가 지닌 뜻이 분명히 드러나도록 하기 위하여 그 본 모양을 밝히어 적는 것을 또 하나의 원칙으로 삼은 거야. 자 그럼 정리해 보자!

① 소리대로 적는다: 발음과 표기를 일치시키는 것

구름　　나무　　하늘　　놀다　　달리다

② 어법에 맞도록 한다: 형태소의 원형을 고정시켜 표기하는 것

엎– + –어 → [어퍼]　　엎– + –고 → [업꼬]　　엎– + –는 → [엄는]

– '[엎], [업], [엄]'으로 발음되더라도 항상 어간을 '엎–'으로 적는다.

여덟이　　여덟을　　여덟도　　여덟만

– 체언 '여덟'은 뒤에 오는 조사와 상관없이 원형을 그대로 고정시켜 적는다.

(2) 접미사가 붙어서 된 말

제19항 어간에 '-이'나 '-음/-ㅁ'이 붙어서 명사로 된 것과 '-이'나 '-히'가 붙어서 부사로 된 것은 그 어간의 원형을 밝히어 적는다.

달맞이 얼음 길이 밝히

[붙임] 어간에 '-이'나 '-음' 이외의 모음으로 시작된 접미사가 붙어서 다른 품사로 바뀐 것은 그 어간의 원형을 밝히어 적지 아니한다.

귀머거리 마중 너무 조차

제20항 명사 뒤에 '-이'가 붙어서 된 말은 그 명사의 원형을 밝히어 적는다.

곳곳이 낱낱이 샅샅이 집집이

[붙임] '-이' 이외의 모음으로 시작된 접미사가 붙어서 된 말은 그 명사의 원형을 밝히어 적지 아니한다.

꼬락서니 끄트머리 이파리 지붕

제25항 '-하다'가 붙는 어근에 '-히'나 '-이'가 붙어서 부사가 되거나, 부사에 '-이'가 붙어서 뜻을 더하는 경우에는 그 어근이나 부사의 원형을 밝히어 적는다.

1. '-하다'가 붙는 어근에 '-히'나 '-이'가 붙는 경우

급히 도저히 딱히 깨끗이

[붙임] '-하다'가 붙지 않는 경우에는 소리대로 적는다.

반드시(꼭) 슬며시 갑자기

2. 부사에 '-이'가 붙어서 역시 부사가 되는 경우

더욱이 오뚝이 곰곰이 일찍이

(3) 준말

제38항 'ㅏ, ㅗ, ㅜ, ㅡ' 뒤에 '-이어'가 어울려 줄어질 적에는 준 대로 적는다.

본말	준말	본말	준말
싸이어	쌔어 싸여	뜨이어	띄어
보이어	뵈어 보여	쓰이어	씌어 쓰여
쏘이어	쐬어 쏘여	트이어	틔어 트여
누이어	뉘어 누여		

제39항 어미 '-지' 뒤에 '않-'이 어울려 '-잖-'이 될 적과 '-하지' 뒤에 '않-'이 어울려 '-찮-'이 될 적에는 준 대로 적는다.

본말	준말	본말	준말
그렇지 않은	그렇잖은	만만하지 않다	만만찮다
적지 않은	적잖은	변변하지 않다	변변찮다

제40항 어간의 끝음절 '하'의 'ㅏ'가 줄고 'ㅎ'이 다음 음절의 첫소리와 어울려 거센소리로 될 적에는 거센소리로 적는다.

본말	준말	본말	준말
간편하게	간편케	다정하다	다정타
연구하도록	연구토록	정결하다	정결타
가하다	가타	흔하다	흔타

[붙임 1] 'ㅎ'이 어간의 끝소리로 굳어진 것은 받침으로 적는다.

않다 않고 않지 않든지
그렇다 그렇고 그렇지 그렇든지

[붙임 2] 어간의 끝음절 '하'가 아주 줄 적에는 준 대로 적는다.

생각하건대 → 생각건대 깨끗하지 않다 → 깨끗지 않다 못하지 않다 → 못지않다
섭섭하지 않다 → 섭섭지 않다 익숙하지 않다 → 익숙지 않다

- [붙임 2]는 제40항 본 규정과 차이가 나는데, 이러한 차이는 표기를 기준으로 할 때 어간의 끝음절 '하-'의 결합 환경이 다르기 때문이다. 즉 제40항 본 규정의 예는 '하-'가 모음이나 울림소리 자음 뒤에 붙은 경우이고, [붙임 2]의 예는 '하-'가 안울림소리인 'ㄱ, ㅂ, ㅅ' 등의 자음 뒤에 붙은 경우라는 차이가 있다.

(4) 두음 법칙

제10항 한자음 '녀, 뇨, 뉴, 니'가 단어의 첫머리에 올 적에는, 두음 법칙에 따라 '여, 요, 유, 이'로 적는다.

여자(女子)　연세(年歲)　요소(尿素)　유대(紐帶)

출생 연도 – '출생 연도'는 띄어 썼기 때문에 '출생'과 '연도'는 각각 하나의 단어이므로 '년도'가 아닌 '연도'가 올바른 표기이다.

[붙임 1] 단어의 첫머리 이외의 경우에는 본음대로 적는다.

남녀(男女)　당뇨(糖尿)　결뉴(結紐)　은닉(隱匿)

[붙임 2] 접두사처럼 쓰이는 한자가 붙어서 된 말이나 합성어에서, 뒷말의 첫소리가 'ㄴ' 소리로 나더라도 두음 법칙에 따라 적는다.

신여성(新女性)　공염불(空念佛)　남존여비(男尊女卑)

[붙임 3] 둘 이상의 단어로 이루어진 고유 명사를 붙여 쓰는 경우에도 [붙임 2]에 준하여 적는다.

한국여자대학　대한요소비료회사

제11항 한자음 '랴, 려, 례, 료, 류, 리'가 단어의 첫머리에 올 적에는, 두음 법칙에 따라 '야, 여, 예, 요, 유, 이'로 적는다.

양심(良心)　역사(歷史)　예의(禮義)

– 참고로 의존 명사에는 두음 법칙을 적용하지 않는다. 예 그럴 리가 없다.

[붙임 1] 단어의 첫머리 이외의 경우에는 본음대로 적는다.

개량(改良)　선량(善良)　수력(水力)

다만, 모음이나 'ㄴ' 받침 뒤에 이어지는 '렬, 률'은 '열, 율'로 적는다.

진열(陳列)　실패율(失敗率)　〈비교〉 합격률(合格率)

(5) 띄어쓰기

제2항 문장의 각 단어는 띄어 씀을 원칙으로 한다.

눈물 – '눈'과 '물'로 이루어졌지만 한 단어인 합성어이므로 붙여 쓴다.

제41항 조사는 그 앞말에 붙여 쓴다.

서울에서조차도 – '에서', '조차', '도'는 모두 조사이므로 앞말에 붙여 쓴다.

큰 것대로 – '대로'는 보조사이므로 앞말에 붙여 쓴다.

허락을 받아야만 – '만'은 보조사이므로 앞말에 붙여 쓴다.

제42항 의존 명사는 띄어 쓴다.

먹을 만큼 먹었다. – '만큼'은 의존 명사이므로 앞말과 띄어 쓴다.

집에 도착하는 대로 – '대로'는 의존 명사이므로 앞말과 띄어 쓴다.

화를 낼 만도 – '만'은 의존 명사이므로 앞말과 띄어 쓴다.

제43항 단위를 나타내는 명사는 띄어 쓴다.

자동차 한 대 – '대'는 단위를 나타내므로 띄어 쓴다.

제47항 보조 용언은 띄어 씀을 원칙으로 하되, 경우에 따라 붙여 씀도 허용한다.

불이 꺼져 간다.(원칙) / 불이 꺼져간다.(허용)

우리는 공격을 막아 냈다.(원칙) / 우리는 공격을 막아냈다.(허용)

나에 대해 너무 잘 아는 척하다.(원칙) / 나에 대해 너무 잘 아는척하다.(허용)

다만, 앞말에 조사가 붙거나 앞말이 합성 용언인 경우, 그리고 중간에 조사가 들어갈 적에는 그 뒤에 오는 보조 용언은 띄어 쓴다.

덤벼들어 보다. / 하루가 후딱 지나가 버렸다. – 앞말 '덤벼들다', '지나가다'가 합성 용언이므로 보조 용언은 띄어 쓴다.

음식을 먹어도 보았다. / 자동차를 세워만 두었다. – 본용언과 보조 용언 사이에 조사 '도', '만'이 있으므로 보조 용언은 띄어 쓴다.

⊕ 합성 동사(합성어)는 한 단어이므로 반드시 붙여 써야 함 예 노력이 수포로 돌아갔다. 물건이 강물에 떠내려갔다.

2. 로마자 표기법

[표기상의 유의점]

제1항 음운 변화가 일어날 때에는 변화의 결과에 따라 다음 각호와 같이 적는다.

1. 자음 사이에서 동화 작용이 일어나는 경우

백마[뱅마]: Baengma　　신문로[신문노]: Sinmunno　　종로[종노]: Jongno

왕십리[왕심니]: Wangsimni　　별내[별래]: Byeollae　　신라[실라]: Silla

2. 'ㄴ, ㄹ'이 덧나는 경우

학여울[항녀울]: Hangnyeoul – [학녀울] ('ㄴ' 첨가) → [항녀울] (비음화)

알약[알략]: allyak – [알냑] ('ㄴ' 첨가) → [알략] (유음화)

3. 구개음화가 되는 경우

해돋이[해도지]: haedoji　　굳히다[구치다]: guchida　　같이[가치]: gachi

4. 'ㄱ, ㄷ, ㅂ, ㅈ'이 'ㅎ'과 합하여 거센소리로 소리 나는 경우

좋고[조코]: joko　　놓다[노타]: nota

잡혀[자펴]: japyeo　　낳지[나치]: nachi

다만, 체언에서 'ㄱ, ㄷ, ㅂ' 뒤에 'ㅎ'이 따를 때에는 'ㅎ'을 밝혀 적는다.

묵호: Mukho　　집현전: Jiphyeonjeon

[붙임] 된소리되기는 표기에 반영하지 않는다.

압구정: Apgujeong　　낙동강: Nakdonggang　　죽변: Jukbyeon

낙성대: Nakseongdae　　합정: Hapjeong　　팔당: Paldang

3. 외래어 표기법

[표기의 원칙]

제1항 외래어는 국어의 현용 24 자모만으로 적는다.

제2항 외래어의 1 음운은 원칙적으로 1 기호로 적는다.
fashion: 패션, fighting: 파이팅 – 'f'라는 음운이 국어의 'ㅍ'에 대응한다.

제3항 받침에는 'ㄱ, ㄴ, ㄹ, ㅁ, ㅂ, ㅅ, ㅇ'만을 쓴다.
coffee shop: 커피숍, supermarket: 슈퍼마켓

제4항 파열음 표기에는 된소리를 쓰지 않는 것을 원칙으로 한다.
Paris: 파리(O) / 빠리(X)

제5항 이미 굳어진 외래어는 관용을 존중하되, 그 범위와 용례는 따로 정한다.

외래어 표기법 받침에는 'ㄱ, ㄴ, ㄹ, ㅁ, ㅂ, ㅅ, ㅇ'을 쓴다고 하는데, 음절의 끝소리 규칙에서는 'ㅅ'을 안 쓰고, 'ㄷ'을 쓰잖아요! 왜 다른 거죠?

티켓

외래어 표기법의 받침에 'ㄱ, ㄴ, ㄹ, ㅁ, ㅂ, ㅅ, ㅇ'를 쓰는 이유는 외래어 뒤에 모음으로 시작하는 조사가 올 때 이 일곱 자음들 중에 하나로만 발음되기 때문이야. 예를 들면, 'top + 이 / 을 / 으로 → [토비] / [토블] / [토브로]'로 발음되기 때문에 'top'을 '톱'으로 적고, 'ticket + 이 / 을 / 으로 → [티케시] / [티케슬] / [티케스로]'으로 발음되기 때문에 'ticket'을 '티켓'으로 적는 거지. 'ㅅ'으로 적는 이유를 조금 더 자세히 살펴보자. '로봇(robot)', '캣(cat)'의 받침은 모음으로 시작하는 조사 앞에서는 [로보시], [캐시]처럼 'ㅅ'으로 발음되지만, 어말 또는 자음으로 시작하는 조사 앞에서는 [로봇], [캗]처럼 'ㄷ'으로 발음되는데 외래어 표기법에서 받침의 표기는 모음으로 시작하는 조사와 결합할 때의 발음을 기준으로 하니까 'ㄷ'이 아닌 'ㅅ'으로 표기하는 거야! 잠깐, 여기서 착각하면 안 되는 것! 음절의 끝소리 규칙에서 'ㄱ, ㄴ, ㄷ, ㄹ, ㅁ, ㅂ, ㅇ'만 올 수 있다는 것은 발음을 의미하는 것이고, 외래어 표기법에서 'ㄱ, ㄴ, ㄹ, ㅁ, ㅂ, ㅅ, ㅇ'은 표기를 의미하는 거야!

ticket + 이 / 을 / 으로 → [티케시] / [티케슬] / [티케스로] – 'ticket'을 '티켓'으로 적는다.

음운 변동 현상과 관련된 국어 규범을 모두 외워야 하나요?

풍부한 예시를 통해 이해하자!

음운 변동 현상은 표준 발음법이나 한글 맞춤법, 로마자 표기법, 외래어 표기법 등과 함께 연결해서 공부하면 좋아. 그런데 수능 문제들을 살펴보면 일반적으로 국어 규범과 관련해서 문제를 출제할 때에는 이를 〈보기〉로 제시해 주고 있어. 그리고 선지에서는 그 규범과 관련된 구체적인 음운 변동의 사례나 그에 대한 설명의 옳고 그름을 판단하게 하지! 그러니까 음운 변동 현상의 이론을 공부할 때에는 관련된 국어 규범을 함께 공부해 두는 것은 좋지만 모든 규범을 달달 외울 필요는 없어! 아, 물론 국어 규범에는 예시가 풍부하기 때문에 그 예시들을 통해 이론을 이해하면 일석이조겠지? 힘내자!

정답과 해설 P.212

◐ 2021학년도 9월 모평 11번

01 〈보기〉의 ㉮에 들어갈 말로 적절한 것은?

〈보기〉

선생님: 용언 어간 뒤에 '-아/어'로 시작하는 어미가 결합할 때, 단모음이 반모음으로 교체되는 음운 변동이 일어날 수 있어요. 가령, 어간 '오-'와 어미 '-아'가 결합해 [와]로 발음될 때, 단모음 'ㅗ'가 반모음 'w'로 교체되는 것이지요. 우리말의 반모음은 'j'도 있으니까 반모음 'j'로 교체되는 예도 있겠죠? 그럼 용언 어간의 단모음이 '-아/어'로 시작하는 어미와 결합할 때 반모음 'j'로 교체되는 예를 들어 볼까요?

학 생: 네, [㉮]로 발음되는 예를 들 수 있어요.

① 어간 '뛰-'와 어미 '-어'가 결합해 [뛰여]

② 어간 '차-'와 어미 '-아도'가 결합해 [차도]

③ 어간 '잠그-'와 어미 '-아'가 결합해 [잠가]

④ 어간 '견디-'와 어미 '-어서'가 결합해 [견뎌서]

⑤ 어간 '키우-'와 어미 '-어라'가 결합해 [키워라]

◐ 2020학년도 수능 13번

02 〈보기〉의 [A]에 들어갈 말로 적절한 것은?

〈보기〉

선생님: 음절은 발음할 수 있는 최소의 언어 단위인데, 음절의 유형은 크게 분류하면 '1 모음, 2 자음+모음, 3 모음+자음, 4 자음+모음+자음'이 있어요. 예를 들면 '꽃[꼳]'은 4, '잎[입]'은 3에 속하지요. 그런데 복합어 '꽃잎'은 음운 변동이 일어나 [꼰닙]으로 발음돼요. 이때 [닙]은 4에 해당되며 음운의 첨가로 음절 유형이 바뀐 것이지요.

이제 아래 단어들을 탐구해 봅시다.

> 밥상(밥 + 상), 집일(집 + 일), 의복함(의복 + 함),
> 국물(국 + 물), 화살(활 + 살)

학 생: [[A]]

선생님: 네, 맞아요.

① '밥상[밥쌍]'에서의 [쌍]은 첨가의 결과이고, 음절 유형이 단일어인 '상[상]'과 달라졌어요.

② '집일[짐닐]'에서의 [닐]은 교체의 결과이고, 음절 유형이 단일어인 '일[일]'과 달라졌어요.

③ '의복함[의보캄]'에서의 [캄]은 축약의 결과이고, 음절 유형이 단일어인 '함[함]'과 달라졌어요.

④ '국물[궁물]'에서의 [궁]은 교체의 결과이고, 음절 유형이 단일어인 '국[국]'과 같아요.

⑤ '화살[화살]'에서의 [화]는 탈락의 결과이고, 음절 유형이 단일어인 '활[활]'과 같아요.

▶ 2019학년도 수능 11번

03 〈보기〉의 ㉠에 들어갈 말로 적절하지 않은 것은?

〈보 기〉

선생님: 최소 대립쌍이란 하나의 소리로 인해 뜻이 구별되는 단어의 짝을 말해요. 가령 최소 대립쌍 '살'과 '쌀'은 'ㅅ'과 'ㅆ'으로 인해 뜻이 달라지는데, 이때의 'ㅅ', 'ㅆ'은 음운의 자격을 얻게 되죠. 이처럼 최소 대립쌍을 이용해 음운들을 추출하면 음운 체계를 수립할 수 있어요. 이제 고유어들을 모은 [A]에서 최소 대립쌍들을 찾아 음운들을 추출하고, 그 음운들을 [B]에서 확인해 봅시다.

[A] 쉬리, 마루, 구실, 모래, 소리, 구슬, 머루

[B] 국어의 단모음 체계

혀의 앞뒤 / 입술 모양 / 혀의 높낮이	전설 모음		후설 모음	
	평순	원순	평순	원순
고모음	ㅣ	ㅟ	ㅡ	ㅜ
중모음	ㅔ	ㅚ	ㅓ	ㅗ
저모음	ㅐ		ㅏ	

[학생의 탐구 내용]

추출된 음운들 중 [㉠]을 확인할 수 있군.

① 2개의 전설 모음
② 2개의 중모음
③ 3개의 평순 모음
④ 3개의 고모음
⑤ 4개의 후설 모음

◘ 2019학년도 9월 모평 13번

04 〈보기〉의 ㉠~㉤에 대한 설명으로 적절한 것은?

〈보기〉

〈로마자 표기 한글 대조표〉

자음		ㄱ	ㄷ	ㅂ	ㄸ	ㄴ	ㅁ	ㅇ	ㅈ	ㅊ	ㅌ	ㅎ
표기	모음 앞	g	d	b	tt	n	m	ng	j	ch	t	h
	그 외	k	t	p								

모음	ㅏ	ㅐ	ㅗ	ㅣ
표기	a	ae	o	i

〈로마자 표기의 예〉

	한글 표기	발음	로마자 표기
㉠	같이	[가치]	gachi
㉡	잡다	[잡따]	japda
㉢	놓지	[노치]	nochi
㉣	맨입	[맨닙]	maennip
㉤	백미	[뱅미]	baengmi

① ㉠에서 일어나는 음운 변동은 '땀받이[땀바지]'에서도 일어나고, 로마자 표기에 반영되었다.

② ㉡에서 일어나는 음운 변동은 '삭제[삭쩨]'에서도 일어나고, 로마자 표기에 반영되었다.

③ ㉢에서 일어나는 음운 변동은 '닳아[다라]'에서도 일어나고, 로마자 표기에 반영되었다.

④ ㉣에서 일어나는 음운 변동은 '한여름[한녀름]'에서도 일어나고, 로마자 표기에 반영되지 않았다.

⑤ ㉤에서 일어나는 음운 변동은 '밥물[밤물]'에서도 일어나고, 로마자 표기에 반영되지 않았다.

◆ 2019학년도 6월 모평 13번

05 〈보기〉의 1가지 조건 으로 적절하지 않은 것은?

〈보 기〉

'한글 맞춤법'에 따르면, 사이시옷은 아래의 조건 ⓐ~ⓓ가 모두 만족되어야 표기된다. 단, '곳간, 셋방, 숫자, 찻간, 툇간, 횟수'는 예외이다.

○ **사이시옷 표기에 고려되는 조건**

ⓐ 단어 분류상 '합성 명사'일 것.

ⓑ 결합하는 두 말의 어종이 다음 중 하나일 것.

• 고유어+고유어 • 고유어+한자어 • 한자어+고유어

ⓒ 결합하는 두 말 중 앞말이 모음으로 끝날 것.

ⓓ 두 말이 결합하며 발생하는 음운 현상이 다음 중 하나일 것.

• 앞말 끝소리에 'ㄴ' 소리가 덧남.

• 앞말 끝소리와 뒷말 첫소리에 각각 'ㄴ' 소리가 덧남.

• 뒷말 첫소리가 된소리로 바뀜.

㉠~㉤ 각각의 쌍은 위 조건 ⓐ~ⓓ 중 1가지 조건만 차이가 나서 사이시옷 표기 여부가 갈린 예이다.

	사이시옷이 없는 단어	사이시옷이 있는 단어
㉠	도매가격 [도매까격]	도맷값 [도매깝]
㉡	전세방 [전세빵]	아랫방 [아래빵]
㉢	버섯국 [버섣꾹]	조갯국 [조개꾹]
㉣	인사말 [인사말]	존댓말 [존댄말]
㉤	나무껍질 [나무껍찔]	나뭇가지 [나무까지]

① ㉠: ⓐ ② ㉡: ⓑ ③ ㉢: ⓒ

④ ㉣: ⓓ ⑤ ㉤: ⓓ

◐ 2019학년도 6월 모평 14번

06 〈보기〉의 ⓐ~ⓒ에 들어갈 말로 적절한 것은?

〈보 기〉

○ **탐구 과제**

겹받침을 가진 용언을 발음할 때 어떤 음운 변동이 나타나야 표준 발음에 맞는지 혼동되는 경우가 있다. 자음군 단순화, 된소리되기, 비음화, 유음화, 거센소리되기 등의 음운 변동으로 비표준 발음과 표준 발음을 설명해 보자.

○ **탐구 자료**

	비표준 발음	표준 발음
㉠ 긁는	[글른]	[긍는]
㉡ 짧네	[짬네]	[짤레]
㉢ 끊기고	[끈기고]	[끈키고]
㉣ 뚫지	[뚤찌]	[뚤치]

○ **탐구 내용**

㉠의 비표준 발음과 ㉡의 표준 발음에는 자음군 단순화 후 (ⓐ)가 나타난다. 이에 비해, ㉠의 표준 발음과 ㉡의 비표준 발음에는 자음군 단순화 후 (ⓑ)가 나타난다. ㉢과 ㉣의 표준 발음은 (ⓒ)만 일어난 발음이다.

	ⓐ	ⓑ	ⓒ
①	유음화	비음화	거센소리되기
②	유음화	비음화	된소리되기
③	비음화	유음화	거센소리되기
④	비음화	유음화	된소리되기
⑤	비음화	된소리되기	거센소리되기

◆ 2018학년도 수능 14번

07 〈보기〉의 음운 변동을 분석한 것으로 적절하지 않은 것은?

〈보 기〉

㉠ 흙일 → [흥닐]
㉡ 닳는 → [달른]
㉢ 발야구 → [발랴구]

① ㉠~㉢은 각각 2회 이상의 음운 변동이 일어났다.
② ㉠~㉢에 공통적으로 일어난 음운 변동은 첨가이다.
③ 음운 변동의 결과 음운의 개수에 변화가 없는 것은 ㉠이다.
④ ㉡과 ㉢에서 일어난 음운 변동의 횟수는 같다.
⑤ ㉢에서 첨가된 음운은 ㉠에서 첨가된 음운과 같다.

◆ 2018학년도 6월 모평 13번

08 〈보기〉를 바탕으로 음운 변동 사례에 대해 이해한 내용으로 적절한 것은?

〈보 기〉

교체, 탈락, 축약, 첨가의 음운 변동이 일어나는 경우 음운 개수의 변화가 나타나기도 한다.
먼저 '집일[짐닐]'은 첨가 및 교체가 일어나 음운의 개수가 늘었다. 그런데 '닭만[당만]'은 탈락 및 교체가 일어나 음운의 개수가 줄었고, '뜻하다[뜨타다]'는 교체 및 축약이 일어나 음운의 개수가 줄었다. 한편 '맡는[만는]'은 교체가 두 번 일어나 음운의 개수가 변하지 않았다.

① '흙하고[흐카고]'는 탈락 및 축약이 일어나 음운의 개수가 두 개 줄었군.
② '저녁연기[저녕년기]'는 첨가 및 교체가 일어나 음운의 개수가 두 개 늘었군.
③ '부엌문[부엉문]'과 '볶는[봉는]'은 교체가 한 번 일어나 음운의 개수가 변하지 않았군.
④ '얹지[언찌]'와 '묽고[물꼬]'는 교체 및 축약이 일어나 음운의 개수가 각각 한 개 줄었군.
⑤ '넓네[널레]'와 '밝는[방는]'은 탈락 및 교체가 일어나 음운의 개수가 각각 두 개 줄었군.

◐ 2017학년도 수능 12번

09 〈보기〉의 (가), (나)를 중심으로 음운 변동을 이해한 내용으로 적절한 것은?

〈보기〉

국어의 음운 변동은 교체, 탈락, 첨가, 축약으로 구분된다. 이 중에는 음절의 종성과 관련된 음운 변동이 있다.

(가) 음절의 종성에 마찰음, 파찰음이 오거나 파열음 중 거센소리나 된소리가 올 경우, 모두 파열음의 예사소리로 교체된다. 이는 종성에서 발음될 수 있는 자음의 종류가 제한됨을 알려 준다.

(나) 또한 음절의 종성에 자음군이 올 경우, 한 자음이 탈락한다. 이는 종성에서 하나의 자음만이 발음될 수 있음을 알려 준다.

① '꽂힌[꼬친]'에는 (가)에 해당하는 음운 변동이 있다.
② '몫이[목씨]'에는 (나)에 해당하는 음운 변동이 있다.
③ '비옷[비옫]'에는 (나)에 해당하는 음운 변동이 있다.
④ '않고[안코]'에는 (가), (나) 모두에 해당하는 음운 변동이 있다.
⑤ '읊고[읍꼬]'에는 (가), (나) 모두에 해당하는 음운 변동이 있다.

◐ 2016학년도 6월 모평B 11번

10 〈보기〉에 따라 표준 발음을 이해한 내용으로 적절한 것은?

〈보기〉

〈표준 발음법의 '된소리되기' 중 일부〉

㉠ 어간 받침 'ㄴ(ㄵ), ㅁ(ㄻ)' 뒤에 결합되는 어미의 첫소리 'ㄱ, ㄷ, ㅅ, ㅈ'은 된소리로 발음한다.
㉡ 어간 받침 'ㄼ, ㄾ' 뒤에 결합되는 어미의 첫소리 'ㄱ, ㄷ, ㅅ, ㅈ'은 된소리로 발음한다.
㉢ 관형사형 '-(으)ㄹ' 뒤에 연결되는 'ㄱ, ㄷ, ㅂ, ㅅ, ㅈ'은 된소리로 발음한다. '-(으)ㄹ'로 시작되는 어미의 경우도 이에 준한다.

① '(가슴에) 품을 적에'와 '(며느리로) 삼고'에서의 된소리되기는 모두 ㉠에 따른 것이다.
② '(방이) 넓거든'과 '(두께가) 얇을지라도'에서의 된소리되기는 모두 ㉡에 따른 것이다.
③ '(신을) 신겠네요'와 '(땅을) 밟지도'에서의 된소리되기는 모두 ㉢에 따른 것이다.
④ '(남들이) 비웃을지언정'과 '(먼지를) 훑던'에서의 된소리되기는 각각 ㉠, ㉡에 따른 것이다.
⑤ '(물건을) 얹지만'과 '(자리에) 앉을수록'에서의 된소리되기는 각각 ㉠, ㉢에 따른 것이다.

◉ 2015학년도 9월 모평B 11번

11 〈보기〉의 [가]에 들어갈 말로 적절하지 않은 것은?

〈보기〉

선생님: 오늘은 겹받침 'ㄻ'의 표준 발음법에 대해 알아보도록 합시다. 우선 'ㄻ'과 관련한 발음 원칙을 정리한 내용을 잘 보세요.

> ㉠ 겹받침 'ㄻ'은 어말 또는 자음 앞에서 각각 [ㅁ]으로 발음한다.
> ㉡ 겹받침 'ㄻ'은 모음으로 시작된 조사나 어미, 접미사와 결합되는 경우 뒤의 'ㅁ'만을 뒤 음절 첫소리로 옮겨 발음한다.
> ㉢ 어간의 겹받침 'ㄻ' 뒤에 결합되는 어미의 첫소리 'ㄱ, ㄷ, ㅅ, ㅈ'은 된소리로 발음한다.

선생님: 자, 그러면 겹받침 'ㄻ'을 갖는 말의 표준 발음이 ㉠~㉢ 중 어느 발음 원칙과 관련되는지 말해 봅시다. 모음의 장단(長短)은 고려하지 않아도 됩니다.

학 생: [가]

① '삶과 자연'에서 '삶과'의 표준 발음이 [삼과]인 것은 ㉠에 따른 것입니다.
② '국수를 삶고'에서 '삶고'의 표준 발음이 [삼꼬]인 것은 ㉠, ㉢에 따른 것입니다.
③ '바람직한 삶'에서 '삶'의 표준 발음이 [삼]인 것은 ㉠에 따른 것입니다.
④ '삶에 대한 의지'에서 '삶에'의 표준 발음이 [살메]인 것은 ㉡에 따른 것입니다.
⑤ '나의 삶만'에서 '삶만'의 표준 발음이 [삼만]인 것은 ㉡에 따른 것입니다.

◉ 2014학년도 수능B 12번

12 (가)의 ㉠, ㉡에 들어갈 표준 발음을 (나)를 참고하여 바르게 짝지은 것은?

(가) 학생의 탐구 내용

지난 시간의 새말 만들기 활동에서 '꽃잎 표면에 이랑처럼 주름이 진 부분'을 가리키는 말로 '꽃이랑', '꽃의 가운데에 오목하게 들어간 부분'을 나타내는 말로 '꽃오목'을 만들었어. 이번 시간에 배운 표준 발음법에 따라 이 단어들의 올바른 발음을 생각해 보니, **'꽃이랑'**은 (㉠), **'꽃오목'**은 (㉡)으로 발음해야 해.

(나) 표준 발음법 조항

제15항 받침 뒤에 모음 'ㅏ, ㅓ, ㅗ, ㅜ, ㅟ'들로 시작되는 실질 형태소가 연결되는 경우에는, 대표음으로 바꾸어서 뒤 음절 첫소리로 옮겨 발음한다.
예 겉-옷[거돋], 헛-웃음[허두슴]

제29항 합성어 및 파생어에서, 앞 단어나 접두사의 끝이 자음이고 뒤 단어나 접미사의 첫 음절이 '이, 야, 여, 요, 유'인 경우에는, 'ㄴ' 소리를 첨가하여 [니, 냐, 녀, 뇨, 뉴]로 발음한다.
예 담-요[담:뇨], 홑-이불[혼니불]

	㉠	㉡
①	[꼰니랑]	[꼬도목]
②	[꼰니랑]	[꼬초목]
③	[꼰니랑]	[꼰노목]
④	[꼬디랑]	[꼬초목]
⑤	[꼬디랑]	[꼬도목]

수능 국어 문법 필수 개념서

국어 문법

F A Q

PART

2

형태소와 단어 그리고 문장

PART

형태소와 단어 그리고 문장

문법 체계 한눈에 보기

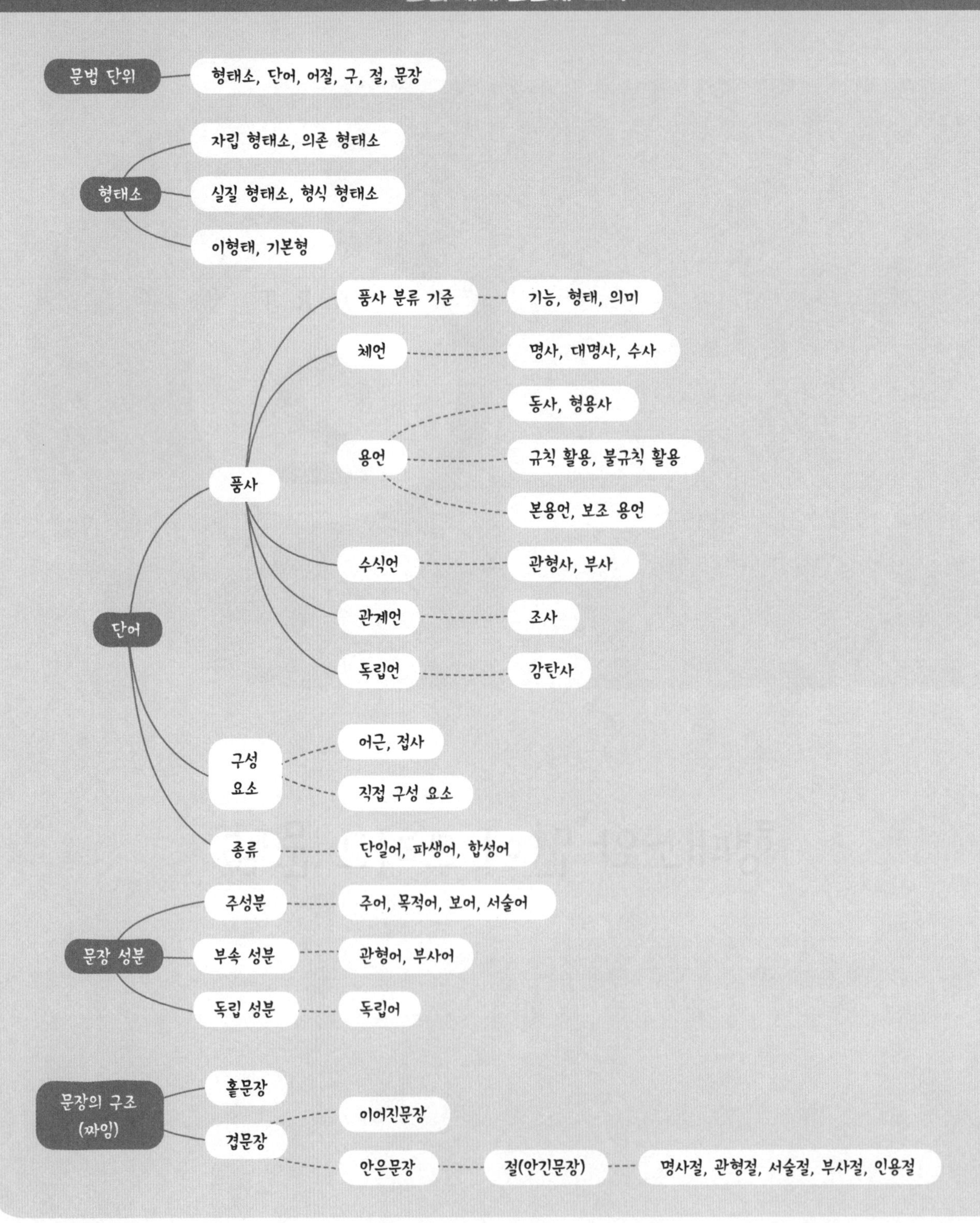

형태소

형태소에 대하여
흙, 흑, 흥

형태소: 일정한 뜻을 가진 가장 작은 말의 단위

자립 형태소: 다른 말에 의존하지 아니하고 홀로 쓰일 수 있는 형태소

의존 형태소: 다른 말에 의존하여 쓰이는 형태소

실질 형태소: 대상이나 동작, 상태의 실제적인 의미를 표시하는 형태소

형식 형태소: 실질 형태소에 붙어 주로 말과 말 사이의 관계를 표시하는 형태소

예 그의 얼굴이 이내 밝은 빛을 띠었다.

자립성 유무 / 의미의 성격	**자립 형태소** (명사, 대명사, 수사, 관형사, 부사, 감탄사)	**의존 형태소** (용언의 어간, 어미, 조사, 접사)
실질 형태소 (명사, 대명사, 수사, 용언의 어간, 관형사, 부사, 감탄사)	그, 얼굴, 이내, 빛	밝-, 띠-
형식 형태소 (조사, 어미, 접사)	-	의, 이, -은, 을, -었-, -다

⊕ 명사, 대명사, 수사, 관형사, 부사, 감탄사, 용언의 어간, 어미, 조사, 접사를 위와 같이 분류한 것은 이들이 단일 형태소일 경우에만 해당함

이형태: 의미와 기능이 동일한 하나의 형태소가 주위 환경에 따라 모양을 달리하여 나타난 것

음운론적 이형태: 음운 환경에 따라 다른 형태로 나타나는 형태소

예 눈이 예쁘다. – 앞 음운이 자음일 경우 주격 조사 '이'가 쓰인다.

코가 예쁘다. – 앞 음운이 모음일 경우 주격 조사 '가'가 쓰인다.

형태론적 이형태: 음운론적으로 설명될 수 없고 형태론적 환경에서 다른 모습을 띠는 형태소

예 공부를 하였다. – 과거 시제를 나타내는 '-었-'은 특별히 어간 '하-' 뒤에서 '-였-'으로 나타난다.

기본형: 다양한 이형태 중에서 대표가 되는 형태소

형태소의 기본형은 어떻게 정해지나요?

흙이[흘기] 곱다. vs. 흙도[흑또] 곱다. vs. 흙만[흥만] 곱다.

기본형은 다양한 이형태 중에서 대표가 되는 형태소야. 예를 들어 '흙'은 모음 '이' 앞에서는 [흙]으로 발음되지만, '도' 앞에서는 [흑]으로, '만' 앞에서는 [흥]으로 발음돼. 이처럼 한 형태소가 주위 환경에 따라 모양을 달리하여 여러 가지 형태로 나타날 때 한 형태소의 여러 모양을 이형태라고 하고, 이러한 이형태들이 나타나는 현상을 가장 자연스럽게 설명할 수 있는 것 하나를 정해 기본형으로 삼는 거지. '흙'을 기본형으로 삼으면, 모음으로 시작하는 형식 형태소 앞에서 겹받침 'ㄺ' 중 뒤의 'ㄱ'이 연음되어 '흙이 → [흘기]'가 되고, 자음 앞에서 겹받침 'ㄺ'이 자음군 단순화를 겪어 '흙도 → [흑또]'가 되며, 자음군 단순화를 겪은 'ㄱ'이 'ㅁ' 앞에서 비음화를 겪어 '흙만 → [흥만]'으로 실현된다는 것을 문법적으로 타당하게 설명할 수 있으니까 '흙, 흑, 흥' 중에서 '흙'이 기본형이 된 거야!

기본형 = 흙

음운은 말의 뜻을 구별해 주는 소리의 최소 단위, 형태소는 일정한 뜻을 가진 가장 작은 말의 단위라는 말이 정확하게 이해되지 않아요.

하늘

음운은 소리를 통해 단어들의 뜻을 구별해 주는 역할을 할 뿐 그 자체로는 일정한 뜻을 가지고 있지 않아. 하지만 형태소는 그 자체로 일정한 뜻을 가지고 있지. '하늘'과 '바늘'을 비교해 보면, 'ㅎ'과 'ㅂ'의 차이로 두 말의 뜻이 구별되지만 'ㅎ'과 'ㅂ' 그 자체는 뜻이 없어. '하늘'에 나타난 다른 음운인 'ㅏ, ㄴ, ㅡ, ㄹ'도 마찬가지로 뜻을 가질 수 없지. 반면 형태소는 일정한 뜻을 가져. '하늘'은 '지평선이나 수평선 위로 보이는 무한대의 넓은 공간'이라는 뜻을 지니고 있는데, 이를 '하', '늘'로 나누면 그 뜻이 사라지게 되지. 그래서 '하늘'은 하나의 형태소가 되는 거야! '하'는 '아래'의 뜻이 있고, '늘'은 '항상'의 뜻이 있지 않느냐고? 맞아. 그래서 '아래'와 '항상'의 뜻을 나타낼 때에는 '하', '늘'이 각각 하나의 형태소가 될 수 있겠지. 하지만 '지평선이나 수평선 위로 보이는 무한대의 넓은 공간'을 표현하고 싶을 때에는 '하늘'보다 더 작은 단위로 표현할 수는 없으므로 '하늘' 자체가 하나의 형태소가 되는 거야.

단어

단어, 제대로 알고 있니?
어근 + 접사, 어간 + 어미

단어: 한 형태소 또는 형태소의 결합형 중 자립하여 쓰일 수 있는 단위

⊕ 예외적으로 조사는 자립할 수 없음에도 불구하고 단어로 인정함

품사: 단어를 문법적 성질(형태, 기능, 의미)의 공통성에 따라 나눈 갈래

품사의 분류 기준

기능: 한 단어가 문장 안에서 다른 단어들과 맺는 문법적인 관계

형태: 단어의 형태 변화에 따라 가변어와 불변어로 나뉨

의미: 개별 단어가 갖고 있는 의미가 아니라, 품사로 분류된 갈래 전체의 의미

평가원 밑줄 2019학년도 ⑨ 품사란 단어를 공통된 성질에 따라 분류한 것이다.
'형태'는 단어가 활용하느냐 활용하지 않느냐에 관한 것이다.
'기능'은 단어가 문장에서 하는 역할과 관련된다.
'의미'는 단어의 구체적인 의미가 아니라 단어 부류가 가지는 추상적인 의미를 말한다.

문장 안에서의 기능	형태 변화	품사로 분류된 갈래 전체의 의미
체언 문장의 중심(몸)이 되는 역할을 함	불변어 형태가 변하지 않음	명사 사람이나 사물의 이름을 나타내는 말
		대명사 사람이나 사물의 이름을 대신해 가리키는 말
		수사 사물의 수량이나 순서를 가리키는 말
수식언 다른 말을 꾸미는 역할을 함		관형사 체언 앞에 놓여서 그 체언의 뜻을 꾸며 주는 말
		부사 용언 또는 다른 말 앞에 놓여 그 말의 뜻을 꾸며 주는 말
독립언 문장 속의 다른 성분에 얽매이지 않고 독립성을 가짐		감탄사 말하는 사람이 자신의 느낌이나 의지를 나타내는 말
관계언 문장에 쓰인 단어들의 관계를 나타냄		조사 자립성이 있는 말에 붙어 그 말과 다른 말의 문법적 관계를 표시(격 조사)하거나 의미를 추가(보조사)하는 말
	가변어 형태가 변함	서술격 조사
용언 문장에서 서술의 기능을 함		동사 사람이나 사물의 동작이나 작용을 나타내는 말
		형용사 사람이나 사물의 성질이나 상태를 나타내는 말

용언의 활용

용언: 문장 안에서 서술하는 기능을 하며 활용하는 동사, 형용사

활용: 용언의 어간 또는 어미가 다른 모습으로 바뀌는 현상

어간: 활용할 때 변하지 않는 부분 (단어의 몸)

어미: 활용할 때 변하는 부분 (단어의 꼬리)

단어의 구성 요소

어근: 단어를 분석할 때, 실질적 의미를 나타내는 중심이 되는 부분 (단어의 뿌리)

접사: 단어를 분석할 때, 어근과 결합하여 문법적 기능을 나타내거나 부분적인 의미만 더해 주는 부분

접두사: 어근의 앞에 붙어 새로운 말을 만들어 내는 접사 예 맨–(접두사) + 발(어근) → 맨발

접미사: 어근의 뒤에 붙어 새로운 말을 만들어 내는 접사 예 놀–(어근) + –이(접미사) → 놀이

⊕ 어근과 접사, 어간과 어미, 체언과 조사를 정확히 구별해야 함

- 어근과 접사 – 어근과 접사는 새로운 단어 형성에 참여한다. (어근에 접사가 결합한 파생어는 새로운 단어로 사전에 등재)
- 어간과 어미
- 체언과 조사

(어간과 어미, 체언과 조사) – 어미와 조사는 단어의 형성과 관계가 없다.

단일어: 하나의 어근으로 구성된 단어

파생어: '접두사 + 어근' or '어근 + 접미사' or '접두사 + 어근 + 접미사'로 결합된 단어

합성어: '어근 + 어근'으로 결합된 단어

직접 구성 요소: 여러 개의 어근과 접사로 이루어진 복합어를 둘로 나누었을 때 일차적으로 나누어지는 두 성분

⊕ 직접 구성 요소의 결합 방식이 어떠한가에 따라 그 단어가 파생어인지 합성어인지 판단할 수 있음

평가원 밑줄 2017학년도 ⑨ 직접 구성 요소란 어떤 말을 직접 이루고 있는 두 부분으로 나누었을 때 나오는 두 요소이다. 예 '민물고기': '민물'과 '고기'가 직접 구성 요소

'민물고기'에는 '민–'이라는 접두사가 있으니까 파생어 아닌가요?

민물고기 = [민물 + 고기]

민물 = [민– + 물]

직접 구성 요소는 어떤 말을 '직접' 이루고 있는 두 부분이야. '민물고기'는 어떻게 나눌 수 있을까? 강이나 호수 따위와 같이 염분이 없는 물을 의미하는 '민물'과 '고기'로 나눌 수 있겠지? 즉 '민물고기'의 직접 구성 요소는 '민물'과 '고기'로, '민물'과 '고기'가 결합된 합성어인 거지. 그런데 '민물'은 다시 접두사 '민–'과 어근 '물'로 나눌 수 있어. 따라서 접두사 '민–'은 '민물고기'의 직접 구성 요소가 아니라, '민물'의 직접 구성 요소가 되는 거야. 따라서 '민물'은 직접 구성 요소 중 하나가 접사이므로 파생어이지만, '민물고기'는 이미 하나의 명사가 된 '민물'과 또 다른 명사인 '고기'가 결합된 합성어가 되는 거지!

민물고기 = [민물 + 고기] (합성어)

민물 = [민– + 물] (파생어)

적용하기

'짓밟히시었겠더군요' 분석

→ 단어의 형성 측면

짓-	밟-	-히-	-시-	-었-	-겠-	-더-	-군	요
접두사	어근	접미사	높임	과거	추측	회상	종결	높임
어간			선어말 어미				어말 어미	통용 보조사

→ 용언의 활용 측면

① 용언(동사, 형용사)의 단어 형성법을 파악할 때에는 어간 부분만 확인하면 됨

② 동사 '밟다'의 어근 '밟-'에 접두사와 접미사가 결합하여 '짓밟히다'라는 새로운 단어(동사)가 형성됨

③ 동사는 활용하므로 '짓밟히-'가 용언의 어간이 됨

① 어미는 용언의 어간에 붙어서 문법적 의미를 표시하는 형태소이기 때문에 단어의 형성과는 관계가 없음

② 어미는 선어말 어미와 어말 어미로 나뉘는데, 어미들은 다양한 문법적 기능을 함

③ 조사는 체언에 붙어 문법적 관계를 나타내 주거나 여러 문장 성분 뒤에 나타나 특별한 의미를 덧붙여 주는 말로 단어의 형성과는 관계가 없음

• 동사의 어근에 접사가 붙으면 새로운 단어가 형성될 수 있다. 예를 들어 동사 '밟다'의 어근 '밟-'에 접두사 '짓-'과 접미사 '-히-'가 결합하면 '짓밟히다'라는 새로운 동사가 형성된다. 용언의 활용 측면에서 이를 살펴보면 '짓밟히다'는 동사이므로, '짓밟히고, 짓밟히니, 짓밟히며…' 등으로 활용할 수 있다.

어근과 접사, 어간과 어미는 어떻게 다르죠?

[표준국어대사전]

휘-두르다$_{01}$ [-둘러, -두르니]

「동사」【…을】

「1」 이리저리 마구 내두르다.

「2」 남을 정신 차릴 수 없도록 얼떨떨하게 만들다.

「3」 사람이나 일을 제 마음대로 마구 다루다.

어미는 용언이 활용할 때 변하는 부분이고, 접사는 단어가 형성될 때 어근에 붙어 그 뜻을 제한하거나, 어근의 품사를 바꿔 주는 주변 부분이야. 어미와 접사는 용언의 활용이라는 측면과 단어의 형성이라는 측면에서 구분할 수 있어. 즉 어미는 동사나 형용사 또는 서술격 조사를 여러 형태로 활용하기 위한 것이고, 접사는 새로운 단어를 만들기 위한 거야. 그래서 접사가 붙은 단어는 새로운 단어(파생어)로 인정되어 사전에 표제어로 등재되지만, 어미는 활용을 해서 다양한 형태로 변하더라도 사전에는 기본형만 등재돼. '휘두르다'는 접두사 '휘-'와 어근 '두르다'가 결합한 파생어니까 하나의 단어로 사전에 등재된 거지. '휘두르다' 옆의 [-둘러, -두르니]는 동사 '휘두르다'가 어떻게 활용하여 쓰일 수 있는지에 대한 정보를 제공해 주고 있을 뿐, '휘둘러', '휘두르니'처럼 활용된 형태가 사전에 표제어로 등재되지는 않아. 정리하면 용언의 활용을 말할 때에는 어간과 어미로, 단어의 형성에 대해 말할 때는 어근과 접사로 설명하면 돼~

휘- + 두르다
접두사 + 어근

휘두르- + -다 / -며 / -고 / -니 …
어간 + 어미

1. 체언: 명사 / 대명사 / 수사

(1) 명사

┌ 고유 명사 / 보통 명사 – 사용 범위에 따라
└ 자립 명사 / 의존 명사 – 자립 여부에 따라

평가원 밑줄 2019학년도 ⑨ 명사는 활용하지 않으며 사물의 이름을 나타내는 말이다. 예 옛날, 사진, 기억

2019학년도 ⑥ 명사는 서술격 조사가 결합하는 경우를 제외하고는 서술어로 쓰일 수 없고 관형어의 수식을 받을 수 있다.

▶ **의존 명사**: 관형어의 수식을 받아 존재하는 명사 ⊕ 의존 명사도 명사이기 때문에 앞말과 띄어 씀

① 문장에서 여러 성분으로 두루 쓰이는 의존 명사

- **것**: 예 낡은 것 / 마실 것 / 먹을 것 / 입을 것 / 큰 것
  좋은 책은 좋은 독자가 만드는 것이다.
  올해도 어김없이 봄은 올 것이다.
  공사 중이니 주의할 것.

② 문장에서 주로 주어로 쓰이는 의존 명사

- **수**: 예 어쩔 수가 없다. / 살다 보면 그럴 수도 있지.

③ 문장에서 주로 서술어로 쓰이는 의존 명사

- **따름**: 예 그저 당신을 만나러 왔을 따름입니다. / 막내가 대학에 합격했다는 소리를 들으니 그저 기쁠 따름이다.
- **뿐**: 예 소문으로만 들었을 뿐이네. / 그는 웃고만 있을 뿐이지 싫다 좋다 말이 없다.
  예 시간만 보냈다 뿐이지 한 일은 없다. / 이름이 나지 않았다 뿐이지 참 성실한 사람이다.

④ 문장에서 주로 부사어로 쓰이는 의존 명사

- **대로**: 예 아는 대로 설명하다. / 집에 도착하는 대로 편지를 쓰다. / 기회가 있는 대로 정리한다.
  지칠 대로 지친 마음 / 될 수 있는 대로 빨리 오다.
- **만큼**: 예 노력한 만큼 대가를 얻는다. / 주는 만큼 받아 오다. / 어른이 심하게 다그친 만큼 그의 행동도 달라져 있었다.

⑤ 수량 표현 의존 명사 (단위성 의존 명사)

- **명, 개, 장, 마리, 대, 모금, 켤레 등**
  예 학생 세 명 / 지우개 한 개 / 종이 석 장 / 염소 두 마리 / 자동차 세 대 / 물 한 모금 / 운동화 다섯 켤레
  ⊕ 자립 명사로 쓰이지만 단위를 나타내는 표현에도 쓰이는 경우: 사람, 뿌리, 그루, 바퀴, 병 등
  예 학생 세 사람 / 파 한 뿌리 / 나무 열 그루 / 운동장 열 바퀴 / 콜라 세 병

평가원 밑줄 2016학년도 ⑨ 국어에서는 의존 명사가 수량을 표현하는 말 뒤에 쓰여 수효나 분량 따위의 단위를 나타내는 경우가 일반적이지만, 자립 명사가 단위를 나타내는 경우도 있다.
예 다섯 사람, 두 그릇, 세 덩어리, 몇 숟가락, 서너 발자국

의존 명사는 의존 형태소 아닌가요?

아는 대로 보인다.

명사가 하나의 형태소일 때 그 명사는 자립 형태소이자 실질 형태소야. 의존 명사도 명사니까 자립 형태소지. '의존'이라는 말에 헷갈리지 말자. 의존 명사에서 '의존'은 문장 단위에서 홀로 쓰일 수 있는 자립 명사와 달리 반드시 관형어의 수식을 받아야만 쓰일 수 있는 의존 명사의 특징을 반영한 개념이야. 위 문장에 쓰인 '대로'는 '아는'이라는 관형어의 수식을 받는 의존 명사로, '아는 대로'와 같이 띄어 써. 이렇게 단독으로 쓸 수 있다는 것은 자립성이 있다는 말이야. 참고로 '대로'는 보조사로도 쓰이는데, 이 경우 '법대로 해라.'처럼 체언 뒤에 붙여 써야 해.

의존 명사 = 자립 형태소, 실질 형태소

[한글 맞춤법]	
제41항 조사는 그 앞말에 붙여 쓴다.	제42항 의존 명사는 띄어 쓴다.
예 아내는 웃기만 할 뿐 아무 말이 없다. 그는 어머니께 허락을 받아야만 한다고 말했다.	예 그가 그러는 것도 이해할∨만은 하다. 잘 듣고 보니 그가 화를 낼∨만도 하다.

⊕ 의존 명사는 앞말과 띄어 쓰고 어미는 앞말에 붙여 씀

① 데 vs. -ㄴ데: 예 그 책을 다 읽는 데(의존 명사) 삼 일이 걸렸다. / 저분이 그럴 분이 아니신데(연결 어미) 큰 실수를 하셨다.

② 지 vs. -지: 예 그를 만난 지(의존 명사)도 꽤 오래되었다. / 쓰레기를 버리지(연결 어미) 마시오.

③ 듯 vs. -듯: 예 마치 구름을 걷는 듯(의존 명사) 도무지 생시가 아닌 것만 같았다. / 내가 전에도 말했듯(연결 어미: '-듯이'의 준말) 저 애는 정말 공을 잘 차.

⊕ 의존 명사 '양, 척, 체, 만, 법, 듯, 뻔' 등에 '-하다'나 '-싶다'가 결합된 보조 용언의 띄어쓰기

보조 용언	원칙	허용
양하다	학자인 양한다.	학자인양한다.
체하다	모르는 체한다.	모르는체한다.
듯싶다	올 듯싶다.	올듯싶다.
뻔하다	놓칠 뻔하였다.	놓칠뻔하였다.

'들'은 접미사, 의존 명사, 보조사로 쓰인다고 하는데 어떻게 구별하나요?

너희들 어서들 사과, 배, 감 들을 먹어라.

① 접미사 '-들': (셀 수 있는 명사나 대명사 뒤에 붙어) 복수의 뜻을 더하는 접미사

예 사람들 / 그들 / 너희들 / 사건들

② 의존 명사 '들': 두 개 이상의 사물을 나열할 때, 그 열거한 사물 모두를 가리키거나, 그 밖에 같은 종류의 사물이 더 있음을 나타내는 말

예 책상 위에 놓인 공책, 신문, 지갑 들을 가방에 넣다. / 과일에는 사과, 배, 감 들이 있다.

③ 보조사 '들': (체언, 부사어, 연결 어미 '-아, -게, -지, -고', 합성 동사의 선행 요소, 문장의 끝 따위의 뒤에 붙어) 그 문장의 주어가 복수임을 나타내는 보조사

예 이 방에서 텔레비전을 보고들 있어라. / 다 떠나들 갔구나. / 안녕들 하세요?

셀 수 있는 체언 뒤에 붙은 '-들'은 접미사야. 그리고 앞에서 의존 명사는 띄어 쓴다는 것을 배웠지? 그렇다면 두 개 이상의 사물을 나열하고 그 뒤에 띄어 쓴 '들'은 의존 명사로 쓰인 거지. 마지막으로 보조사 '들'은 주어가 복수임을 나타내기 위해 다양한 문장 성분 뒤에 쓰여. 무슨 말이냐고? '*수지야 어서들 먹어라.' 처럼 주어가 단수일 때에는 보조사 '들'이 쓰일 수 없지만, 주어가 복수일 때에는 '얘들아, 어서들 먹어라.' 처럼 쓰일 수 있다는 거지!

너희들 어서들 사과, 배, 감 들을 먹어라.
접미사 보조사 의존 명사

(2) 대명사

① 지시 대명사: 사물 및 장소를 가리키는 대명사

근칭	중칭	원칭	미지칭
이것	그것	저것	무엇
여기	거기	저기	어디
이곳	그곳	저곳	

② 인칭 대명사: 사람을 가리키는 대명사

<table>
<tr><th></th><th colspan="3">단수</th><th colspan="3">복수</th></tr>
<tr><td>1인칭</td><td colspan="3">나, 저</td><td colspan="3">우리, 저희</td></tr>
<tr><td>2인칭</td><td colspan="3">너, 자네, 당신, 그대</td><td colspan="3">너희</td></tr>
<tr><td rowspan="4">3인칭</td><td colspan="2">근칭</td><td colspan="2">중칭</td><td colspan="2">원칭</td></tr>
<tr><td colspan="2">이이, 이분</td><td colspan="2">그, 그이, 그분</td><td colspan="2">저이, 저분</td></tr>
<tr><td colspan="2">미지칭</td><td colspan="2">부정칭</td><td colspan="2">재귀칭</td></tr>
<tr><td colspan="2">누구</td><td colspan="2">아무</td><td colspan="2">저, 저희, 자기, 당신</td></tr>
</table>

⊕ 3인칭 대명사 더 알아두기

- 미지칭: 가리키는 대상은 정해져 있으나 무엇인지 정확하게 모를 때 사용하는 대명사 예 저 사람이 누구입니까?
- 부정칭: 특정한 지시 대상이 없을 때 사용하는 대명사 예 아직 아무도 안 왔다.
- 재귀칭: 한 문장 안에서 명사나 3인칭 대명사를 다시 가리키는 대명사 예 그는 자기 일을 자랑스럽게 여긴다.

'누구'가 쓰이면 무조건 미지칭인가요?

당신은 누구입니까? vs. 사람은 누구나 꿈을 가지고 있다.

'당신은 누구입니까?'에서 '누구'는 지시 대상의 이름이나 신분을 모를 때 쓰는 미지칭이야. 그런데 '누구나, 누구라도, 누구든지'처럼 '누구'에 '(이)나', '라도', '든지'와 같은 보조사가 붙으면 특정한 대상을 가리키지 않는 부정칭이 돼. '사람은 누구나 꿈을 가지고 있다.'에서 '누구'도 특정한 대상을 가리키지 않기 때문에 부정칭이야. 정리해 보자! '미지칭(未知稱)'은 가리키는 대상을 알지 못할 때, '부정칭(否定稱)'은 가리키는 특정 대상을 정하지 않았을 때 사용한다!

당신은 누구입니까? vs. 사람은 누구나 꿈을 가지고 있다.
미지칭 부정칭

Q & A 28

재귀칭은 3인칭에만 쓰이나요?

그는 자기 손으로 직접 책을 만들었다.
3인칭 재귀 대명사

재귀칭은 한 문장 안에서 앞에 나온 명사나 대명사를 다시 가리키는 대명사야. 국어에서 1인칭이나 2인칭 대명사의 경우 '나는 나를 사랑한다.', '너는 너를 잘 알아야 한다.'와 같이 특별한 재귀칭 형태가 없이 대명사를 그대로 반복해서 사용해. 그런데 3인칭 대명사의 경우 '그는 자기 손으로 직접 책을 만들었다.'처럼 대명사를 반복하지 않고 '자기'와 같은 재귀칭을 사용하지! 참고로 재귀칭에도 높임 표현이 존재하는데, '할아버지께서는 당신의 손으로 직접 책을 만드셨다.'와 같이 '할아버지'라는 높임의 대상을 다시 가리킬 때에는 '자기' 대신 '당신'이라는 재귀칭을 사용해. 이때 주의할 점은 상대방을 부르는 2인칭 대명사 '당신'과 헷갈리면 안 된다는 거야!

이 일을 한 사람이 당신이오? vs. 할아버지께서는 당신의 손으로 직접 책을 만드셨다.
2인칭 대명사 / 높임의 3인칭 재귀 대명사

(3) 수사

• 사물의 수량이나 순서를 나타내며 양수사와 서수사가 있다.

⊕ 수사와 수 관형사 구분하기

① 수사: 체언으로 문장에서 주어, 목적어 등의 역할을 하며 뒤에 조사가 붙을 수 있다.

예 냉장고에서 사과 하나를 꺼냈다.

– '하나'라는 수사 뒤에 '를'이라는 목적격 조사가 결합한다.

② 수 관형사: 수식언으로 체언을 수식하며 뒤에 조사가 붙을 수 없다.

예 저 책 한 권 주세요.

– '한'은 수 관형사로 단위성 의존 명사인 '권'을 수식한다.

평가원 밑줄 2019학년도 ⑨ 수사는 활용하지 않으며 수량이나 순서를 나타내는 말이다. 예 하나

2. 수식언: 관형사 / 부사

(1) 관형사

• 관형사는 형태가 변하지 않는 불변어로 조사나 어미가 붙지 않는다.

구분		예
① 성상 관형사: 대상의 성질이나 상태를 꾸며 주는 관형사		예 새, 헌, 순(純), 온갖
② 지시 관형사: 어떤 대상을 가리키는 관형사		예 이, 그, 저, 다른(他), 웬
③ 수 관형사: 양이나 순서를 나타내는 관형사	양수 관형사	예 한, 두, 세
	서수 관형사	예 첫째, 둘째, 셋째

평가원 밑줄 2019학년도 ⑨ 관형사는 활용하지 않으며 뒤에 오는 체언을 수식하는 말이다.

⊕ 관형어와 관형사의 관계 알아두기

관형어

① 관형사 그대로 관형어가 되는 경우 — 예 그는 새 옷을 입었다.

② 체언이 그대로 관형어가 되는 경우 — 예 나는 시골 풍경을 좋아한다.

③ 체언에 관형격 조사 '의'가 결합한 경우 — 예 시골의 풍경이 아름답다.

④ 용언의 어간에 관형사형 어미가 결합한 경우 — 예 키가 큰 사나이

⑤ 서술격 조사에 관형사형 어미가 결합한 경우 — 예 학생인 나는 공부를 해야 한다.

품사와 문장 성분의 관계가 너무 헷갈려요.

새 ∨ 집이 ∨ 정말 ∨ 예쁘다.

학생들이 문법에서 가장 많이 어려워하는 부분 중 하나가 바로 품사와 문장 성분의 관계야. 일단 품사는 마지막에 '사'가 붙고, 문장 성분은 마지막에 '어'가 붙어. 품사는 우리가 사용하는 수많은 단어들을 문법적 성질에 따라 분류한 것이라고 했지? 이러한 단어들이 문장 안에서 어떤 기능으로 쓰이느냐에 따라 문장 성분이 결정돼! '새 집이 정말 예쁘다.'를 살펴보자. 먼저 품사를 분류해 보면, '새(관형사), 집(명사) 이(조사), 정말(부사), 예쁘다(형용사)'가 되겠지? 이러한 단어들이 모여 문장을 이루는데, 이때 문장을 구성하는 단위가 바로 문장 성분이야. 그럼 문장 성분을 분석해 볼까? '새(관형어), 집이(주어), 정말(부사어), 예쁘다(서술어)'가 돼. 그래도 헷갈린다고? 그럼 가장 기본적인 문장의 구조인 '주어 + 서술어'를 생각해 보자. 여기에 주어를 꾸며 주는 '관형어'와 서술어를 꾸며 주는 '부사어'를 넣어서 '관형어 + 주어 + 부사어 + 서술어'로 이루어진 문장이 있다고 가정하고, 각각의 문장 성분에는 주로 어떤 품사들이 쓰이는지 정리해 보자.

문장 성분	관형어	∨	주어	∨	부사어	∨	서술어
주로 쓰이는 품사	관형사		명사/대명사/수사 + (조사)		부사		동사/형용사

⊕ 위의 문장 성분에 반드시 이 품사들만 쓰이는 것은 아님. 구나 절이 하나의 문장 성분으로 쓰일 수도 있고, 특히 관형어와 부사어는 그 실현 형태가 다양하게 나타날 수 있음

	새	∨	집이	∨	정말	∨	예쁘다.
문장 성분:	관형어		주어		부사어		서술어
품사:	관형사		명사 + 조사		부사		형용사

평가원 밑줄 2021학년도 ⑨ 품사는 다양한 방식을 통해 문장 성분으로 실현된다.

관형사 '다른'과 형용사의 활용형 '다른'을 어떻게 구별하나요?

다른 사람들은 어디 있지? vs. 나는 너와 다른 옷을 입었다.

동일한 형태로 쓰인 '다른'의 품사가 궁금하다고? 쉽게 구분하는 방법을 알려 줄게. 관형사 '다른'은 '당장 문제되거나 해당되는 것 이외의'란 뜻으로, '딴'으로 바꾸어 쓸 수 있어. '다른 사람들은 어디 있지?'를 '딴 사람들은 어디 있지?'라고 해도 의미가 자연스럽게 통하지? 그런데 형용사 '다른'은 '비교가 되는 두 대상이 서로 같지 아니하다.'라는 뜻을 지닌 형용사 '다르다'의 어간에 관형사형 전성 어미 '-ㄴ'이 결합한 구조로, 품사는 형용사이지만 문장에서는 관형어로 쓰이는 거야! (어미는 품사를 바꿀 수 없는 것 기억하지?) 즉 '나는 너와 다른 옷을 입었다.'에서 '다른'은 뒤에 있는 체언 '옷'을 꾸며 주기 때문에 문장 성분은 관형어이지만 품사는 그대로 형용사야! 일반적으로 동사와 형용사는 문장에서 주로 서술어로 쓰이므로 동사와 형용사는 서술성이 있어. 그래서 형용사인 '다른'은 서술성을 지니지. 예를 들어 '나는 너와 다르다.'와 같이 형용사 '다르다'가 문장에서 서술어로 쓰일 수 있다는 의미야. 그래도 헷갈린다면 '다른'을 '딴'으로 바꾸어 써 봐! 자연스럽게 바꿀 수 있으면 관형사 '다른'이고, 자연스럽게 바꿀 수 없다면 형용사의 활용형 '다른'이야!

다른 사람들은 어디 있지? – '다른(他)', 형태가 변하지 않고 체언을 수식하는 기능을 함 ⇒ 관형사
 └, '딴'으로 교체 가능

나는 너와 다른 옷을 입었다. – '다르다(不同, 異)'의 활용형으로 서술어 기능을 함 ⇒ 형용사
 └, '딴'으로 교체 불가능

'이/그/저'는 지시 관형사로도 쓰이고 지시 대명사로도 쓰이는데, 어떻게 구별하나요?

이 사람에게 상을 주어라. vs. 이보다 더 좋을 수는 없다.

품사는 형태만 보고 판단할 수는 없어. 문장에서 어떻게 기능하는지가 더 중요하거든! 관형사는 문장에서 관형어로 쓰이니까 뒤에 오는 체언을 수식하는 기능을 하고, 대명사는 체언이니까 주로 주어, 목적어, 보어 등의 자리에 쓰인다는 점을 고려하면 지시 관형사 '이/그/저'와 지시 대명사 '이/그/저'를 구별할 수 있지. 그런데 더 쉽게 구분하는 방법이 있긴 해! 관형사는 조사가 결합될 수 없고, 대명사는 조사가 결합될 수 있다는 거야. 그리고 대명사의 경우에는 '이'를 '이것'으로 바꾸어도 자연스럽게 말이 된다는 거지. 그럼 위의 예문에 적용해 볼까?

이 사람에게 상을 주어라. – 조사가 결합할 수 없고 체언을 수식하는 기능을 함 ⇒ 지시 관형사

이보다 더 좋을 수는 없다. – 조사가 결합하고 '이것'으로 교체 가능함 ⇒ 지시 대명사

(2) 부사: 용언이나 다른 말 앞에 놓여 그 말의 뜻을 분명히 제한해 주는 말

- 부사는 형태가 변하지 않는 불변어로, 일반적으로 격 조사는 붙지 못하지만 보조사는 붙을 수 있고 다른 부사의 수식을 받을 수 있다.

평가원 밑줄 2019학년도 ⓖ 부사는 격 조사와 결합할 수 없고 다른 부사어나 서술어 등을 수식하는 말이다.

① 성분 부사: 문장의 어느 한 성분을 수식하는 부사
- 성상 부사: 상태나 정도를 나타내면서 다른 말을 수식하는 부사
  예 빨리, 많이, 매우, 너무, 아주, 잘
  – 의성, 의태 부사: 사람, 사물의 모양이나 동작, 소리 등을 흉내 내어 표현하는 부사 예 쾅쾅, 땡땡, 철썩철썩
- 지시 부사: 특정 대상을 가리키는 부사
  예 이리, 그리, 내일, 오늘
- 부정 부사: 부정의 뜻을 가지는 부사
  예 못, 안(아니)

② 문장 부사: 문장 전체를 수식하는 부사
- 양태 부사: 화자의 태도를 표시하는 부사
  예 과연, 설마, 정말, 아마, 모름지기
- 접속 부사: 단어와 단어, 문장과 문장을 이어 주면서 뒤의 말을 수식하는 부사
  예 그러나, 그러니까, 하지만, 더욱이, 게다가, 곧, 즉, 또

부사에 대해 잘 모르겠어요. 부사의 특징에 대해 알려 주세요.

부사의 특징

부사는 다른 품사에 비해 조금 까다롭지? 여러 말을 꾸며 주기도 하고, 나타나는 위치도 비교적 자유로우니 말이야. 그럼 부사의 특징을 정리해 보자.

① 부사는 주로 용언을 꾸미지만 문장 안에서 다른 부사, 제한적으로 명사, 관형사, 문장 전체를 꾸미기도 함
예 오늘 아침에는 나팔꽃이 활짝 피었다. – 용언 수식
사과가 매우 잘 익었다. – 부사 수식
교문 바로 옆에 큰 은행나무가 서 있다. – 명사 수식
그는 아주 새 차를 몰고 다닌다. – 관형사 수식
과연 그가 오늘 도착할 것인가? – 문장 전체 수식

② 부사는 관형사와 마찬가지로 격 조사를 취하지 않지만 관형사와 달리 보조사를 취할 수 있음
예 일을 빨리만 해서는 안 된다.
시간이 많이도 남았다.

③ 명사 혹은 대명사가 동일한 형태로 부사로 쓰이는 경우가 있음 (어제, 오늘, 내일, 모레 등)
예 그가 어제 그 곳에 도착했다.

3. 독립언: 감탄사: 말하는 사람이 자신의 느낌이나 의지를 나타내는 말

① 감정 감탄사: 상대방을 의식하지 않고 감정을 표출하는 감탄사

예 오, 와, 아 – 기쁨
에끼, 이런 – 성냄
아이고, 어이구 – 좌절
이크, 아차, 에구머니 – 놀라움

② 의지 감탄사: 상대방을 의식하며 자기의 의지를 나타내는 감탄사

예 아서라, 자, 여보세요, 이봐, 쉿, 영차 – 상대방에게 요구를 하는 것
네, 아니요, 오냐, 응, 그래, 그래요, 옳소, 천만에, 천만에요 – 상대방의 말에 대한 자신의 태도를 표현하는 것

③ 입버릇 및 더듬거림

예 아, 에, 저, 음

4. 관계언: 조사

평가원 밑줄 2019학년도 ⑨ 조사는 활용하지 않으며 앞말에 붙어 앞말과 다른 말의 문법적 관계를 나타내거나 특수한 의미를 덧붙이는 말이다.
2015학년도 ⑥ 국어의 조사 중에는 결합하는 앞말과 다른 말과의 문법적인 관계를 표시하는 격 조사와 특별한 뜻을 더해 주는 보조사가 있다.

(1) 격 조사: 앞에 오는 체언이 문장 안에서 일정한 자격을 하도록 해 주는 조사

① 주격 조사: 이/가, 께서(높임), 에서(단체)
② 서술격 조사: 이다 – 조사 중에서 유일하게 활용
③ 목적격 조사: 을/를
④ 보격 조사: 이/가 – 서술어 '되다, 아니다'의 앞에 쓰여 의미를 보충
⑤ 관형격 조사: 의
⑥ 부사격 조사: 에, 에서, 에게, (으)로, 하고, 와 등
⑦ 호격 조사: 아/야, (이)여, (이)시여

주의해야 할 조사들에 대해 예를 들어 설명해 주세요!

이/가
에서

우선 형태가 동일한 조사들이 있지? 바로 주격 조사 '이/가'와 보격 조사 '이/가'야. 하지만 이들은 쓰이는 위치가 다르기 때문에 쉽게 구분할 수 있어. 보격 조사 '이/가'는 반드시 서술어 '되다/아니다' 앞에 쓰여야 해! 그런데 '되다/아니다' 앞에 쓰였다고 할지라도 '이/가'가 아닌 '으로'가 쓰였다면 이는 보격 조사가 아니라 부사격 조사야. 그리고 단체의 주격 조사 '에서'도 부사격 조사 '에서'와 형태가 동일해. 이런 경우에는 앞말을 잘 살펴보자! 주격 조사로 쓰인 경우에는 '에서'가 붙은 앞말이 문장에서 주어로 쓰이고, 부사격 조사로 쓰인 경우에는 '에서'가 붙은 앞말이 장소나 출발점 등을 나타내는 부사어로 쓰일 거야.

물이 얼음이 되다.
(이: 주격 조사, 이: 보격 조사)

물이 얼음으로 되다.
(이: 주격 조사, 으로: 부사격 조사)

학교에서 소풍을 갔다.
(에서: 주격 조사: 단체)

학교에서 축구를 했다.
(에서: 부사격 조사: 장소)

⊕ 부사격 조사의 종류 알아두기

① 처소 부사격 조사

- 장소(소재지): 에 예 언덕 위에 집을 짓다.
  에서 예 우리는 도서관에서 만나자.
- 시간(때): 에 예 나는 아침에 운동을 한다.
- 상대(행위의 귀착점): 에(게) 예 화분에 물을 주다.
  한테 예 언니한테 보낼 물건
  께 예 선생님께 인사를 드리자.
  더러 예 너더러 누구냐고 묻더라.
  보고 예 누가 너보고 하래?
- 출발점: 에서 예 다빈치에서 마티스에 이르기까지
  에게서 예 아버지에게서 온 편지이다.
  (으)로부터 예 마차로부터 고속 전철까지
- 지향점(방향): (으)로 예 광화문으로 발길을 돌렸다.
  에게로 예 관심이 나에게로 쏟아졌다.
  한테로 예 그 사람한테로 몰려들었다.
  에 예 동생은 방금 집에 갔다.

② 도구 부사격 조사: (으)로(써) 예 꿀로써 단맛을 낸다.

③ 자격 부사격 조사: (으)로(서) 예 그는 친구로서는 좋으나, 남편감으로서는 부족한 점이 많다.

④ 원인 부사격 조사: 에 예 바람에 꽃이 지다.
(으)로 예 폭우로 농작물이 떠내려갔다.

⑤ 비교 부사격 조사: 과/와 예 빠르기가 번개와 같다.
처럼 예 힘든 것처럼 고개를 숙이었다.
만큼 예 명주는 무명만큼 질기지 못하다.
보다 예 나보다는 한두 살 많아 보였다.
같이 예 얼음장같이 차가운 바닥

⑥ 함께 함(동반, 공동) 부사격 조사: 와/과 예 나는 너와 다리에서 만났다.
예 창민은 지영과 결혼했다.

⑦ 바뀜(변성) 부사격 조사: (으)로 예 진눈깨비가 비로 변하였다.

⑧ 인용 부사격 조사: 라고(직접) 예 그중 하나가 나서서 "내가 바로 홍길동이다."라고 소리쳤다.
고(간접) 예 동생이 자기도 같이 가겠다고 말한다.

에 ① 앞말이 처소의 부사어임을 나타내는 격 조사
예 동생은 지금 집에 없다.
② 앞말이 진행 방향의 부사어임을 나타내는 격 조사
예 형은 방금 집에 왔다.

에서 ① 앞말이 행동이 이루어지고 있는 처소의 부사어임을 나타내는 격 조사
예 우리는 도서관에서 만나기로 하였다.
② 앞말이 출발점의 뜻을 갖는 부사어임을 나타내는 격 조사
예 서울에서 몇 시에 출발할 예정이냐?

(2) 접속 조사: 두 단어 이상을 같은 자격으로 이어 주는 조사

① 문장체: 와/과 예 나는 국어와 수학을 좋아한다.
② 구어체: 하고, (이)며, (이)랑, (이)나 등
예 나는 사과하고 딸기하고 배를 좋아한다.
나는 사과며 딸기며 배며 여러 가지 과일을 좋아한다.
나는 사과랑 딸기랑 배를 사러 갔다.
나는 사과나 딸기나 배를 사기로 했다.

'와/과'는 접속 조사로도 쓰이고 부사격 조사로도 쓰이는데 어떻게 구별하나요?

나는 국어와 수학을 공부했다.
민수는 수지와 극장에서 만났다.

접속 조사 '와/과'는 부사격 조사 '와/과'와 형태가 같아서 많이 헷갈리지? 이럴 땐 접속 조사는 말 그대로 이어 주는 기능을 한다는 점을 떠올려 봐! '나는 국어와 수학을 공부했다.'는 '나는 국어를 공부했다.'와 '나는 수학을 공부했다.'라는 두 문장을 이어서 한 문장으로 쓴 것이니 '와'는 접속 조사인 거지. 그런데 '민수는 수지와 극장에서 만났다.'에서 '만나다'는 만남의 대상이 필수적으로 요구되지? 그러니까 이때 '와'는 '함께 함'을 의미하는 동반의 부사격 조사로 쓰인 것이고 이때 '수지와'를 필수적 부사어라고 해.

나는 국어와 수학을 공부했다.
접속 조사
민수는 수지와 극장에서 만났다.
부사격 조사

⊕ 문법적 견해에 따라 동사 '만나다, 마주치다, 싸우다, 대면하다, 닮다' 등과 형용사 '비슷하다, 같다, 다르다' 등의 대칭 서술어가 쓰인 경우 '와/과'는 나타나는 위치에 상관없이 모두 부사격 조사로 보기도 함
예 아빠와 나는 닮았다. – '아빠와'를 생략하면 완전한 문장을 이룰 수 없다.

(3) 보조사: 화자의 태도를 표시하거나 특별한 뜻을 더해 주는 조사

① 성분 보조사: 은/는, 만, 도, 까지, (이)나, (이)나마, 대로, 마저, (이)야, (이)야말로, 조차 등
- '은/는' 예 기린은 목이 길다. (화제) / 나는 국어는 잘하지만, 수학은 못한다. (대조)
- '만' 예 너만 와라. (한정)
- '도' 예 너도 숙제를 안 해왔니? (포함)

② 종결 보조사: 마는, 그려, 그래 예 사고 싶다마는. / 봄이 돌아왔네그려. / 좋아 보이는구먼그래.
③ 통용 보조사: 요 예 제가요, 어제요, 학교에요, 가지 않았는데요.
⊕ 어떤 사물이나 사실 따위를 열거할 때 쓰이는 연결 어미 '-요'와 구별하기
예 이것은 말이요, 그것은 소요, 저것은 돼지이다.

격 조사와는 다른 보조사의 특징은 무엇인가요?

보조사의 특징

격 조사는 앞에 오는 체언이 문장 안에서 일정한 기능을 하도록 해 주는 조사이고, 보조사는 어떤 특별한 의미를 더해 주는 조사야. 일반적으로 우리말에서 격 조사는 문장에 쓰일 때 자주 생략되지. 격 조사는 생략이 되어도 원래의 의미가 잘 통하거든. 예를 들어 '나는 밥을 먹었다.' 라는 문장에서 목적격 조사를 생략하여 '나는 밥 먹었다.' 라고 써도 의미의 변화가 크게 없지? 그런데 보조사는 특별한 의미를 더하기 때문에 보조사를 썼을 때와 생략했을 때 그 의미가 달라져. 엄마도, 아빠도, 동생도 밥을 먹지 않았는데, 나 혼자 밥을 먹었다는 의미를 전달하기 위해서 보조사 '만' 을 사용해서 '나만 밥을 먹었다.' 처럼 쓸 수 있는데, 이는 보조사 '만' 을 생략한 '나 밥을 먹었다.' 와는 그 의미가 달라. 또 다른 보조사의 특징은 격 조사에 비해 다양한 위치에 쓰일 수 있다는 거야. 그럼 보조사의 특징을 정리해 보자!

① 생략하면 보조사가 지닌 특별한 뜻이 사라짐

예 나는 밥만 먹었다. ≠ 나는 밥 먹었다. – 보조사 '만'을 생략하면 '한정'의 의미를 나타낼 수 없다.

〈비교〉 예 나는 밥을 먹었다. ≒ 나는 밥 먹었다. – 격 조사 '을'을 생략해도 의미가 크게 변하지 않는다.

② 주격 · 목적격 · 부사격 자리에 두루 쓰임

예 고래도 포유류이다. – 주격 자리

철수가 음악도 좋아한다. – 목적격 자리

이 시집을 철수도 한 권 주어라. – 부사격 자리

③ 보조사는 체언뿐만 아니라 부사, 어미, 다른 격 조사 아래에서도 쓰임

예 철수가 일을 빨리는 하지만 잘은 못한다. – 부사 뒤

내가 준 책을 읽어는 보았니? – 연결 어미 뒤

이 곳에서는 수영을 하면 안 됩니다. – 조사 뒤

'은/는'이 주어 자리에 쓰이면 주격 조사 아닌가요?

철수가 밥을 먹었다. vs. 철수는 밥을 먹었다.

주격 조사는 '이/가', '께서', '에서' 만 해당하고, '은/는' 은 보조사야! 보조사는 특별한 의미를 더하고, 비교적 자유롭게 쓰이면서 주어, 목적어, 부사어 등의 자리에서 격 조사를 대신하기도 하지. 그런데 '은/는' 이 주로 주어 자리에서 많이 쓰인다고 해서 '은/는' 을 주격 조사라고 착각하면 안돼! '철수는 밥을 먹었다.' 에서 '철수는' 의 문장 성분은 '주어' 잖아. 그런데 '은/는' 은 보조사니까 정해진 자리에만 쓰이는 격 조사와는 달리 다양한 문장 성분의 자리에 쓰일 수 있겠지? 예를 들어 '*철수가 밥이 먹었다.' 처럼 주격 조사 '이/가' 는 목적어 자리에 쓰일 수 없지만, 보조사 '은/는' 은 '철수는 밥은 먹었다.' 와 같이 주어 자리에도 올 수 있고, 목적어 자리에도 올 수 있어. 기억하자! '은/는' 은 보조사야!

철수가 밥을 먹었다. vs. 철수는 밥을 먹었다.
주격 조사 보조사

'격 조사' 한눈에 보기

	중세 국어	현대 국어
주격 조사	이, ㅣ, ø ⊕ 주격 조사 '가'는 근대 국어 시기에 나타남 ᄭᅴ셔, 겨오셔 ᄋᆡ이셔, 애이셔	이/가 께서(높임) 에서(단체)
서술격 조사	이라/ㅣ라/ø라	이다
목적격 조사	ᄋᆞᆯ/을, ᄅᆞᆯ/를, ㄹ	을/를
보격 조사	이(되다/아니다 앞)	이/가(되다/아니다 앞)
관형격 조사	ㅅ ᄋᆡ/의	의
부사격 조사	애/에, ᄋᆡ/의, 예(장소) ᄭᅴ, ᄋᆡ손ᄃᆡ/의손ᄃᆡ, ᄋᆡ그에/의그에(상대) 로셔, 로브터(출발) ᄋᆞ로/으로(지향점) ᄋᆞ로ᄡᅥ/으로ᄡᅥ(도구) 와/과(공동/비교) …	에, 에서(장소) 께, 에게, 한테, 한테서(상대) (으)로부터(출발) 으로(지향점) 으로, 으로써(도구) 와/과, 하고(공동) …
호격 조사	아/야, 여, 이여, 하	아/야, 여, 이여, 이시여

5. 용언: 동사 / 형용사

(1) 동사 평가원 밑줄 2019학년도 ⑨ 동사는 활용하고 사물의 동작이나 작용을 나타내는 말이다.

┌ 자동사: 동사가 나타내는 동작이나 작용이 주어에만 미치는 동사 예 꽃이 피다.
└ 타동사: 동작의 대상인 목적어를 필요로 하는 동사 예 나는 밥을 먹다.

┌ 주동사: 문장의 주체가 스스로 행하는 동작을 나타내는 동사 예 아기가 옷을 입다.
└ 사동사: 주어가 남에게 행동이나 동작을 하게 함을 나타내는 동사 예 엄마가 아기에게 옷을 입히다.

┌ 능동사: 주어가 동작을 스스로의 힘으로 함을 나타내는 동사 예 고양이가 쥐를 물다.
└ 피동사: 주어가 다른 주체에 의해서 동작을 당하게 됨을 나타내는 동사 예 쥐가 고양이에게 물리다.

(2) 형용사

┌ 성상 형용사: 성질이나 상태를 나타내는 형용사 예 붉다, 아프다, 작다, 춥다
└ 지시 형용사: 지시성을 나타내는 형용사 예 이러하다, 그러하다, 저러하다

(3) 동사와 형용사의 분류 기준

결합 가능한가?		동사		형용사	
① 현재 시제 선어말 어미 '-는-/-ㄴ-'	→	가능	창밖을 본다. 책을 읽는다.	불가능	*사랑스럽는다
② 관형사형 전성 어미 '-는'	→	가능	자는 솟는	불가능	*떫는 *귀엽는
③ 의도나 목적을 뜻하는 연결 어미 '-(으)려/-(으)러'	→	가능	먹으려, 때리려, 사러, 보러	불가능	*아름다우려 *예쁘러
④ 명령형 어미 '-(아/어)라', 청유형 어미 '-자'	→	가능	일어나라 놀자	불가능	*예뻐라 *거칠자

'있다'와 '없다'는 동사인가요, 형용사인가요?

'있다'
┌ 오늘은 그냥 집에 있다 / 있는다 / 있어라 / 있자.
│ – 동사에 가까운 활용
└ 날지 못하는 새도 있다 / *있는다 / *있어라 / *있자.
 – 형용사에 가까운 활용

'없다'
┌ 운동장에는 아무도 *없는다 / *없는구나 / *없어라 / *없자.
│ – 형용사에 가까운 활용
└ 시가 없는 세상은 너무나 삭막할 것이다.
 – 동사에 가까운 활용

결론부터 말하면 '있다'는 표준국어대사전에서 동사와 형용사로, '없다'는 형용사로만 등재되어 있어. '있다'가 동사로 쓰일 때에는 '머물다'라는 의미를 지니고, 형용사로 쓰일 때에는 '존재하는 상태'와 관련된 의미를 지녀. 예를 들어 '오늘은 그냥 집에 있다.'에서 '있다'는 '머물다'라는 의미를 지니고, 현재 시제 선어말 어미 '-는-', 명령형 어미 '-어라', 청유형 어미 '-자' 등과 결합하니까 동사에 가까운 활용을 보여. 그러나 '날지 못하는 새도 있다.'에서 '있다'는 '존재하는 상태'와 관련된 의미를 지니고, 현재 시제 선어말 어미, 명령형 어미, 청유형 어미 등과 결합할 수 없으니까 형용사에 가까운 활용을 보인다고 할 수 있어. 그래서 '있다'는 동사와 형용사 두 가지로 구분이 돼. 하지만 '없다'는 관형사형 전성 어미 '-는'이 결합하므로 동사와 같은 활용을 보이기도 하지만, 주로 형용사에 가까운 활용을 하기 때문에 일반적으로 형용사로 보고 있어.

(4) 본용언과 보조 용언

① 본용언: 보조 용언 앞에 쓰이고 실질적인 뜻이 담긴 용언 예 TV를 보고 싶다.
② 보조 용언: 혼자서 쓰이지 못하고 반드시 다른 용언의 뒤에 붙어서 의미를 더해 주는 용언
┌보조 동사: 동사처럼 활용하는 보조 용언 예 사과 세 개를 다 먹어 버렸다. – 완료의 의미를 나타내는 보조 동사
└보조 형용사: 형용사처럼 활용하는 보조 용언 예 첫사랑을 보고 싶다. – 희망의 의미를 나타내는 보조 형용사

⊕ 보조 용언의 특성 알아두기

보조 용언의 특성		예		
① 자립성이 없음	→	나는 아침을 잘 먹어 두었다. 본용언 보조 용언	본용언	나는 아침을 잘 먹었다.
			보조 용언	*나는 아침을 잘 두었다.
② 본용언과 보조 용언 사이에 '–서'나 다른 문장 성분이 삽입될 수 없음	→	나는 밥상을 잘 들고 갔다. 본용언 본용언	본용언	나는 밥상을 잘 들고서 갔다.
		나는 밥을 다 먹어 버렸다. 본용언 보조 용언	보조 용언	*나는 밥을 다 먹어서 버렸다.

(5) 어미

평가원 밑줄 2017학년도 ⑨ 용언은 어간에 어미가 붙어 다양한 의미를 나타내며 활용하고, 어미는 선어말 어미와 어말 어미로 나뉜다.

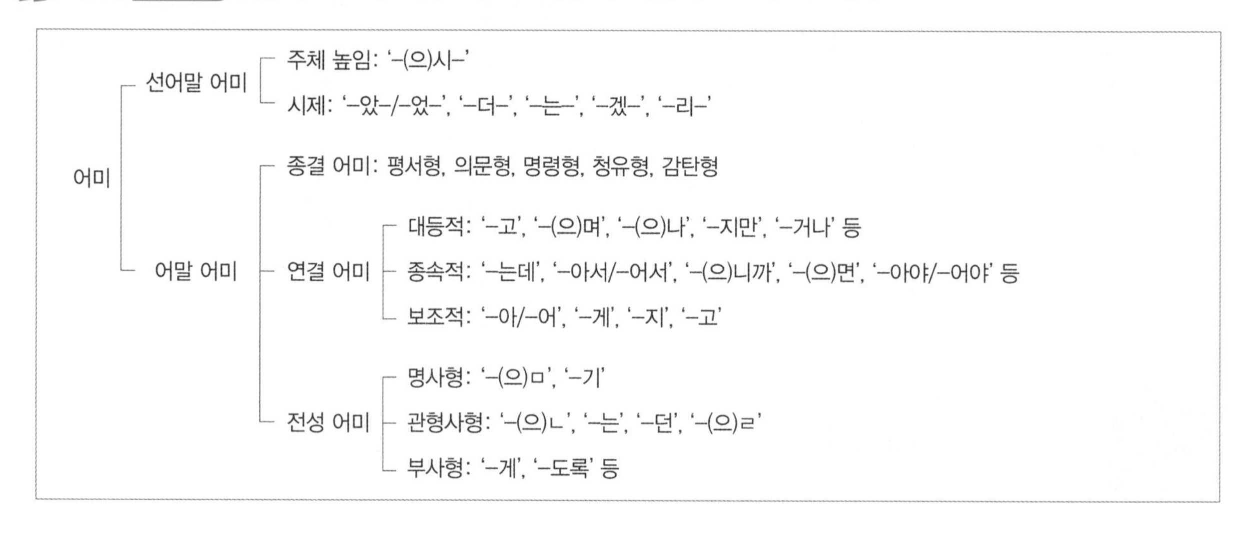

▶ **어말 어미의 유형**

어말 어미의 유형		예
종결 어미 : 문장을 끝맺어 주는 기능을 하는 어미	평서형 어미: -다	책을 읽다.
	감탄형 어미: -구나	책을 읽는구나.
	의문형 어미: -느냐	책을 읽느냐?
	명령형 어미: -어라	책을 읽어라.
	청유형 어미: -자	책을 읽자.
연결 어미 : 선행절과 후행절을 연결하여 하나의 문장이 되게 하거나 본용언에 보조 용언을 연결하는 어미	대등적 연결 어미: '-고', '-(으)며', '-(으)나', '-지만', '-거나' 등 - 두 문장을 대등적으로 이어 주는 어미	인생은 짧고 예술은 길다.
	종속적 연결 어미: '-는데', '-아서/-어서', '-(으)니까', '-(으)면', '-아야/-어야' 등 - 앞의 문장을 종속시키는 연결 어미	봄이 오니 꽃이 핀다.
	보조적 연결 어미: -아/-어, -게, -지, -고 - 본용언에 보조 용언을 이어 주는 어미	나는 조용히 앉아 있다.
전성 어미 : 용언의 어간에 붙어 다른 품사의 기능을 수행하게 하는 어미	명사형 어미: -(으)ㅁ, -기	그가 좋은 사람임을 알았다. 밥을 먹기가 싫다.
	관형사형 어미: -(으)ㄴ, -는, -던, -(으)ㄹ	벌레 먹은 사과가 맛있다. 내가 다니던 학교이다.
	부사형 어미: '-게', '-도록' 등	학교 뒤뜰에 꽃들이 아름답게 피었다. 사과나무가 잘 자라도록 거름을 주었다.

(6) 규칙 활용과 불규칙 활용

• **규칙 활용**: 활용할 때 어간과 어미의 모습이 일정하거나, 변하더라도 국어의 음운 규칙으로 설명이 가능한 것

규칙 활용	
변화 없음	변화 있음
가다 가고 가지 가게 가라 가서 갈 간 …	① 'ㄹ' 탈락: 울- + -는 → 우는 살- + -시- + -다 → 사시다 날- + -니? → 나니? ② 'ㅡ' 탈락: 쓰- + -어 → 써 끄- + -어 → 꺼

• **불규칙 활용:** 활용할 때 어간이나 어미의 기본 형태가 유지되지 않고, 그 현상을 국어의 음운 규칙으로 설명할 수 없는 것

① 어간이 변하는 불규칙 활용

구분	내용	불규칙 활용의 예	〈비교〉 규칙 활용의 예
'ㅅ' 불규칙	모음 어미 앞에서 'ㅅ'이 탈락	짓- + -어 → 지어	벗- + -어 → 벗어
'ㅂ' 불규칙	모음 어미 앞에서 'ㅂ'이 'ㅗ/ㅜ'로 바뀜	돕- + -아 → 도와	잡- + -아 → 잡아
'ㄷ' 불규칙	모음 어미 앞에서 'ㄷ'이 'ㄹ'로 바뀜	듣- + -어 → 들어	닫- + -아 → 닫아
'르' 불규칙	모음 어미 앞에서 어간 '르'가 'ㄹㄹ'로 바뀜	흐르- + -어 → 흘러	따르- + -아 → 따라
'우' 불규칙	모음 어미 앞에서 '우'가 탈락	푸- + -어 → 퍼	주- + -어 → 주어(줘)

② 어미가 변하는 불규칙 활용

구분	내용	불규칙 활용의 예	〈비교〉 규칙 활용의 예
'여' 불규칙	용언의 어간 '하-' 뒤에서 어미 '-아/-어'가 '-여'로 바뀜	합격하- + -어 → 합격하여	파- + -아 → 파
'러' 불규칙	'르'로 끝나는 어간 뒤에서 '-어'가 '-러'로 바뀜	푸르- + -어 → 푸르러	치르- + -어 → 치러

③ 어간과 어미가 모두 변하는 불규칙 활용

구분	내용	불규칙 활용의 예	〈비교〉 규칙 활용의 예
'ㅎ' 불규칙	'ㅎ'으로 끝나는 어간에 '-아/-어'가 오면 'ㅎ'이 없어지고 어미도 변함	하얗- + -아서 → 하얘서	낳- + -아 → 낳아

'르' 불규칙 활용과 '러' 불규칙 활용은 어떻게 구분하나요?

치르- + -어 → 치러 vs. 흐르- + -어 → 흘러 vs. 푸르- + -어 → 푸르러

'치르다', '흐르다', '푸르다'의 어간은 모두 '르'로 끝나지만 왜 활용하는 모습이 모두 달라서 우리를 힘들게 할까? 그래도 우리는 모국어 화자라서 '치르다', '흐르다', '푸르다'의 활용형을 쉽게 떠올릴 수 있어. 각각 모음 어미 '-어'를 붙이면 '치러', '흘러', '푸르러'가 되지? 먼저 '치르- + -어 → 치러'는 'ㅡ'가 탈락했네? PART 1에서 'ㅡ' 탈락 현상 배운 것 기억하니? 'ㅡ'는 가장 약한 모음이라서 쉽게 탈락하는데, 몇몇 예외를 제외하고는 일반적으로 일어나는 현상이기 때문에 규칙 활용에 해당돼. 그런데 '흐르- + -어 → 흘러'는 어때? 어간 '흐르-'의 'ㅡ'가 탈락하고 'ㄹ'이 새로 생겼네. 그냥 간편하게 '르'가 'ㄹㄹ'로 바뀌었다고 생각해도 돼. 그래서 이를 '르' 불규칙 현상이라고 부르고, 어간이 변하는 불규칙 활용으로 분류하지. 마지막으로 '푸르- + -어 → 푸르러'를 살펴보자. 어간 '푸르-'는 그대로 남아 있고 어미 '-어'가 '-러'로 바뀌었네? 그래서 이를 '러' 불규칙 현상이라고 부르고, 어미가 변하는 불규칙 활용으로 분류하는 거야!

치르- + -어 → 치러 – 'ㅡ' 탈락 (규칙 활용)

흐르- + -어 → 흘러 – '르' 불규칙 (어간이 변하는 불규칙 활용)

푸르- + -어 → 푸르러 – '러' 불규칙 (어미가 변하는 불규칙 활용)

'불규칙 활용' 한눈에 보기

현대 국어	중세 국어	
'ㅅ' 불규칙	모음 어미와 결합할 때 'ㅿ'을 가지던 단어가 'ㅿ'의 소멸로 'ㅅ' 불규칙이 됨	예 님금 지ᅀᅳ샨 그리라 (임금이 지으신 글이다) – '짓–'이 모음 어미 앞에서 '지ᇫ–'으로 나타난다.
'ㅂ' 불규칙	모음 어미와 결합할 때 'ㅸ'을 가지던 단어가 'ㅸ'의 소멸로 'ㅂ' 불규칙이 됨	예 近은 갓가ᄫᆞᆯ 씨라 (근은 가까운 것이다) – '갓갑–'은 모음 어미 앞에서 '갓가ᇦ–'으로 나타난다.
'여' 불규칙	어미 '–아/–어' 대신 '–야'가 결합하던 단어가 차츰 '–야' 대신 '–여'가 결합하여 '여' 불규칙이 됨	예 닐굽 고ᄌᆞᆯ 因ᄒᆞ야(일곱 꽃을 인하여) – '因(인)ᄒᆞ–'에 '–야'가 결합하여 '因ᄒᆞ야'로 나타난다.
'르' 불규칙	'ᄅᆞ/르'로 끝나는 단어가 모음 어미와 결합할 때 'ㄹㅇ'으로 나타나다가 'ㄹㄹ'로 합류하여 '르' 불규칙이 됨	예 中國에 달아 (중국과 달라) – '다ᄅᆞ–'에 '–아'가 결합하여 '달아'로 나타난다.

Ⅱ. 단어의 형성

1. 파생어

┌ 접두사: 어근의 앞에 붙어 새로운 말을 만들어 내는 접사	예 맨- (접두사) + 발 (어근/명사) → 맨발 (명사)
└ 접미사: 어근의 뒤에 붙어 새로운 말을 만들어 내는 접사	예 놀- (어근/동사) + -이 (접미사) → 놀이 (명사)
┌ 한정적 접사: 어근의 뜻만을 한정하는 접사	예 덧- (접두사) + 신 (어근/명사) → 덧신 (명사)
└ 지배적 접사: 어근의 품사까지 바꾸는 접사	예 덮- (어근/동사) + -개 (접미사) → 덮개 (명사)

평가원 밑줄 2018학년도 ⊕ 어근과 파생 접사가 결합한 단어는 파생 접사가 어근의 앞에 결합한 것도 있고, 파생 접사가 어근의 뒤에 결합한 것도 있다.
예 맨손(접두사+어근), 쌓이다(어근+접미사)

(1) 접두사에 의한 파생법: 주로 뒤에 오는 어근의 의미에 특정한 뜻을 더하거나 강조함

예 개떡, 날고기, 맨손, 한겨울 (명사)
들볶다, 덧나다, 빗나가다 (동사)
드높다, 새빨갛다 (형용사)

⊕ 접두사가 결합하여 품사를 바꾸는 경우도 있음
예 메-: 마르다 (동사) → 메마르다 (형용사)
강-: 마르다 (동사) → 강마르다 (형용사)

(2) 접두사의 종류

1) 명사를 어근으로 하는 접두사

① 형태가 단순한 경우

예 맏-: 맏딸, 맏며느리, 맏사위, 맏아들
홀-: 홀몸, 홀시아버지, 홀시어머니, 홀어미
홑-: 홑바지, 홑옷, 홑이불, 홑몸
참-: 참깨, 참나물, 참조기
풋-: 풋고추, 풋과일, 풋사랑
군-: 군기침, 군말, 군불, 군살, 군소리, 군식구
맨-: 맨눈, 맨머리, 맨몸, 맨발, 맨손, 맨입
민-: 민달팽이, 민머리, 민소매, 민꽃게

② 이형태를 지니는 경우

예 암/암ㅎ-: 암노루, 암사자 / 암컷, 암키와
수/수ㅎ/숫-: 수꽃 / 수탉, 수캐 / 숫양, 숫쥐
찰/차/찹-: 찰가난, 찰떡, 찰밥 / 차조 / 찹쌀
메/멥-: 메조, 메수수, 메밥 / 멥쌀
해/햇/햅-: 해콩 / 햇곡식, 햇나물 / 햅쌀

2) 형용사나 동사를 어근으로 하는 접두사

① 형태가 단순한 경우

예 되-: 되감다, 되받다, 되돌다, 되묻다, 되사다
뒤-: 뒤섞다, 뒤엎다, 뒤틀다, 뒤흔들다
들-: 들까부르다, 들끓다, 들떠들다, 들볶다

② 이형태를 지니는 경우

예 새/시/샛/싯-: 새빨갛다 / 시뻘겋다 / 샛노랗다 / 싯누렇다
휘/휩-: 휘갈기다, 휘날리다, 휘두르다 / 휩싸이다, 휩쓸다

3) 둘 이상의 품사를 어근으로 하는 접두 파생법

예 덧-: 덧가지, 덧니, 덧버선 (명사) / 덧나다, 덧붙이다, 덧입다 (동사)
짓-: 짓고생, 짓망신 (명사) / 짓누르다, 짓뭉개다, 짓밟다 (동사)
치-: 치사랑 (명사) / 치닫다, 치받다, 치밀다, 치솟다 (동사)
헛-: 헛기침, 헛수고, 헛웃음 (명사) / 헛디디다, 헛보다 (동사)

(3) 접미사에 의한 파생법: 어근의 뒤에서 특정한 뜻을 더하거나, 어근의 품사를 바꾸기도 함

구분	예
명사 파생법	ㄱ. 명사 → 명사 예 말썽꾸러기, 털보, 잎사귀, 모가지 ㄴ. 동사 → 명사 예 물음, 잠, 놀이, 쓰기, 말하기, 덮개, 마개 ㄷ. 형용사 → 명사 예 기쁨, 길이, 크기
동사 파생법	ㄱ. 동사 → 동사 예 밀치다, 넘치다 ㄴ. 명사 → 동사 예 밥하다, 공부하다 ㄷ. 부사 → 동사 예 철렁거리다, 아등바등하다 ㄹ. 통사 구조 변화 예 먹이다, 잡히다, 울리다
형용사 파생법	ㄱ. 형용사 → 형용사 예 말갛다, 거멓다, 높다랗다 ㄴ. 명사 → 형용사 예 가난하다, 학생답다, 슬기롭다 ㄷ. 동사 → 형용사 예 미덥다, 놀랍다 ㄹ. 부사 → 형용사 예 울긋불긋하다, 반듯반듯하다
부사 파생법	ㄱ. 명사 → 부사 예 자연히, 정말로, 진실로 ㄴ. 형용사 → 부사 예 높이, 많이, 멀리, 빨리, 같이, 없이, 달리
조사 파생법	ㄱ. 명사 → 조사 예 밖에 ㄴ. 동사 → 조사 예 부터, 조차

평가원 밑줄 2012학년도 ⑨ 파생어 형성의 결과는 다음과 같이 분류된다.

1. 품사와 문장 구조에 변화가 없음 예 시어머니
2. 파생어가 되어 품사가 달라짐 예 웃음
3. 파생어의 사용으로 문장 구조가 달라짐 예 '경찰이 도둑을 잡다' → '도둑이 경찰에게 잡히다'
4. 위의 2와 3 모두에 해당함 예 '방 온도가 낮다' → '내가 방 온도를 낮추다'

명사 파생 접미사 '-(으)ㅁ', '-기'와 명사형 전성 어미 '-(으)ㅁ', '-기'는 어떻게 구분해야 하나요?

나는 그의 순수한 웃음이 좋다. vs. 그는 크게 웃음으로써 분위기를 바꾸었다.

전성 어미는 앞에 오는 용언의 성질을 바꾸어 마치 다른 품사처럼 기능하도록 하게 하는 어미로, 용언의 원래 품사는 바뀌지 않아. 반면 파생 접미사는 어근에 붙어 품사의 변화가 일어나는 경우가 있지!

	명사 파생 접미사	명사형 전성 어미
품사	명사	동사 / 형용사
특징	① 관형어의 수식을 받음 ② 서술성이 없음 ③ 하나의 단어로 사전에 등재됨	① 부사어의 수식을 받음 ② 서술성이 있음 ③ 선어말 어미 '-시-'가 결합할 수 있음 ④ 다른 어미('-다, -고, -며' 등)로 대체 가능

나는 그의 순수한 웃음이 좋다. – 관형어의 수식을 받고, 서술성 없다. → 명사 파생 접미사 '-음' / 품사: 명사
그는 크게 웃음으로써 분위기를 바꾸었다. – 부사어의 수식을 받고, 서술성 있다. → 명사형 전성 어미 '-음' / 품사: 동사

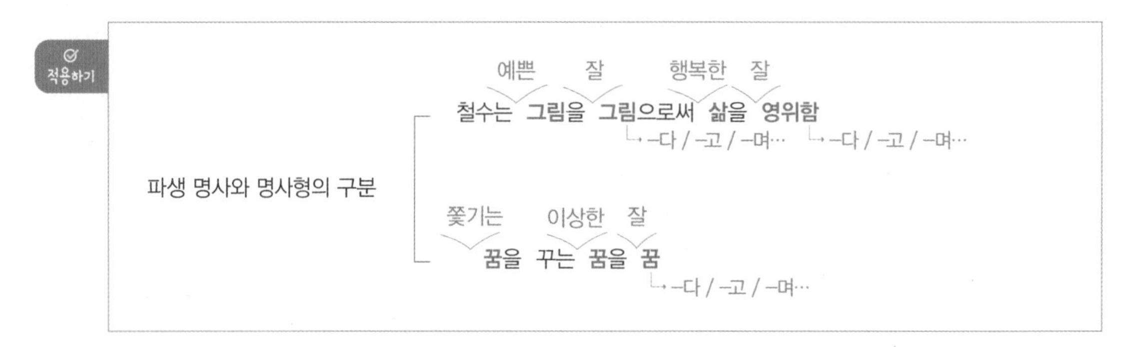

문법 타임슬립 명사 파생 접미사와 명사형 어미 '-(으)ㅁ' 한눈에 보기

1. 중세 국어

명사 파생 접미사: '-(ᄋᆞ/으)ㅁ'
→ 모음 조화에 따라 어근 끝 음절 모음이 양성 모음이면 '-옴', 음성 모음이면 '-음'

명사형 어미: '-옴/움'
→ 모음 조화에 따라 용언의 어간 끝 음절 모음이 양성 모음이면 '-옴', 음성 모음이면 '-움'

2. 현대 국어

명사 파생 접미사: '-(으)ㅁ'
→ 모음 조화에 따르지 않고 '-(으)ㅁ'으로 통일

명사형 어미: '-(으)ㅁ'
→ 중세 국어의 명사형 어미 '-옴/움'이 '-(으)ㅁ'으로 바뀜

평가원 밑줄 2019학년도 ⑥ 현대 국어의 용언에 결합하는 명사 파생 접미사 '-(으)ㅁ'과 명사형 전성 어미 '-(으)ㅁ'의 형태가 같다. 예 명사 '걸음'과 동사의 명사형 '걸음'
2019학년도 ⑥ 현대 국어의 두 가지 '-(으)ㅁ'은 중세 국어의 명사 파생 접미사 '-(ᄋᆞ/으)ㅁ'과 명사형 전성 어미 '-옴/움'에 각각 대응한다. 이러한 구별은 'ᄒᆞᆫ 거름 나소 거룸(한 걸음 나아가도록 걸음)'에서 확인된다. '걷-'과 달리, 마지막 음절의 모음이 양성 모음인 어근이나 용언 어간에는 모음조화에 따라 '-(ᄋᆞ)ㅁ'과 '-옴'이 각각 결합한다.

접미사와 어미가 너무 헷갈려요. 비교해서 설명해 주세요.

접미사와 어미의 비교

접미사와 어미를 비교해서 설명해 볼게.

① 접미사는 새로운 단어를 만들어 내지만 어미는 그렇지 못함

– 파생 접미사 '–이'는 동사와 결합하여 '놀이, 더듬이, 길이, 먹이'와 같은 명사를 만들어 내고 이렇게 만들어진 단어들은 '놀다, 더듬다, 길다, 먹다'와는 별개의 단어로 사전에 표제어로 등재된다.

② 접미사는 어근과 결합하고 어미는 어간과 결합하는데, 접미사가 어근과 결합할 때는 제약이 심하지만 어미가 어간과 결합할 때는 별다른 제약이 없음

예 길이, 많이, 좋이 / *검이, *작이, *좁이, *맑이 – 접미사 '–이'와 어근의 결합 양상
길게, 많게, 좋게, 검게, 작게, 좁게, 맑게 – 어미 '–게'와 어간의 결합 양상

③ 접미사는 어근의 품사를 바꾸기도 하지만, 어미는 어간의 품사를 바꾸는 경우가 없음

– 접미사는 어근의 품사를 바꾸지 않는 한정적 접사와 어근의 품사를 바꾸는 지배적 접사가 있다.

④ 접미사는 의미가 일정하지 않고 불규칙적이지만 어미는 대체로 의미가 일정하고 규칙적임

예 봄맞이, 털갈이, 쥐불놀이 – 접미사 '–이': '~하는 일'을 의미
재떨이, 옷걸이, 목걸이 – 접미사 '–이': '~하는 도구'를 의미
구두닦이, 신문팔이, 때밀이 – 접미사 '–이': '~하는 사람'을 의미

예 –시– – 높임의 선어말 어미
–는– (현재), –었– (과거), –겠– (미래) – 시제를 나타내는 선어말 어미

평가원 밑줄 2013학년도 수

용언은 어간과 어미로 이루어진다. 일반적으로 용언이 활용할 때 변하지 않는 부분을 어간이라 하고 변하는 부분을 어미라 한다. 용언은 서술어뿐 아니라 주어, 목적어, 관형어, 부사어 등 여러 문장 성분으로 쓰이면서 다양한 문법적 기능을 한다. 이러한 문법적 기능은 주로 어미에 의하여 나타나게 되므로 국어 문법 연구에서 어미의 특성을 이해하는 것은 매우 중요하다. 어미의 특성을 이해하기 위해서는 어미를 그와 유사한 것들과 함께 살펴볼 필요가 있다. 먼저, 조사와 비교해 볼 때 어미와 조사는 모두 홀로 쓰일 수 없다는 공통점이 있다. 그런데 어미는 항상 어간과 결합하여 쓰이므로 그 선행 요소인 어간도 독립적으로 쓰일 수 없다. 이러한 점을 고려하여 학교 문법에서는 어미를 단어로 인정하지 않고 그에 따라 별도의 품사로 설정하지 않는다. 따라서 '어간+어미' 전체가 한 단어로 취급된다. 이에 반해 조사는 홀로 쓰이지는 못하지만 조사의 앞에 결합하는 요소(주로 체언)가 단독으로 쓰일 수 있고 문맥에 따라 조사의 생략도 가능하므로 선행 요소와 분리되기가 쉽다. 이 점을 고려하여 조사는 단어로 인정하여 별도의 품사로 설정한다. 홀로 쓰이지 못한다는 공통점은 어미와 접미사 사이에서도 발견된다. 더욱이 접미사 중에는 어간 뒤에 결합하는 것들이 있어 어미와 혼동을 불러일으키기도 한다. 그러나 어미와 접미사는 새로운 단어를 생성하는지 여부로 구별할 수 있다. '읽었고, 읽겠습니다, 읽었느냐, ……'와 같이 용언 어간 '읽–'에 어떤 어미들이 결합하더라도 그것은 '읽다'라는 한 단어의 활용형일 뿐 새로운 단어가 만들어지는 것은 아니다. 활용형들은 별도의 단어가 아니므로 일일이 사전에 등재하지 않으며, 활용형 중 어간에 평서형 종결 어미 '–다'를 결합한 것을 기본형이라 하여 이것만을 사전에 표제어로 등재한다. 이에 반해 접미사는 어미와 달리 새로운 단어를 파생시키며 이 단어는 사전에 등재한다. 파생된 단어의 품사가 파생 이전과 달라지는 경우도 있다. 가령 동사 어간 '먹–'에 사동 접미사 '–이–'가 결합하면 '먹이다'라는 새로운 동사가 만들어지는데, 이때는 파생 전과 후가 모두 동사여서 품사가 바뀌지 않는다. 하지만 명사 파생 접미사 '–이'가 결합하면 '먹이'라는 명사가 되어 품사가 바뀐다. 또한 어미는 대부분의 용언 어간과 결합할 수 있는데 비해 접미사는 결합할 수 있는 대상이 제한된다는 점에서도 차이를 보인다.

(4) 접미사의 종류

1) 명사 형성 파생 접미사

① 주로 사람이나 동물을 나타내는 접미 파생법

예 –꾸러기: 말썽꾸러기, 욕심꾸러기, 잠꾸러기

–보: 겁보, 꾀보, 잠보, 털보, 먹보, 울보, 약보, 뚱뚱보

–아치: 동냥아치, 벼슬아치

–장이: 칠장이, 미장이, 석수장이

–쟁이: 수다쟁이, 멋쟁이, 겁쟁이, 거짓말쟁이

② 주로 사물(특히 도구)을 나타내는 접미 파생법

예 –개/게: 지우개, 찌개, 지게, 집게

–애/에: 마개, 써레, 코뚜레

③ 주로 행위를 나타내는 접미 파생법

예 –질: 가위질, 톱질, 부채질, 싸움질, 곁눈질, 딸꾹질, 도리질, 버둥질

–이: 놀이, 해돋이, 신문팔이

–음: 웃음, 울음, 춤, 얼음, 기쁨, 부끄러움

–기: 달리기, 던지기, 누르기, 양치기

2) 형용사 형성 파생 접미사

예 –롭(다): 보배롭다, 슬기롭다, 수고롭다, 괴롭다, 까다롭다, 새롭다, 외롭다

–되(다): 참되다, 복되다, 세련되다

–답(다): 정답다, 참답다, 꽃답다, 어른답다, 학생답다, 신사답다

–스럽(다): 어른스럽다, 사랑스럽다, 고집스럽다, 걱정스럽다

–하(다): 고요하다, 건강하다, 가득하다, 미끈미끈하다, 반질반질하다

–지(다): 멋지다, 기름지다, 살지다

–맞(다): 궁상맞다, 능글맞다, 익살맞다

–쩍(다): 미심쩍다, 의심쩍다, 멋쩍다

–다랗(다): 가느다랗다, 기다랗다, 곱다랗다, 높다랗다, 좁다랗다

3) 동사 형성 파생 접미사

예 –하(다): 사랑하다, 공부하다, 두근두근하다, 중얼중얼하다, 구하다, 흥하다

–되(다): 건설되다, 지배되다, 이룩되다

–거리(다): 꿈지럭거리다, 머뭇거리다, 바삭거리다, 콜록거리다

–대(다): 꿈지럭대다, 머뭇대다, 바삭대다, 콜록대다

–이(다): 글썽이다, 깜박이다, 속삭이다, 훌쩍이다

–뜨리(다): 깨뜨리다, 떨어뜨리다, 자빠뜨리다

파동사 파생 접사 '–이–/–히–/–리–/–기–': 쌓이다, 먹히다, 팔리다, 안기다

사동사 파생 접사 '–이–/–히–/–리–/–기–/–우–/–구–/–추–': 높이다, 굽히다, 돌리다, 남기다, 비우다

4) 부사 형성 파생 접미사

예 –이: 길이, 높이, 같이, 깨끗이, 느긋이, 높직이, 나날이, 집집이, 일찍이, 더욱이

–히: 가만히, 고요히, 조용히, 순순히

–오/우: 도로, 너무, 자주

평가원 밑줄 2017학년도 수 국어에서 동사나 형용사에 붙어 새로운 단어를 형성하는 접미사는 다양한 문법적 특징을 지니고 있다.

1. 동사나 형용사에 붙어 새로운 어간을 형성 예 '녹다'의 어간 '녹–'에 접미사 '–이–'가 붙어 새로운 어간 '녹이–'가 형성
2. 동사나 형용사의 어근에 붙어 품사를 바꿈 예 동사 '먹–', 형용사 '넓–'에 접미사 '–이'가 붙어 형성된 명사 '먹이', '넓이'의 '먹–'과 '넓–'은 서술어 기능 X
3. 동사나 형용사에 붙어 사동의 의미를 더함 예 동사 '익다' – 사동사 '익히다', 동사 '먹다' – 사동사 '먹이다'
4. 타동사에 붙어 피동의 의미를 더함 예 동사 '안다' – 피동사 '안기다'

명사 파생 접미사와 부사 파생 접미사 '-이' 한눈에 보기

1. 중세 국어

- **명사 파생 접미사:** '-이', '-ᄋᆡ/의'
- **부사 파생 접미사:** '-이'

평가원 밑줄 [2022학년도 수] 중세 국어에서도 명사 파생 접사 '-이'와 부사 파생 접사 '-이'가 존재하였다. 예 기리(길- + -이)
용언 어간에 붙는 명사 파생 접사 '-ᄋᆡ/의'도 쓰였으나, 명사 파생 접사 '-이'와 달리 '-ᄋᆡ/의'는 부사는 파생하지 않았다.
예 너븨(넙- + -의)도(넓이도), 노ᄑᆡ(높- + -ᄋᆡ) 다ᄉᆞᆺ 자(높이가 다섯 자)

2. 현대 국어

- **명사 파생 접미사:** '-이'
- **부사 파생 접미사:** '-이'

평가원 밑줄 [2022학년도 수] 명사 파생 접사 '-이'는 여러 의미로 쓰인다. 예 놀이(...하는 행위), 구두닦이(...하는 사람), 연필깎이(...하는 데 쓰이는 도구)

2. 합성어

┌ 통사적 합성어: 우리말의 일반적인 단어 배열에 따른 합성어
└ 비통사적 합성어: 우리말의 일반적인 단어 배열 방식에서 벗어난 합성어

⊕ 의미 결합 방식에 의한 합성어 구분
┌ 대등 합성어: 두 어근이 대등한 자격으로 결합한 합성어 예 논밭, 마소, 오가다, 높푸르다
├ 종속 합성어: 한 어근이 다른 어근에 종속된 합성어 예 돌다리, 콩나물밥
└ 융합 합성어: 결합한 단어가 전혀 다른 제3의 의미로 탄생한 합성어 예 춘추(연세), 산수(경치)

평가원 밑줄 2017학년도 ⑥ 통사적 합성어는 어근들의 결합 방식이 일반적인 문장 구성 방식과 같은 합성어이다. 예 몰라보다, 타고나다, 지난달, 굳은살
비통사적 합성어는 어근들의 결합 방식이 일반적인 문장 구성 방식과 다른 합성어이다. 예 뛰놀다

(1) 통사적 합성어

구분	예
① 체언 + 체언	논밭, 밤낮, 눈물
② 관형사 + 체언	새해, 옛날, 첫사랑
③ 용언의 관형사형 + 체언	어린이, 작은집, 뜬소문
④ 용언의 연결형 + 용언	갈아입다, 알아듣다, 들어가다, 뛰어나다, 들고나다, 파고들다
⑤ 체언 + 용언 – 우리말에서 조사 생략은 일반적이다.	철들다, 빛나다, 본받다, 힘쓰다

(2) 비통사적 합성어

구분	예
① 용언의 어간 + 체언	덮밥, 접칼
② 용언의 어간 + 용언	검붉다, 높푸르다, 굳세다
③ 부사 + 체언	산들바람, 오목거울
④ 한자어 결합 방식 (서술어 + 부사어 / 서술어 + 목적어)	등산, 독서

⊕ 합성어와 구 구별하기

기준		합성어		구	
① 분리 가능성	→	불가능	사나운 개가 덤벼들었다. / *사나운 개가 덤벼서 들었다. – 사이에 다른 단어가 끼어들 수 없고, 붙여 써야 한다.	가능	나는 사과를 깎아 먹었다. / 나는 사과를 깎아서 먹었다. – 사이에 다른 단어가 끼어들 수 있고, 띄어 써야 한다.
② 의미	→	변화	모든 희망이 날아갔다. – '날아가다'는 '가지고 있거나 붙어 있던 것이 허망하게 없어지거나 떨어짐'을 뜻하는 하나의 단어로 인식된다.	유지	제비가 하늘을 날아(서) 간다. – '날다'와 '가다' 두 동작이 개별적으로 인식된다.

직접 구성 요소로 분석할 때 먼저 어떻게 나눠야 하나요?

디딤돌

[표준국어대사전]
디딤-돌 「명사」 「1」 디디고 다닐 수 있게 드문드문 놓은 평평한 돌. 「2」 마루 아래 같은 데에 놓아서 디디고 오르내릴 수 있게 한 돌. 「3」 어떤 문제를 해결하는 데에 바탕이 되는 것을 비유적으로 이르는 말. 〈참고〉 '디딤'은 사전에 등재 안 됨.
디디다(디디어, 디뎌, 디디니) 「동사」【…을】 「1」【…에 …을】 발을 올려놓고 서거나 발로 내리누르다. 「2」 누룩이나 메주 따위의 반죽을 보자기에 싸서 발로 밟아 덩어리를 짓다. 「3」 어려운 상황 따위를 이겨 내다.

'디딤돌'을 살펴보면 '디딤'이라는 말은 국어사전에 표제어로 등재되어 있지 않아. 그렇다면 국어사전에 등재되어 있는 '디딤돌'은 직접 구성 요소 분석을 어떻게 해야 할까? 다행히 사전에 '디디다'라는 말이 있네? '디디다'의 품사는 동사이니까 활용이 가능하겠지? 그래서 '디디어, 디뎌, 디디니'처럼 활용할 수 있어! 그럼 '디딤'은 뭐냐고? 앞에서 배운 내용을 떠올려 봐! 맞아! 명사형 전성 어미 '-(으)ㅁ'이 어간 '디디-'에 결합하여 명사형이 된 거야! 그런데 어미는 단어의 형성 측면에서 아무런 역할을 못한다고 했지? 그래서 '디딤'은 명사형일 뿐, 동사 '디디다'의 어근 '디디-'만 단어 형성에 참여한다고 생각하면 돼! 즉 동사 '디딤'과 명사 '돌'이 결합한 '디딤돌'은 합성어가 되는 거야!

→ '디딤'은 국어사전에 표제어로 등재 X → '-ㅁ'은 접미사가 아니라 명사형 전성 어미! 단어 형성 측면에서 어미는 신경쓰지 말 것.

디딤돌 : 【 [디디- + -ㅁ] + 돌 】

[어근(동사) + 명사형 어미)]

동사(어근) + 명사(어근) ⇒ 합성어

⊕ '디딤돌'은 '동사 어근(명사형) + 명사'의 구성으로 된 합성어이고, '건널목'은 '동사 어근(관형사형) + 명사'의 구성으로 된 합성어임

(3) 품사별 합성어

1) 합성 체언

① 두 어근이 모두 체언인 합성 명사

예 앞뒤, 논밭, 마소, 돌다리, 도시락밥, 길바닥, 눈물, 샘물, 춘추, 연세

② 관형어와 명사가 연결된 합성 명사

예 새해, 새마을, 큰형, 어린이, 작은집, 큰아버지, 날짐승, 열쇠

③ 합성 대명사

예 이것, 그것, 여러분, 누구누구

④ 합성 수사

예 서넛, 예닐곱

2) 합성 동사

① 두 어근이 모두 동사인 합성 동사

예 들고나다, 파고들다, 타고나다, 갈아입다, 들어가다, 알아듣다, 돌아가다

② 앞 어근은 형용사, 뒤 어근은 동사인 합성 동사

예 기뻐하다, 좋아하다

③ 명사와 동사가 연결된 합성 동사

예 본받다, 힘쓰다, 등지다

3) 합성 형용사

① 형용사끼리 합성된 합성 형용사

예 희디희다, 머나멀다, 짜디짜다, 높푸르다, 검붉다

② 동사끼리 합성된 합성 형용사

예 깎아지르다

③ 명사와 형용사가 합성된 합성 형용사

예 남부끄럽다, 손쉽다, 값싸다, 배부르다, 대중없다

④ 부사와 형용사가 결합된 합성 형용사

예 다시없다

⑤ 용언의 관형사형 + 명사 + 형용사의 구성인 합성 형용사

예 쓸데없다, 보잘것없다

4) 합성 관형사, 합성 부사, 합성 감탄사

① 합성 관형사

예 한두, 두세, 서너

② 합성 부사

예 한바탕, 어느덧, 어느새, 밤낮, 이른바, 오다가다, 곧잘, 잘못
군데군데, 하나하나, 두고두고, 더듬더듬, 느릿느릿, 고루고루, 오래오래, 어서어서

③ 합성 감탄사

예 아이참, 얼씨구절씨구, 웬걸

문장

형태소 ≤ 단어 < 구, 절 ≤ 문장 …
문장을 이루는 7가지 성분! 품사와 헷갈리지 말자~

문장 성분: 문장을 구성하면서 일정한 구실을 하는 요소

주어: 문장에서 동작이나 작용, 상태, 성질의 주체가 되는 문장 성분
목적어: 타동사가 쓰인 문장에서 그 동작의 대상이 되는 문장 성분
보어: 서술어 '되다, 아니다' 앞에서 보격 조사 '이/가'가 붙어 문장의 내용을 보충하는 문장 성분
서술어: 주어의 동작, 상태, 성질 따위를 풀이하는 기능을 하는 문장 성분
관형어: 체언으로 실현되는 주어, 목적어, 보어 등을 '어떤'의 방식으로 꾸미는 문장 성분
부사어: 주로 서술어를 '어떻게'의 방식으로 꾸며 주며, 다른 부사어나 관형어, 문장 등을 꾸미는 문장 성분
독립어: 문장 성분 가운데 어느 것과도 직접적인 관련을 맺지 않고 쓰이는 문장 성분

문장의 문법 단위

문장: 생각이나 감정을 말과 글로 표현할 때 완결된 내용을 나타내는 단위
– 주어와 서술어를 갖추고 있는 것이 원칙이나 때로 생략될 수도 있다.
– 비문 표시는 문장 앞에 '*' 표시로 나타낸다.

절: 주어와 서술어의 관계를 갖고 문장에 안겨 문장의 한 성분으로 쓰이는 단위

구: 둘 이상의 단어가 모여 절이나 문장의 일부분을 이루는 토막으로 어구라고도 함

어절: 문장을 구성하고 있는 각각의 마디로 띄어쓰기 단위와 일치

단어: 한 형태소 또는 형태소의 결합형 중 자립하여 쓰일 수 있는 단위

형태소: 일정한 뜻을 가진 가장 작은 말의 단위

문장의 문법 단위들을 예를 들어 설명해 주세요.

나는 책을 읽는 친구의 사진을 액자에 넣었다.

문장: [나는 책을 읽는 친구의 사진을 액자에 넣었다.]
절: 나는 [책을 읽는] 친구의 사진을 액자에 넣었다.
구: 나는 책을 읽는 [친구의 사진]을 액자에 넣었다.
어절: 나는 / 책을 / 읽는 / 친구의 / 사진을 / 액자에 / 넣었다
단어: 나 / 는 / 책 / 을 / 읽는 / 친구 / 의 / 사진 / 을 / 액자 / 에 / 넣었다
형태소: 나 / 는 / 책 / 을 / 읽– / –는 / 친구 / 의 / 사진 / 을 / 액자 / 에 / 넣– / –었– / –다

문장의 구조

홑문장: 주어와 서술어의 관계가 한 번만 이루어진 문장

주어 + 서술어

예 하늘이 푸르다.

겹문장: 주어와 서술어의 관계가 두 번 이상 이루어진 문장

이어진문장: 둘 이상의 절이 연결 어미에 의하여 결합된 문장 예 어머니는 떡을 썰고, 아들은 글을 쓴다.

주어 + 서술어 + 주어 + 서술어

→ ① 용언(동사/형용사) 어간 + 어미

② 체언 + 서술격 조사 → 연결

안은문장: 주어와 서술어의 관계가 두 번 이상 이루어지며 절을 가진 문장 예 나는 그가 옳았음을 알았다.

→ 절: ① 명사절, ② 관형절, ③ 서술절, ④ 부사절, ⑤ 인용절

주어 + [주어 + 서술어] + 서술어

→ ① 용언(동사/형용사) 어간 + 어미

② 체언 + 서술격 조사 → 종결

절(안긴문장): 주어와 서술어의 관계를 갖고 문장 안에 안겨 하나의 문장 성분으로 기능함

명사절: 명사형 어미와 결합하여 명사 구실을 하는 절

관형절: 관형사형 어미와 결합하여 관형어의 구실을 하는 절

서술절: 문장에서 서술어 구실을 하는 절

부사절: 부사형 어미 및 부사 파생 접미사와 결합하여 부사어의 구실을 하는 절

인용절: 다른 사람의 말이나 글, 생각을 인용한 절

Ⅰ. 문장 성분

1. 주성분

(1) 주어

주어의 실현 형태		예
① 체언 + 주격 조사 (이/가, 께서, 에서)	체언 + 주격 조사	내가 왕이다.
	명사구 + 주격 조사	예쁜 그림이 좋다.
	문장 + 주격 조사	철수가 착한 학생인가가 문제이다.
	높임의 명사 + 께서	선생님께서 오셨다. – 주어가 높임의 대상이면 서술어에 높임의 선어말 어미 '–시–'가 결합될 수 있다.
	단체 명사 + 에서	학교에서 소풍을 갔다.
② 체언 + 보조사		철수는 집에 간다.
③ 체언 (조사의 생략)		너 집에 가니?

'코끼리가 코가 길다.'는 주어가 두 개 아닌가요?

코끼리가 코가 길다.

'코끼리가 코가 길다.' 에서 주어는 '코끼리가' 와 '코가' 두 개이고, 서술어가 '길다' 하나인 홑문장이 아니냐고? 아니지! 국어는 홑문장에서 주어가 두 개 나타날 수 없어. 안긴문장(절)의 주어를 문장 전체의 주어로 착각해서는 안 돼! 뒤에서 배우겠지만 서술절은 특별한 표지가 없이 '주어 + 서술어' 의 구조를 갖추어 문장 전체의 서술어 자리에 쓰일 수 있어. 즉 '코끼리가 코가 길다.' 에서 '코가' 는 서술절 '코가 길다.' 의 주어인 거고, 전체 문장의 주어는 '코끼리가' 하나인 거야. 따라서 '코끼리가 코가 길다.' 는 서술절을 안은문장으로 아래와 같이 정리할 수 있어.

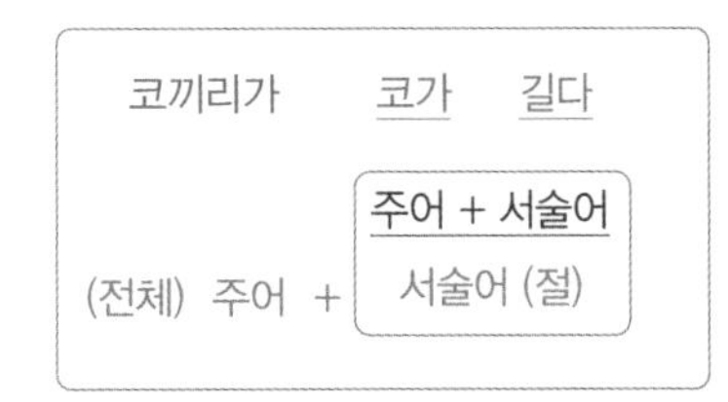

– '코끼리가'는 문장 전체의 주어이고, '코가'와 '길다'는 서술절을 이루어 서술절이 문장 전체의 서술어가 된다.

(2) 목적어

목적어의 실현 형태		예
① 체언 + 목적격 조사 (을/를)	체언 + 목적격 조사	철수가 밥을 먹는다.
	명사구 + 목적격 조사	철수는 항상 그 연필을 산다.
	문장 + 목적격 조사	나는 우리가 행복하기를 바란다.
② 체언 + 보조사		철수는 그림도 그린다.
③ 체언 (조사의 생략)		나는 과일 좋아해.

(3) 보어

보어의 실현 형태	예
('되다/아니다' 앞) 체언 + 보격 조사 (이/가)	물이 얼음이 되다. 영수는 바보가 아니다.

→ '되다' 앞에서 보격 조사 '이'가 쓰임

물이 얼음이 되다.

보어

→ '되다' 앞에 쓰였지만 보격 조사 '이/가'가 아닌 부사격 조사 '으로'가 쓰임

물이 얼음으로 되다.

필수적 부사어

(4) 서술어

서술어의 실현 형태		예
① 용언의 활용형	용언의 어간 + 종결 어미	하늘이 푸르다.
	용언의 어간 + 연결 어미	비가 오고 바람이 분다.
	용언의 어간 + 전성 어미	빛이 희기가 눈과 같다.
② 본용언 + 보조 용언		나는 학교에 가고 싶다.
③ 체언 + 서술격 조사 (이다)		영수는 학생이다.
④ 서술절		그는 키가 크다.

▶ 본용언과 보조 용언

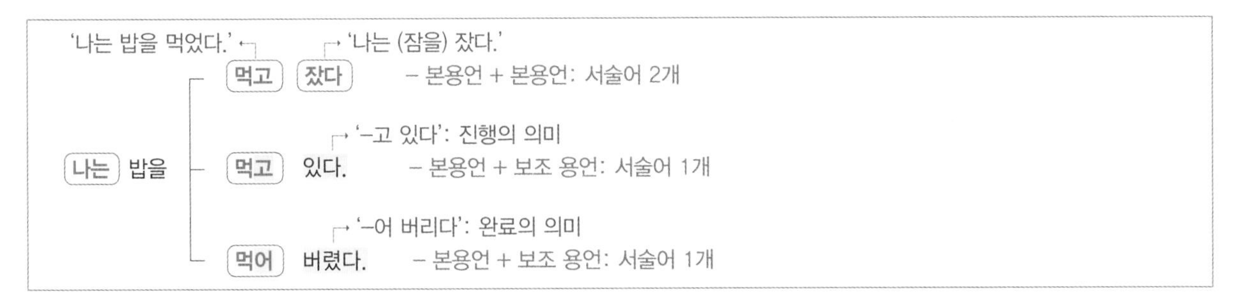

▶ 서술어의 자릿수 평가원 밑줄 2015학년도 ⊕ 서술어의 자릿수란 서술어가 반드시 갖추어야 하는 문장 성분의 수이다.

서술어의 자릿수	문장의 구성	예
한 자리 서술어 – 주어 하나만을 필요로 함	[주어+서술어(자동사)]	개나리가 피었다.
	[주어+서술어(형용사)]	그녀는 예뻤다.
두 자리 서술어 – 주어 외에 목적어나 보어 또는 부사어를 필요로 함	[주어+목적어+서술어(타동사)]	그 소년이 무지개를 바라보았다.
	[주어+보어+서술어(되다/아니다)]	성민이는 교사가 되었다.
	[주어+필수적 부사어+서술어]	동건이는 우성이와 닮았다.
세 자리 서술어 – 주어와 목적어 외에 부사어를 필요로 함	[주어+필수적 부사어+목적어+서술어]	철수가 수나에게 선물을 주었다. 수여 동사
	[주어+목적어+필수적 부사어+서술어]	아버지는 준수를 사위로 삼았다. 간주하다, 여기다 등
	[주어+필수적 부사어+목적어+서술어]	철수가 나에게 그 사실을 알려 주었다.

⊕ 서술어의 자릿수 변화 알아두기 (용언의 어휘적 특성에 따라 달라짐)

단어	자릿수	예
돌다	한 자리	지구가 돈다.
	두 자리	주희가 운동장을 돈다.
밝다	한 자리	방이 밝다.
	두 자리	내 동생은 돈 계산에 밝다.
불다	한 자리	바람이 분다.
	두 자리	소가 콧김을 분다.
만들다	두 자리	주희가 책을 만들었다.
	세 자리	작가가 실화를 소설로 만들었다.
생각하다	두 자리	나는 그녀를 생각한다.
	세 자리	나는 그녀를 천사로 생각한다.

2. 부속 성분

(1) 관형어

관형어의 실현 형태	예
① 관형사	영희가 새 옷을 입었다.
② 체언	나는 시골 풍경이 좋다.
③ 체언 + 관형격 조사 (의)	나는 시골의 풍경이 좋다.
④ 용언의 관형사형 (-(으)ㄴ, 는, -던, -(으)ㄹ)	나는 마음이 예쁜 사람이 좋다.
⑤ 서술격 조사의 관형사형	학생인 네가 왜 이런 것을 갖고 있지?
⑥ 명사절	겨울이 오기 전에 여행을 떠나자.
⑦ 명사절 + 관형격 조사 (의)	이것이 주기적으로 운동하기의 장점이다.

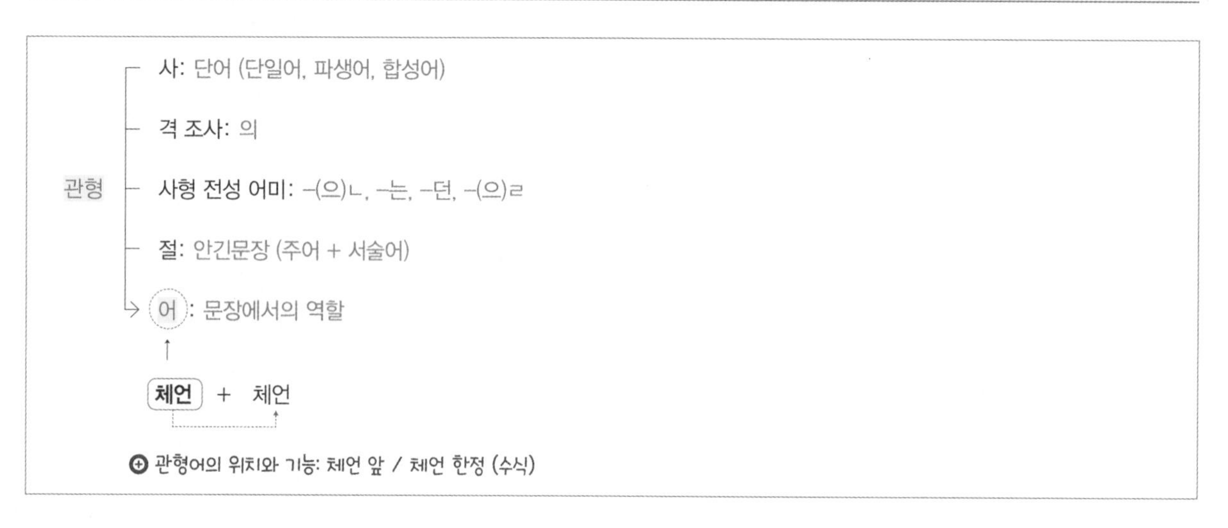

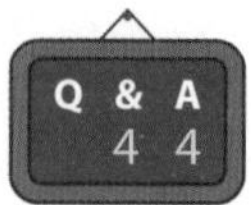

체언이 관형어가 될 수 있다고요?

그 편지에는 다섯 사람이 찍힌 가족 사진이 있었다.

체언은 주로 문장 안에서 중심이 되는 역할을 하고, 관형어는 이러한 체언을 꾸며 주는 문장 성분이라고 배웠는데 어떻게 체언이 관형어가 될 수 있느냐고? 앞에서 관형어는 여러 가지 실현 형태로 나타날 수 있다고 했잖아. 체언 앞에서 체언의 뜻을 꾸며 주는 구실을 한다면 관형사뿐만 아니라, 체언, 체언에 관형격 조사 '의'가 붙은 말, 용언의 관형사형, 용언의 명사형, 용언의 명사형에 관형격 조사 '의'가 붙은 말 따위가 모두 관형어가 될 수 있어. 아래와 같은 문장은 품사와 문장 성분을 주의해서 봐야 해.

그 편지에는 다섯 사람이 찍힌 가족 사진이 있었다.

	그	다섯	가족
품사:	지시 관형사	수 관형사	명사
문장 성분:	관형어	관형어	관형어

(2) 부사어

부사어의 실현 형태	예
① 부사	철수가 빵을 허겁지겁 먹는다.
② 부사 + 보조사	철수가 빨리도 뛴다.
③ 체언 + 부사격 조사 (으로, 에, 에서, 로부터 등)	철수가 빵을 손으로 먹는다.
④ 용언의 어간 + 부사형 전성 어미 (-게, -도록, -니까 등) 부사 파생 접미사 (-이)	철수는 귀엽게 생겼다. 철수는 소리도 없이 갔다.
⑤ 명사	눈이 밤새 내렸다.

▶ 부사어의 종류

① 성분 부사어: 문장 속의 특정한 성분을 꾸미는 부사어

- 지시 부사: 앞의 이야기에 나온 사실을 가리키는 부사 (이리, 그리, 저리 등)
  예 이리 와서 앉아라.
- 성상 부사: 사람이나 사물의 모양, 상태, 성질 등을 꾸미는 부사 (잘, 빨리, 매우, 가장 등)
  예 바다가 매우 푸르다.
- 부정 부사: 용언의 앞에 놓여 그 내용을 부정하는 부사 (아니, 안, 못)
  예 그 일은 못 하겠다.

② 문장 부사어: 문장 전체를 꾸미는 부사어

- 양태 부사: 말하는 사람의 심리적 태도를 나타내는 부사 (과연, 정말, 물론, 아무쪼록, 부디, 설마 등)
  예 과연 그 아이는 똑똑하구나.
- 접속 부사: 앞뒤의 문장이나 체언을 이어 주는 부사 (그러나, 그리고, 그러므로, 및 등)
  예 그러나 희망이 아주 사라진 것은 아니다. / 원서 교부 및 접수

⊕ 부사어는 문장의 필수 성분은 아니지만 서술어에 따라서는 필수적인 성분이 되기도 함. 동사 '주다, 삼다, 넣다, 두다' 등과 형용사 '같다, 비슷하다, 닮다, 다르다' 등은 반드시 부사어를 필요로 하는데, 이러한 부사어를 필수적 부사어라고 함

평가원 밑줄 2013학년도 ⑥ 필수적 부사어는 문장의 성립에 반드시 필요한 부사어이다. 해당 문장의 서술어가 무엇이냐에 따라 동일한 '체언 + 격 조사' 구성의 부사어라도 필수적 부사어일 수도 있고 아닐 수도 있다. 예 선생님께서 지혜에게 선행상을 주셨다. / 홍길동 씨는 친구에게 5만 원을 빌렸다.

필수적 부사어인지 아닌지 어떻게 판단하나요?

철수는 엄마와 닮았다. vs. 철수는 집에서 밥을 먹었다.

필수적 부사어인지 아닌지 구별하기가 힘들지? 그 부사어를 생략해도 문제가 되지 않는다면 일반적인 부사어이고 부사어를 생략해서 문제가 된다면 필수적 부사어로 판단하면 돼. '철수는 엄마와 닮았다.' 에서 부사어 '엄마와' 를 생략하면 '철수는 닮았다.' 가 되어 누구와 닮았는지 나타나지 않아 어색한 문장이 되지? 따라서 이때 '엄마와' 는 필수적 부사어야. 그런데 '철수는 집에서 밥을 먹었다.' 에서 '집에서' 를 생략한 '철수는 밥을 먹었다.' 는 전혀 어색하지 않지? 따라서 이때 '집에서' 는 필수적 부사어가 아닌 일반적인 부사어야.

철수는 엄마와 닮았다. vs. 철수는 집에서 밥을 먹었다.
필수적 부사어 (일반적인) 부사어

3. 독립 성분: 독립어

독립어의 실현 형태	예
① 감탄사 (아아, 글쎄, 어머나, 맞다, 맞아 등)	맞다, 지갑을 두고 왔지?
② 체언 + 호격 조사 (아, 야)	철수야, 밥 먹어라.
③ 제시어	청춘, 이는 듣기만 해도 가슴이 설레는 말이다.

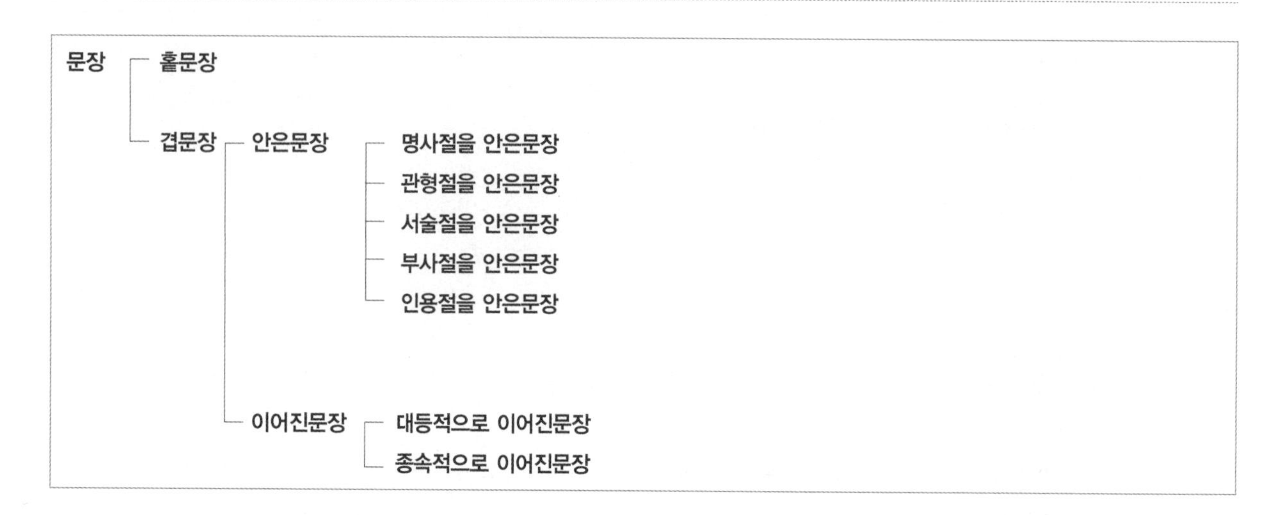

1. 안은문장

안은문장: 안긴문장을 포함하고 있는 문장

안긴문장: 다른 문장 속에 들어가 하나의 성분처럼 쓰이는 문장

⊕ 안긴문장을 '절'이라고도 함

(1) 명사절로 안긴문장: 절 전체가 문장에서 명사처럼 쓰이는 문장

- 명사형 어미 '-(으)ㅁ'
  - 예 그 사람이 범인임이 밝혀졌다.
  - 우리 등반대가 에베레스트 산에 올랐음이 확인되었다.
- 명사형 어미 '-기'
  - 예 그들은 우리가 노력하지 않고 성공하기를 기대했다.
  - 에베레스트 산에 오르기가 너무 어렵다.

평가원 밑줄 2014학년도 ⓢ 명사절은 명사와 마찬가지로 문장에서 다양한 성분으로 쓰인다.

예 색깔이 희기가 눈과 같다.(주어) / 농부들은 비가 오기를 기다린다.(목적어) / 부모는 언제나 자식이 행복하기를 바란다.(목적어) / 제비는 겨울이 오기 전에 남쪽으로 떠났다.(관형어) / 지금은 우리가 학교에 가기에 아직 이르다.(부사어)

(2) 관형절로 안긴문장: 절 전체가 문장에서 관형어의 기능을 하는 문장

- 관형사형 어미 '-(으)ㄴ': 과거 예 이 섬에는 고기를 잡은 사람이 없다. (⊕ 형용사의 경우 현재 예 예쁜)
  - '-는': 현재 예 이 섬에는 고기를 잡는 사람이 없다.
  - '-(으)ㄹ': 미래 예 이 섬에는 고기를 잡을 사람이 없다.
  - '-던': 회상 예 이 섬에는 고기를 잡던 사람이 없다.

⊕ 관계 관형절과 동격 관형절 알아두기

관계 관형절	동격 관형절
관형절의 문장 성분 중 주절에 있는 동일 요소가 생략되는 관형절	관형절과 관형절이 수식하는 체언이 동일한 의미를 가지는 관형절
예 학교에 가는 철수를 보았다. - 관형절 '(철수가) 학교에 가는'에서 주어 생략 철수가 쓴 글을 읽었다. - 관형절 '철수가 (글을) 쓴'에서 목적어 생략 파도의 자취가 새겨져 있는 바위가 있다. - 관형절 '파도의 자취가 (바위에) 새겨져 있는'에서 부사어 생략	예 그 자리에는 철수가 어제 수지를 만난 사실을 아는 사람이 많지 않았다. - 관형절 '철수가 어제 수지를 만난'과 '사실'이 동일한 의미

(3) 서술절로 안긴문장: 절 전체가 문장에서 서술어의 기능을 하는 문장

- 특정한 절 표지가 따로 없음

예 코끼리가 코가 길다.
서울은 인구가 많다.

(4) 부사절로 안긴문장: 절 전체가 문장에서 부사어의 기능을 하는 문장

- 부사형 전성 어미 '-게, -도록, -아서/어서, -듯이, -ㄹ수록' 등

예 엄마가 아이를 입이 마르게 칭찬했다.
태현이는 다리가 붓도록 걸었다.
나는 영지가 잡아서 하루 더 머물렀다.
나그네가 달이 구름에 가듯이 간다.
해가 갈수록 경제가 어려워지고 있다.

- 부사 파생 접미사 '-이'

예 그 사람이 말도 없이 갔다.
– '없이'가 단독으로 부사 노릇을 하는 것이 아니라 서술 기능을 유지한 채 '말도 없이' 전체가 부사어가 된 경우

'-이'가 부사 파생 접미사니까 '없이'는 부사 아닌가요? 그런데 부사 '없이'가 서술성이 있다는 게 무슨 말인가요?

그가 소리도 없이 다가왔다.

부사 파생 접미사 '-이'가 붙었다면 품사는 부사가 되니까 '없이'는 부사야. 그런데 부사 '없이'가 서술성을 지닐 수 있냐고? 바로 예외에 해당하는 부분이야. 문법에는 항상 예외가 존재해. 그래서 어렵지만 다행히도 부사에 서술성이 있는 경우는 '달리, 같이, 없이'로 한정되어 있어. 이들이 부사절을 이끌면 부사절 안에서 서술어와 같은 기능을 하게 돼. '그가 소리도 없이 다가왔다.'에서는 '소리도 없다'가 부사절로 안겨 있는데, 일반적으로 '-이'를 부사 파생 접미사로 부르지만 이렇게 '다르다, 같다, 없다'에 결합하여 부사절을 이루는 '-이'를 부사형 어미라고 부르자는 주장도 있어.

그가 [소리도 없이] 다가왔다.
부사절을 이루고 서술성을 지닌 '없이'

(5) 인용절로 안긴문장: 화자의 생각, 느낌, 다른 사람의 말 등을 옮긴 문장

- 직접 인용절: 주어진 문장을 그대로 직접 인용 ('라고', '하고')

예 그는 "날씨가 너무 덥구나!"라고 소리쳤다.
마당에서 나무가 "쿵!"하고 쓰러졌다.

- 간접 인용절: 말하는 사람의 표현으로 바꾸어서 간접 인용 ('고')

예 그는 나에게 저 방에 누가 있느냐고 하였다.
희진이는 나에게 숙제 좀 보여 달라고 애원했다.

2. 이어진문장

대등하게 이어진문장: 앞 절과 뒤 절의 의미 관계가 대등하게 이어진문장
– 앞 절과 뒤 절의 의미 관계는 나열, 대조, 선택 등 다양하다.
종속적으로 이어진문장: 앞 절과 뒤 절의 의미가 독립적이지 못하고 종속적인 관계에 있는 문장
– 앞 절과 뒤 절의 의미 관계는 원인(이유), 조건, 가정, 목적(의도), 양보, 시간 관계 등 다양하다.

(1) 대등적으로 이어진문장: 이어지는 홑문장들의 의미 관계가 대등함

- 나열 (–고, –(으)며) 예 꽃이 피고 새가 운다.
  철수는 서울로 가고 영희는 부산으로 갔다.
  떡은 쌀가루로 만들며 빵은 밀가루로 만든다.
- 대조 (–지만, –(으)나) 예 절약은 부자를 만드나 절제는 사람을 만든다.
- 선택 (–든지) 예 산으로 가든지 바다로 가든지 결정하자.

(2) 종속적으로 이어진문장: 앞 절과 뒤 절의 의미 관계가 독립적이지 못하고 종속적임

- 조건 (–(으)면, –거든, –어야) 예 봄이 오면 꽃이 핀다.
- 원인 (–(으)니, –(으)니까, –아서/–어서) 예 비가 와서 길이 질다.
- 의도 (–(으)러, –(으)려고, –고자) 예 소풍을 가려고 나는 아침 일찍 일어났다.
- 양보 (–더라도, –(으)ㄹ지라도) 예 설령 비가 올지라도 우리는 출발할 것이다.

⊕ 접속 조사 '와/과'에 의한 이어진문장 살펴보기

→ 주어가 접속 조사로 이어짐
철수와 수호는 학생이다.
– 철수는 학생이다. + 수호는 학생이다.

→ 목적어가 접속 조사로 이어짐
철수는 국어와 영어를 좋아한다.
– 철수는 국어를 좋아한다. + 철수는 영어를 좋아한다.

어미의 종류가 너무 많은데, 주의해야 할 어미들 좀 알려 주세요!

수지는 책을 읽으려고 도서관에 갔다. (O)
*수지는 책을 읽으려고 철수가 도서관에 갔다. (X)
vs.
철수가 약속에 늦게 도착하자 수지가 화를 냈다. (O)
*철수가 약속에 늦게 도착하자 철수가 화를 냈다. (X)

뒤에서 선어말 어미에 대해 자세히 나오니까 여기서는 연결 어미에 대해 알려 줄게. 이어진문장에서 앞 절과 뒤 절의 주어는 같을 수도 있고 다를 수도 있는데, 앞 절과 뒤 절의 주어가 반드시 같아야 하는 어미도 있고 주어가 반드시 달라야 하는 어미도 있어. 먼저 '-(으)려고, -고자, -(으)러'와 같은 연결 어미는 앞 절과 뒤 절의 주어가 반드시 같아야 해. 예를 들어 '수지는 책을 읽으려고 도서관에 갔다.'를 보면, 책을 읽으려고 한 주어도 '수지'이고 도서관에 간 주어도 '수지'야. 이때 동일한 주어 중 뒤 절의 주어는 생략되지. 만약 '*수지는 책을 읽으려고 철수가 도서관에 갔다.'와 같이 앞 절과 뒤 절의 주어가 달라지면 비문법적인 문장이 돼. 반면 앞 절과 뒤 절의 주어가 반드시 달라야 하는 어미도 있어. '철수가 약속에 늦게 도착하자 수지가 화를 냈다.'처럼 연결 어미 '-자'가 쓰인 경우지. 만약 '*철수가 약속에 늦게 도착하자 철수가 화를 냈다.'와 같이 앞 절과 뒤 절의 주어가 같으면 비문법적인 문장이 되는 것을 확인할 수 있어.

형태소와 단어 그리고 문장은 어떻게 공부하는 것이 좋나요?

형태소 ≤ 단어 〈 구, 절 ≤ 문장

형태소부터 문장까지를 한 파트로 묶어 놓은 문법 교재나 이론서는 거의 없을 거야. 그런데 학생들은 의존 명사가 자립 형태소인지 의존 형태소인지, 단어의 품사와 문장 성분의 관계는 어떻게 되는지, 어디까지가 문장에서 절로 쓰인 것인지를 많이 질문하더라. 그래서 이 책은 고민 끝에 형태소부터 문장까지 함께 연결하여 공부할 수 있도록 구성했어. 호흡은 조금 길더라도 이들의 연관성을 생각하면서 제대로 공부하는 것이 좋겠다는 판단을 한 거야. 제대로 공부해서 이해하면 가장 쉽게 내 것으로 만들 수 있는 영역이 문법이니까 힘내자!

◐ 2022학년도 9월 모평 37번

01 〈보기〉의 ㉮에 들어갈 말로 적절하지 않은 것은?

〈보기〉

선생님: 다음은 접사의 특징을 확인하기 위해 수집한 파생어들이에요. ㉠~㉤에서 각각 확인되는 접사의 공통점을 설명해 보세요.

> ㉠ 넓이, 믿음, 크기, 지우개
> ㉡ 끄덕이다, 출렁대다, 반짝거리다
> ㉢ 울보, 낚시꾼, 멋쟁이, 장난꾸러기
> ㉣ 밀치다, 살리다, 입히다, 깨뜨리다
> ㉤ 부채질, 풋나물, 휘감다, 빼앗기다

학 생: 예, 접사가 [㉮]는 공통점이 있습니다.

① ㉠에서는 용언에 결합하여 명사를 만든다
② ㉡에서는 부사에 결합하여 동사를 만든다
③ ㉢에서는 사람을 가리키는 의미의 단어를 만든다
④ ㉣에서는 주동사에 결합하여 사동사를 만든다
⑤ ㉤에서는 어근과 품사가 동일한 단어를 만든다

◐ 2020학년도 9월 모평 14번

02 〈보기〉의 ㉠과 ㉡을 모두 충족하는 예로 적절한 것은?

〈보기〉

'붙잡다'의 어간 '붙잡-'은 어근 '붙-'과 어근 '잡-'으로 나뉘고, '잡히다'의 어간 '잡히-'는 어근 '잡-'과 접사 '-히-'로 나뉜다. 이렇듯 어떤 말을 둘로 나누었을 때 나누어진 두 요소 각각을 직접 구성 요소라 하는데, 어근과 어근으로 분석되는 말을 합성어라 하고 어근과 접사로 분석되는 말을 파생어라 한다.

그런데 ㉠어간이 3개 이상의 구성 요소로 이루어진 경우가 있다. 이때 ㉡직접 구성 요소가 먼저 어근과 어근으로 분석되면 합성어이고 어근과 접사로 분석되면 파생어이다. 예컨대 '밀어붙이다'는 직접 구성 요소가 먼저 어근과 어근으로 분석되므로 합성어이다.

① 밤새 거센 비바람이 내리쳤다.
② 책임을 남에게 떠넘기면 안 된다.
③ 차바퀴가 진흙 바닥에서 헛돌았다.
④ 거리에는 매일 많은 사람이 오간다.
⑤ 그들은 끊임없이 짓밟혀도 굴하지 않았다.

◉ 2019학년도 수능 12~13번

[03~04] **다음 글을 읽고 물음에 답하시오.**

국어사적 사실이 현대 국어의 일관되지 않은 현상을 이해하는 데 도움이 되는 경우가 많다. 예를 들어 'ㄹ'로 끝나는 명사 '발', '솔', '이틀'이 ㉠'발가락', ㉡'소나무', ㉢'이튿날'과 같은 합성어들에서는 받침 'ㄹ'의 모습이 일관되지 않는데, 이를 이해하기 위해서는 이들 단어의 옛 모습을 알아야 한다.

'소나무'에서는 '발가락'에서와는 달리 받침 'ㄹ'이 탈락하였고, '이튿날'에서는 받침이 'ㄹ'이 아닌 'ㄷ'이다. 모두 'ㄹ' 받침의 명사가 결합한 합성어인데 왜 [이러한 차이]를 보이는 것일까? 현대 국어에는 받침 'ㄹ'이 'ㄷ'으로 바뀌거나, 명사와 명사가 결합할 때 'ㄹ'이 탈락하는 규칙이 없기 때문에 이러한 차이는 현대 국어의 규칙만으로는 설명할 수 없다.

'발가락'은 중세 국어에서 대부분 '밠 가락'으로 나타난다. 중세국어에서 'ㅅ'은 관형격 조사로 사용되었으므로 '밠 가락'은 구로 파악된다. 이는 '밠 엄지 가락(엄지발가락)'과 같은 예를 통해 잘 알 수 있다. 이후 'ㅅ'은 점차 관형격 조사의 기능을 잃고 합성어 내부의 사이시옷으로만 흔적이 남았는데, 이에 따라 중세 국어 '밠 가락'은 현대 국어 '발가락[발까락]'이 되었다.

[A]

'소나무'는 중세 국어에서 명사 '솔'에 '나무'의 옛말인 '나모'가 결합하고 'ㄹ'이 탈락한 합성어 '소나모'로 나타난다. 중세 국어에서는 현대 국어와 달리 명사와 명사가 결합하여 합성어가 될 때 'ㄴ, ㄷ, ㅅ, ㅈ' 등으로 시작하는 명사 앞에서 받침 'ㄹ'이 탈락하는 규칙이 있었기 때문에 '솔'의 'ㄹ'이 탈락하였다.

'이튿날'은 중세 국어에서 자립 명사 '이틀'과 '날' 사이에 관형격 조사 'ㅅ'이 결합한 '이틄 날'로 많이 나타나는데, 이 'ㅅ'은 '이틄 밤', '이틄 길'에서의 'ㅅ'과 같은 것이다. 중세 국어에서 '이틄 날'은 '이틋 날'로도 나타났는데, 근대 국어로 오면서는 'ㄹ'이 탈락한 합성어 '이틋날'로 굳어지게 되었다. 이와 함께 'ㅅ'이 관형격 조사의 기능을 잃어 가고, 받침 'ㅅ'과 'ㄷ'의 발음이 구분되지 않게 되었다. 이에 따라 「한글 맞춤법」에서는 '이틋날'의 표기와 관련하여 "끝소리가 'ㄹ'인 말과 딴 말이 어울릴 적에 'ㄹ' 소리가 'ㄷ' 소리로 나는 것"으로 보아 이를 '이튿날'로 적도록 했다. 그러나 이때의 'ㄷ'은 'ㄹ'이 변한 것으로 설명되지 않으므로 중세 국어 '뭀 사ᄅᆞᆷ'에서 온 '뭇사람'에서처럼 'ㅅ'으로 적는 것이 국어의 변화 과정을 고려한 관점에 부합한다고 할 수 있다.

◐ 2019학년도 수능 12번

03 윗글을 참고할 때, ㉠~㉢과 같이 이러한 차이를 보이는 예를 〈보기〉에서 각각 하나씩 찾아 그 순서대로 제시한 것은?

〈보 기〉

무술(물+술)	쌀가루(쌀+가루)
낟알(낟+알)	솔방울(솔+방울)
섣달(설+달)	푸나무(풀+나무)

① 솔방울, 무술, 낟알
② 솔방울, 푸나무, 섣달
③ 푸나무, 무술, 섣달
④ 쌀가루, 푸나무, 낟알
⑤ 쌀가루, 솔방울, 섣달

◐ 2019학년도 수능 13번

04 [A]를 바탕으로 〈보기〉의 '자료'를 탐구한 내용으로 적절하지 않은 것은?

〈보 기〉

[탐구 주제]

ㅇ '숟가락'은 '젓가락'과 달리 왜 첫 글자의 받침이 'ㄷ'일까?

[자료]

중세 국어의 예	
• 술 자ᄫᆞ며 져 녿ᄂᆞ니(숟가락 잡으며 젓가락 놓으니) • 숤 귿(숟가락의 끝), 졋 가락 귿(젓가락 끝), 수져(수저) • 물(무리), 믌 사ᄅᆞᆷ(뭇사람, 여러 사람)	
근대 국어의 예	**현대 국어의 예**
• 숫가락 장ᄉᆞ(숟가락 장사) • 뭇사ᄅᆞᆷ(뭇사람)	• *술로 밥을 뜨다 • 숟가락으로 밥을 뜨다 • 밥 한 술

※ '*'는 문법에 맞지 않음을 나타냄.

① 중세 국어 '술'과 '져'는 중세 국어 '이틀'처럼 자립 명사라는 점에서 현대 국어 '술'과는 차이가 있군.
② 중세 국어 '술'과 '져'의 결합에서 'ㄹ'이 탈락한 합성어가 현대 국어 '수저'로 이어졌군.
③ 중세 국어 '술'과 '져'는 명사를 수식할 때, 중세 국어 '이틀'이나 '물'과 같이 모두 관형격 조사 'ㅅ'이 결합할 수 있었군.
④ 근대 국어 '숫가락'이 현대 국어에 와서 '숟가락'으로 적히는 것은, 국어의 변화 과정을 고려한 관점에 부합하지 않는다는 점에서 '이튿날'의 경우와 같군.
⑤ 현대 국어 '숟가락'과 '뭇사람'의 첫 글자 받침이 다른 이유는 중세 국어 '숤'과 '믌'이 현대 국어로 오면서 'ㄹ'이 탈락한 후 남은 'ㅅ'의 발음이 서로 달랐기 때문이군.

◐ 2019학년도 수능 14번

05 〈보기〉의 ⓐ~ⓒ를 이해한 내용으로 적절하지 않은 것은?

〈보 기〉

ⓐ 그는 위기를 좋은 기회로 삼았다.
ⓑ 바다가 눈이 부시게 파랗다.
ⓒ 동주는 반짝이는 별을 응시했다.

① ⓐ의 '삼았다'는 주어 이외에도 두 개의 문장 성분을 필수적으로 요구하는군.
② ⓑ의 '바다가'와 '눈이'는 각각 다른 서술어의 주어이군.
③ ⓒ의 '별을'은 안긴문장의 목적어이면서 안은문장의 목적어이군.
④ ⓐ의 '좋은'과 ⓒ의 '반짝이는'은 안긴문장의 서술어이군.
⑤ ⓑ의 '눈이 부시게'와 ⓒ의 '반짝이는'은 수식의 기능을 하는군.

◐ 2019학년도 9월 모평 15번

06 〈보기〉의 자료를 탐구한 결과로 적절한 것은?

〈보 기〉

○ **탐구 과제**

하나의 문장이 안긴문장으로 다른 문장에 안길 때, 원래 있던 문장 성분이 생략되는 경우가 있다. 아래의 각 문장에서 안긴문장을 파악한 후, 생략된 문장 성분이 있다면 무엇인지 확인해 보자.

○ **자료**

㉠ 부모님은 자식이 건강하기를 바란다.
㉡ 그 친구는 연락도 없이 그곳에 안 왔다.
㉢ 동생은 자신의 판단이 옳았음을 깨달았다.
㉣ 그는 내가 늘 쉬던 공원에서 산책을 했다.
㉤ 그 사람들은 아주 어려운 과제를 금방 끝냈다.

		안긴문장의 종류	생략된 문장 성분
①	㉠	부사절	없음
②	㉡	명사절	없음
③	㉢	명사절	주어
④	㉣	관형절	부사어
⑤	㉤	관형절	목적어

◉ 2019학년도 6월 모평 11~12번

[07~08] **다음을 읽고 물음에 답하시오.**

현대 국어에서 '–(으)ㅁ'이나 '–이'가 결합된 단어들 중에 형태는 같으나 품사가 다른 경우가 있다. 예를 들어 명사 '걸음'과 동사의 명사형 '걸음', 명사 '높이'와 부사 '높이'가 그러하다. 이는 용언에 결합하는 명사 파생 접미사 '–(으)ㅁ'과 명사형 전성 어미 '–(으)ㅁ'의 형태가 같고, '높다' 등의 일부 형용사에 결합하는 명사 파생 접미사 '–이'와 부사 파생 접미사 '–이'의 형태가 같기 때문이다.

[A] 이들의 품사를 구별하기 위해서는 각 단어의 다음과 같은 문법적 특징을 고려해야 한다. 명사는 서술격 조사가 결합하는 경우를 제외하고는 서술어로 쓰일 수 없고, 관형어의 수식을 받는다. 반면 ㉠<u>동사나 형용사는 명사형이라 하더라도 문장이나 절에서 서술어로 쓰이고,</u> 부사어의 수식을 받는다. 그리고 부사는 격조사와 결합할 수 없고 다른 부사어나 서술어 등을 수식한다.

한편 이들 '–(으)ㅁ'과 '–이'가 중세 국어에서는 그 쓰임에 따라 형태가 다르기 때문에 일반적으로 그 형태만으로 품사를 구별할 수 있다. 현대 국어의 두 가지 '–(으)ㅁ'은 중세 국어의 명사 파생 접미사 '–(ᄋᆞ/으)ㅁ'과 명사형 전성 어미 '–옴/움'에 각각 대응한다. 이러한 구별은 'ᄒᆞᆫ <u>거름</u> 나ᅀᅩ <u>거룸</u>(한 <u>걸음</u> 나아가도록 <u>걸음</u>)'에서 확인된다. '걷–'과 달리, 마지막 음절의 모음이 양성 모음인 어근이나 용언 어간에는 모음조화에 따라 '–(ᄋᆞ)ㅁ'과 '–옴'이 각각 결합한다.

앞서 말한 현대 국어의 두 가지 '–이' 역시 중세 국어의 명사 파생 접미사 '–ᄋᆡ/의'와 부사 파생 접미사 '–이'에 각각 대응한다. 이러한 구별은 '나못 <u>노ᄑᆡ</u>(나무의 <u>높이</u>)'와 '<u>노피</u> ᄂᆞᄂᆞᆫ 져비(<u>높이</u> 나는 제비)'에서 확인된다. '높–'과 달리, 마지막 음절의 모음이 음성 모음인 어근에는 모음조화에 따라 명사 파생 접미사 '–의'가 결합한다. 그런데 부사 파생 접미사는 '–이' 하나여서 모음조화에 상관없이 '–이'가 결합한다.

◉ 2019학년도 6월 모평 11번

07 윗글을 바탕으로 추론한 내용 중 적절하지 <u>않은</u> 것은?

① '됴ᄒᆞᆫ 여름 여루미(좋은 열매 열림이)'에서 '여름'과 '여룸'의 형태를 보니, 이 둘의 품사가 다르겠군.

② '거름'과 '거룸'의 형태를 보니, '거름'은 파생 명사이고 '거룸'은 동사의 명사형이겠군.

③ '거룸'과 '노ᄑᆡ'의 모음조화 양상을 보니, 중세 국어 '높–'에는 '–움'이 아니고 '–옴'이 결합하겠군.

④ '노ᄑᆡ'와 '노피'의 형태를 보니, '노ᄑᆡ'는 파생 부사이고 '노피'는 파생 명사이겠군.

⑤ 중세 국어의 형용사 '곧다', '굳다'가 부사 파생 접미사 '–이'와 결합할 때, 그 형태가 모음조화에 따라 달라지지 않겠군.

◘ 2019학년도 6월 모평 12번

08 [A]를 참고할 때, 밑줄 친 부분이 ㉠에 해당하는 예로만 묶인 것은?

① ┌ 많이 앎이 항상 미덕인 것은 아니다.
  └ 그의 목소리는 격한 슬픔으로 떨렸다.

② ┌ 멸치 볶음은 맛도 좋고 건강에도 좋다.
  └ 오빠는 몹시 기쁨에도 내색을 안 했다.

③ ┌ 요즘은 상품을 큰 묶음으로 파는 가게가 많다.
  └ 무용수들이 군무를 춤과 동시에 조명이 켜졌다.

④ ┌ 어려운 이웃을 도움으로써 보람을 찾는 이도 있다.
  └ 나는 그를 온전히 믿음에도 그 일은 맡기고 싶지 않다.

⑤ ┌ 아이가 울음 섞인 목소리로 빨리 오라고 소리쳤다.
  └ 수술 뒤 친구가 밝게 웃음을 보니 나도 마음이 놓였다.

◘ 2018학년도 수능 13번

09 다음은 부사어에 대해 탐구한 것이다. 탐구 내용으로 적절하지 않은 것은?

①	• 하늘이 눈이 부시게 푸른 날이다. ⇨ 절인 '눈이 부시게'가 부사어로 쓰였군.
②	• 함박눈이 하늘에서 펑펑 내리고 있다. ⇨ 부사격 조사가 결합한 '하늘에서'와 부사 '펑펑'이 부사어로 쓰였군.
③	• 그는 너무 헌 차를 한 대 샀다. ⇨ 부사어 '너무'가 서술어 '샀다'를 수식하는군.
④	㉠ 영이는 엄마와 닮았다. / *영이는 닮았다. ㉡ 영이는 취미로 책을 읽는다. / 영이는 책을 읽는다. ⇨ ㉠의 '엄마와', ㉡의 '취미로'는 둘 다 부사어인데, ㉠의 '엄마와'는 ㉡의 '취미로'와 달리 필수 성분이군.
⑤	㉠ 모든 것이 재로 되었다. / *모든 것이 되었다. ㉡ 모든 것이 재가 되었다. / *모든 것이 되었다. ⇨ ㉠의 '재로'는 부사어이고 ㉡의 '재가'는 보어로서, 문장 성분은 서로 다르지만 서술어가 반드시 필요로 하는 성분이라는 점에서는 같군.

※ '*'는 비문임을 나타냄.

◐ 2016학년도 수능B 12번

10 〈보기〉는 한글 맞춤법 제1항이 파생어와 합성어에 적용된 예를 찾아본 것이다. ㉠~㉤에 들어갈 예로 적절한 것은?

〈보기〉

제1항 한글 맞춤법은 표준어를 ⓐ소리대로 적되, ⓑ어법에 맞도록 함을 원칙으로 한다.

	파생어	합성어
ⓐ만 충족한 경우	㉠	㉡
ⓑ만 충족한 경우	㉢	㉣
ⓐ, ⓑ 모두 충족한 경우	㉤	줄자(줄 + 자), 눈물(눈 + 물)

① ㉠: 이파리(잎 + 아리), 얼음(얼 + 음)

② ㉡: 마소(말 + 소), 낮잠(낮 + 잠)

③ ㉢: 웃음(웃 + 음), 바가지(박 + 아지)

④ ㉣: 옷소매(옷 + 소매), 밥알(밥 + 알)

⑤ ㉤: 꿈(꾸 + ㅁ), 사랑니(사랑 + 이)

◐ 2015학년도 수능A 15번

11 〈보기〉의 내용을 근거로 하여 잘못된 문장을 수정한 예로 적절하지 <u>않은</u> 것은?

〈보기〉

서술어의 자릿수는 문법적으로 정확하지 못한 문장을 수정하는 데 고려해야 할 중요한 기준이다. 서술어의 자릿수란 서술어가 반드시 갖추어야 하는 문장 성분의 수를 의미하는데, 다음과 같은 예를 들 수 있다.

◦ 한 자리 서술어: 꽃이 <u>피었다</u>.
◦ 두 자리 서술어: 고양이가 쥐를 <u>잡았다</u>.
◦ 세 자리 서술어: 동생은 나에게 책을 <u>주었다</u>.

서술어가 요구하는 문장 성분이 빠져 있으면 문법적으로 정확하지 못한 문장이 되므로 그 성분을 보충하여야 한다.

① 그들은 양식이 다 떨어지자 식량 공급을 요청했다.
→ 그들은 양식이 다 떨어지자 정부에 식량 공급을 요청했다.

② 문제는 우리가 예의를 지키지 못하는 경우가 많다.
→ 문제는 우리가 예의를 지키지 못하는 경우가 많다는 사실이다.

③ 나는 오늘 점심을 먹으면서 내 친구를 소개하였다.
→ 나는 오늘 점심을 먹으면서 내 친구를 누나에게 소개하였다.

④ 우리는 전화위복의 계기로 삼아 지금보다 강해질 것이다.
→ 우리는 그 일을 전화위복의 계기로 삼아 지금보다 강해질 것이다.

⑤ 형은 이곳에 온 지 얼마 되지 않아 어두울 수밖에 없다.
→ 형은 이곳에 온 지 얼마 되지 않아 동네 지리에 어두울 수밖에 없다.

▶ 2015학년도 9월 모평B 12번

12 〈보기〉는 '한글 맞춤법'의 일부를 정리한 것이다. 이를 통해 알 수 있는 사실로 적절한 것은?

〈보 기〉

[제19항]

◦ 어간에 '-이'가 붙어서 명사로 된 것과 '-이'가 붙어서 부사로 된 것은 그 어간의 원형을 밝히어 적는다.

예 먹이, 굳이, 같이 ································ ㉠

[제25항]

◦ '-하다'가 붙는 어근에 '-히'나 '-이'가 붙어서 부사가 되는 경우에는 그 어근의 원형을 밝히어 적는다.

예 꾸준히, 깨끗이 ································ ㉡

◦ 부사에 '-이'가 붙어서 역시 부사가 되는 경우에는 그 부사의 원형을 밝히어 적는다.

예 더욱이, 생긋이 ································ ㉢

① '급히 떠나다'의 '급히'는 ㉠의 '굳이'를 표기할 때 적용된 규정을 따른 것이군.

② '방긋이 웃다'의 '방긋이'는 ㉠의 '같이'를 표기할 때 적용된 규정을 따른 것이군.

③ '많이 먹다'의 '많이'는 ㉡의 '꾸준히'를 표기할 때 적용된 규정을 따른 것이군.

④ '깊이 파다'의 '깊이'는 ㉡의 '깨끗이'를 표기할 때 적용된 규정을 따른 것이군.

⑤ '일찍이 없던 일'의 '일찍이'는 ㉢의 '더욱이'를 표기할 때 적용된 규정을 따른 것이군.

수능 국어 문법 필수 개념서

국어 문법

F A Q

PART 3

문법 요소

PART

3 문법 요소

문법 체계 한눈에 보기

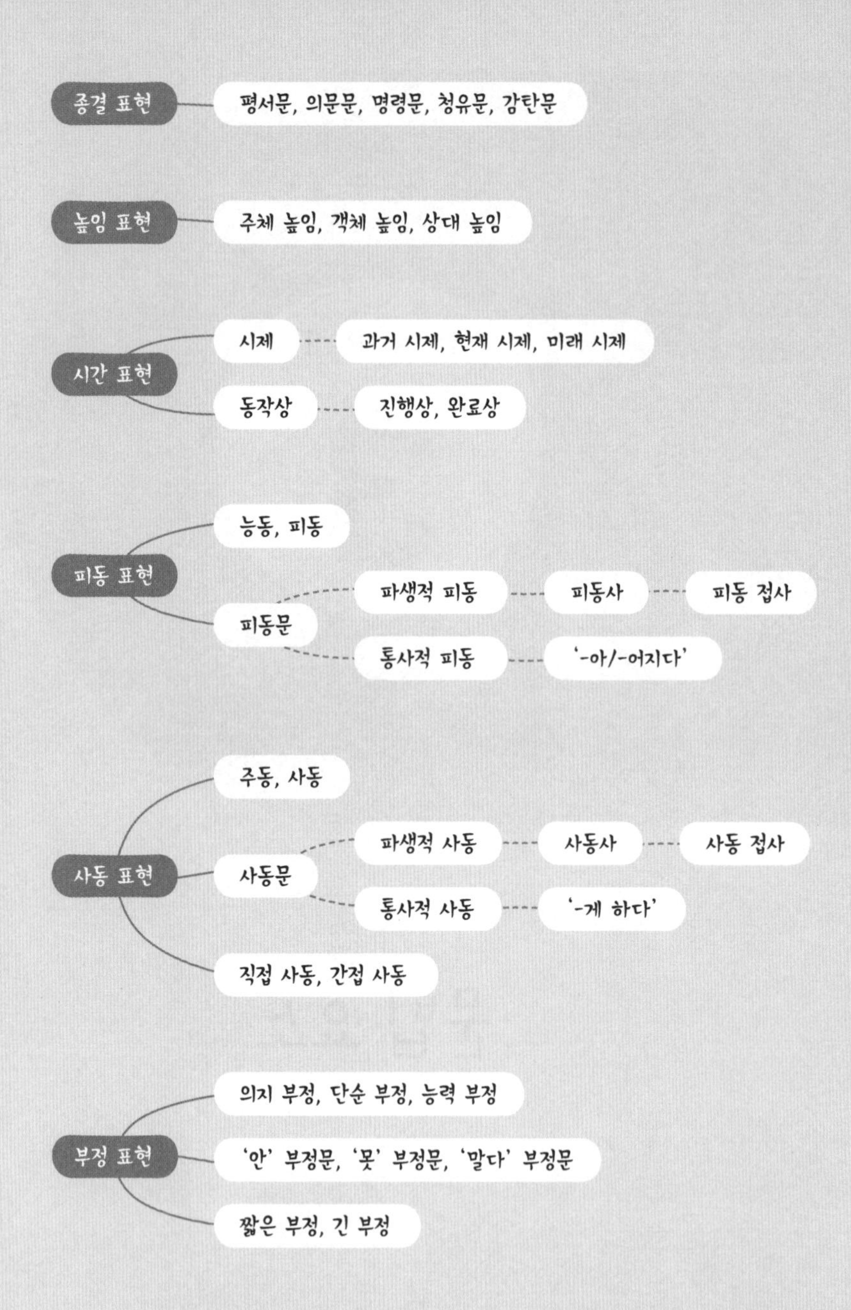

종결 표현

문장의 유형에 대하여
먹는다. / 먹니? / 먹어라. / 먹자. / 먹는구나!

종결 표현: 자신의 생각이나 느낌을 표현하기 위해 문장 끝에 사용하는 종결 어미 혹은 억양을 달리 표현하는 것
평서문: 화자가 청자에게 특별한 요구 사항 없이 어떤 정보를 전달하고자 하는 문장
의문문: 화자가 청자에게 질문하여 대답을 요구하는 문장
명령문: 화자가 청자에게 어떤 행동을 하도록 요구하는 문장
청유문: 화자가 청자에게 어떤 행동을 함께할 것을 요청하는 문장
감탄문: 화자가 청자를 별로 의식하지 않거나 거의 독백 상태에서 자기의 느낌을 표현하는 문장

⊕ 문장의 종류는 종결 어미에 의해 표현되는데, 종결 어미는 크게 두 가지 기능을 담당함 ① 화자가 청자에 대하여 높임이나 낮춤의 태도를 나타내는 기능(상대 높임법) ② 문장의 종류를 결정하는 기능

1. 문장의 유형

(1) 평서문

① 평서형 종결 어미의 대표형: '-다'
예 오늘은 날씨가 무척 덥다.
② 선어말 어미 '-더- / -리- / -니-' 뒤에서는 '-라'로 교체
예 오늘은 날씨가 무척 덥더라.
③ 동사의 어간에 직접 붙으면 일방적 장면에서 사실을 간략하게 진술하는 기능을 함
(일기, 신문 기사 등의 제목)
예 대한민국 '비보이' 춤으로 세계를 제패하다.
일요일 아침 7시, 북한산에 오르다.

(2) 의문문

① 의문형 종결 어미의 대표형: '-느냐 / -냐'
② 의문문의 종류
- 설명 의문문: 의문사를 사용하여 일정한 설명을 요구하는 의문문
  예 너, 도서관에 왜 가니?
- 판정 의문문: 의문사 없이 긍정 또는 부정의 대답을 요구하는 의문문
  예 너, 도서관에 가니?
- 수사 의문문: 형태는 의문문이지만 의미상으로는 의문문이 아닌 의문문
  – 청자에게 굳이 대답을 요구하지 않고 서술이나 명령, 감탄의 효과를 지닌다.

청자에게 대답을 요구하지 않는 의문문에는 어떤 것들이 있나요?

'나는 잘 하고 있는 걸까?'

일반적으로 의문문은 화자가 청자에게 질문하여 대답을 요구하는 문장이지? 그런데 '나는 잘 하고 있는 걸까?'와 같이 남에게 묻기 위한 것이 아니라 혼자서 의구심을 표현할 때에도 의문문을 사용할 수 있어. 또한 문장의 형식은 물음을 나타내지만 청자에게 답변을 요구하지 않는 의문문 중에서 대표적인 의문문으로 수사 의문문이 있는데 그 종류는 다음과 같아!

ㄱ. 반어 의문문: 겉으로 나타난 의미와는 반대되는 뜻을 나타내는 의문문. 강한 긍정 진술
예 너에게 장난감 하나 못 사줄까?
ㄴ. 감탄 의문문: 감탄의 뜻을 지니는 의문문
예 제주도의 경치가 이 얼마나 아름다운가?
ㄷ. 명령 의문문: 명령, 금지 등의 뜻을 지니는 의문문
예 빨리 가지 못하겠니? (명령 또는 강한 권고)
왜 그렇게 장난을 하니? (금지)
– 수사 의문문으로 쓰일 때는 금지의 의미로 대답을 요구하지 않지만, 설명 의문문이라면 왜 장난을 하는지에 대한 대답을 요구한다.

(3) 명령문

① 명령형 종결 어미의 대표형: '–아라 / –어라'

② 명령문의 주어는 반드시 청자

예 민수야, 의자에 앉아라.

③ 서술어는 동사로 한정

예 *제발 좀 착해라. / *형은 대학생이어라.

④ 과거 시제 선어말 어미 '–었–', '–더–', 미래 시제 선어말 어미 '–겠–'과 함께 나타나지 않음

예 이 책을 좀 들게. / *이 책을 좀 들었게. / *이 책을 좀 들겠게.

⑤ '–아라 / –어라'는 환경에 따라 '–거라', '–너라' 등으로 교체됨

예 그만 물러가거라. / 이리 오너라.

⑥ 명령문의 종류

직접 명령문: 직접 청자에게 명령 (–아라/–어라) 예 건강한 생활을 위해 골고루 먹어라.

간접 명령문: 매체를 통한 명령 (–(으)라) 예 알맞은 답을 고르라.

– 간접 인용절로 안길 때에는 명령형 종결 어미는 모두 '–(으)라'로 바뀐다.

말을 할 때		글을 쓸 때
알맞은 답을 골라라.	↔	알맞은 답을 고르라.
문제를 정확하게 읽어라.		문제를 정확하게 읽으라.
정확한 문장으로 고쳐라.		정확한 문장으로 고치라.
부모님께 편지를 써라.		부모님께 편지를 쓰라.

높임의 상대에게도 명령문을 쓸 수 있나요?

선생님, 이쪽으로 오십시오.

'선생님, 이쪽으로 오십시오.' 처럼 상대 높임의 가장 높은 단계인 하십시오체를 활용하면 높임의 대상자에게도 명령문을 쓸 수 있지만, 깍듯이 높여야 할 상대에게는 명령문을 좀 더 부드럽고 완곡하게 표현할 수 있어.

선생님, 이쪽으로 와 주십시오. – 보조 용언을 사용하여 완곡하게 표현하기
선생님, 이쪽으로 오시겠습니까? – 의문문을 사용하여 완곡하게 표현하기
선생님, 이쪽으로 오시지요. – 제안의 의미를 지닌 종결 어미를 사용하여 완곡하게 표현하기
선생님, 괜찮으시다면 이쪽으로 오십시오. – 상대방을 배려하는 어휘를 추가하여 완곡하게 표현하기
선생님, 이쪽으로 와 주셨으면 합니다. – 평서형 종결 어미를 통해 요청의 의미를 드러내어 완곡하게 표현하기

(4) 청유문

① 청유형 종결 어미의 대표형: '–자'

② 주어에 화자와 청자가 함께 포함

예 우리 함께 집에 가자.

③ 서술어는 동사로 한정

예 우리 좀 빨리 걷자. / *우리 좀 빠르자.

④ 과거 시제 선어말 어미 '–었–', '–더–', 미래 시제 선어말 어미 '–겠–'과 함께 나타나지 않음

예 함께 공부하자. / *함께 공부했자. / *함께 공부하겠자.

청유문은 화자와 청자가 어떤 행위를 함께하는 거 맞죠?

우리 이제 버스에서 내리자.

기본적으로 청유문은 '우리 이제 버스에서 내리자.'와 같이 화자가 청자에게 어떤 행동을 함께할 것을 요청하는 문장이 맞아. 하지만 청유문 중에는 청유문의 형식을 취하기는 하지만 화자가 하는 행위만을 언급하거나 청자가 하는 행위만을 언급하는 문장도 있어. 예를 들어 버스에서 내리려는데 길을 막고 있는 사람들에게 '좀 내립시다.'라고 한다면 청유문의 형식이지만 화자가 하는 행위만을 언급하는 것이고, 선생님이 수업 시간에 떠드는 학생들에게 '얘들아, 조용히 좀 하자.'라고 한다면 청유문의 형식이지만 청자가 하는 행위만 언급한 것이지. 다른 예들도 살펴보자.

(길을 막고 있는 사람에게) 좀 지나갑시다. – 청유문이지만 화자가 하는 행위만 언급

(화장실을 이용하려는 동생에게) 내가 화장실을 먼저 좀 쓰자. – 청유문이지만 화자가 하는 행위만 언급

(창가에 있는 친구에게) 추운데 창문 좀 닫자. – 청유문이지만 청자가 하는 행위만 언급

(선생님이 발표하는 학생들에게) 잘 안 들리니까 목소리 좀 크게 하자. – 청유문이지만 청자가 하는 행위만 언급

(5) 감탄문

① 감탄형 종결 어미의 대표형: '–구나'

② –구나 / –구먼 / –구려: 처음 알게 된 사실을 영탄적으로 진술할 때

예 어젯밤에 눈이 왔구나.

③ –어라 / –아라: 상대방을 고려하지 않은 독백에서 화자가 자신의 느낌을 진술할 때

예 아이고! 무서워라.

⊕ 감탄형 어미 '-어라 / -아라'는 느낌의 주체가 화자가 아니거나 서술어가 형용사가 아닐 경우에는 성립되지 않음

예 *아이고! 철수가 무서워라. / *아이고! 밥을 먹어라. – 동사일 경우 '–어라 / –아라'는 명령형 어미로 쓰인다.

간접 인용절에서도 문장의 유형에 따른 종결 어미를 그대로 사용하나요?

'영수가 그 책을 읽었다.'가 간접 인용절로 안기면?

유형	간접 인용절에서 종결 어미의 변화	
평서문	예 나는 영수가 그 책을 읽었다고 말했다.	〈비교〉 *나는 영수가 그 책을 읽었네 / 읽었습니다고 말했다.
의문문	예 나는 영수가 그 책을 읽었느냐고 물었다.	〈비교〉 *나는 영수가 그 책을 읽었는가 / 읽었습니까고 물었다.
명령문	예 나는 영수에게 그 책을 읽으라고 말했다.	〈비교〉 *나는 영수가 그 책을 읽어라 / 읽게 / 읽으십시오고 말했다.
청유문	예 나는 영수에게 그 책을 읽자고 말했다.	〈비교〉 *나는 영수가 그 책을 읽세 / 읽읍시다고 말했다.
감탄문	예 나는 영수가 그 책을 잘 읽었다고 말했다.	〈비교〉 *나는 영수가 그 책을 잘 읽었구나 /읽었구먼고 말했다.

간접 인용절의 구성에서 종결 어미는 상대 높임의 등급이 사라지면서 평서문과 감탄문에서는 '-다', 의문문에서는 '-느냐', 명령문에서는 '-(으)라', 청유문에서는 '-자'만 허용돼. 특히 명령문에서 '-아라/-어라'가 '-(으)라'로 바뀐다는 점에 주의하자!

높임 표현

대상에 따라
높고 낮은 정도

높임 표현: 말하는 이가 듣는 이나 어떤 대상에 대하여 높고 낮음에 따라 언어적으로 구별하여 표현하는 것

주체 높임: 문장의 주체, 곧 문장의 주어를 높이는 표현 방식

– 선어말 어미 '-(으)시-', 주격 조사 '께서', 접사 '-님', 특수 어휘 '계시다, 주무시다' 등에 의해 실현된다.

객체 높임: 문장의 객체, 곧 문장의 목적어나 부사어를 높이는 표현 방식

– 부사격 조사 '께', 특수 어휘 '뵙다', '드리다', '여쭈다', '모시다' 등에 의해 실현된다.

상대 높임: 듣는 이, 곧 청자를 높이거나 낮추는 표현 방식

– 청자에 대한 높임이나 낮춤의 정도가 종결 어미에 의해 실현된다.

평가원 밑줄 2021학년도 ⑥ 화자는 특정 어휘나 조사, 어미 등을 사용하여 높임을 표현한다.

⊕ 문장 종결에 따른 상대 높임법의 등급 알아두기

구분		평서문	의문문	명령문	청유문	감탄문
격식체	하십시오체	합니다	합니까?	하십시오	하시지요	–
	하오체	하오	하오?	하오	합시다	하는구려
	하게체	하네	하는가?	하게	하세	하는구먼
	해라체	한다	하냐, 하니?	해라, 하렴	하자	하는구나
비격식체	해요체	해요	해요?	해요	해요	해요
	해체	해, 하지	해?, 하지?	해, 하지	해	해, 하는군

모든 문장은 상대 높임이 실현되는 건가요?

아버지, 선생님께서 할아버지께 이것을 갖다 드리라고 하셨어요.

상대 높임법은 종결 어미를 통해 이루어지는데, 상대 높임법은 상대를 높일 때만 사용하는 것이 아니라 낮출 때에도 사용하지. 일반적으로 문장은 종결 어미를 통해 끝을 맺으니까 대부분의 문장에서 상대 높임이 실현된다고 할 수 있어. '아버지, 선생님께서 할아버지께 이것을 갖다 드리라고 하셨어요.'에서 청자는 '아버지'잖아? 즉, 자식이 높임의 대상인 아버지에게 말을 하는 것이므로 높임을 표현하는 '-어요'(어미 '-어'와 보조사 '요'가 결합한 말)를 사용한 거야. 이때 '하셨어요'는 비격식체에 해당하는데, 비격식체는 청자와 가까운 상황에서 친밀감을 나타내는 상황에서 쓰이지. 공식적이고 청자와 다소 거리를 두며 예의를 갖추는 상황이라면 '하셨습니다'와 같이 격식체를 사용할 수 있어. 만약 상대 즉, 청자가 말하는 사람보다 아랫사람이라면 위의 예문은 어떻게 바뀔까? 사적인 상황에서 동생 철수에게 하는 말이라면 '철수야, 선생님께서 할아버지께 이것을 갖다 드리라고 하셨어.'가 되겠지?

아버지, 선생님께서 할아버지께 이것을 갖다 드리라고 하셨(-시- + -었-)어요.
주체 높임 객체 높임 객체 높임 주체 높임 상대 높임

1. 높임법

(1) 주체 높임법 평가원 밑줄 2014학년도 ⑥ 주체 높임법이란 주어가 나타내는 대상인 주체를 높이는 것이다.

- 문법 표지: 주체 높임 선어말 어미 '-시-', 주격 조사 '께서', 접사 '-님', 특수 어휘 '계시다, 주무시다, 잡수시다' 등
- 직접 높임: 문장의 주체를 직접 높임

  예 어머니, 선생님께서 오십니다.
  선생님께서도 오셨군요.

- 간접 높임: 주어와 관련된 대상(신체의 일부, 소유물 등)을 높여 주체를 간접적으로 높임

  예 할머니께서는 귀가 밝으시다.
  아버지께서는 감기가 드셨다.
  선생님께서는 댁에 책이 많이 있으시다.

'있다'의 높임 표현은 '있으시다'인가요, '계시다'인가요?

할아버지께서는 방에 계신다. vs. 할아버지께서는 돈이 있으시다.

'있다'에는 동사와 형용사 두 가지 쓰임이 있어. '있다'가 '머물다'는 의미인 동사로 사용될 때는 높임말이 '계시다'가 되지만, '존재하는 상태'라는 의미인 형용사로 쓰일 때는 높임말이 '있으시다'가 돼. 그리고 동사 '있다'는 '있어라, 있자'처럼 명령형이나 청유형 어미와 자유롭게 결합하지만, 형용사 '있다'는 그런 어미와 어울리지 못해. '방에 있다.'에서 '있다'는 '머물다'는 의미로 쓰였으니까, '방에 있어라, 방에 있자.'처럼 명령형과 청유형으로 활용하는 게 자연스럽지? 따라서 이때 '있다'는 동사로 사용되었고, 주어가 높임의 대상일 경우 '할아버지께서는 방에 계신다.'처럼 쓸 수 있어. 그런데 '돈이 있다.'에서 '있다'는 '존재하는 상태'를 의미하니까 '*돈이 있어라.' 또는 '*돈이 있자.'처럼 쓸 수 없어. 따라서 이때 '있다'는 형용사로 사용되었고, 주어가 높임의 대상일 경우 '할아버지께서는 돈이 있으시다.'로 써야 해. 참고로 이 경우는 할아버지를 간접적으로 높인 간접 높임에 해당돼!

할아버지께서는 방에 계신다. – '할아버지'를 직접적으로 높임
할아버지께서는 돈이 있으시다. – '할아버지'를 간접적으로 높임

(2) 객체 높임법 평가원 밑줄 2014학년도 ⑥ 객체 높임법이란 문장의 목적어나 부사어가 나타내는 대상인 객체를 높이는 것이다.

- 문법 표지: 부사격 조사 '께', 특수 어휘 '여쭈다, 모시다, 뵙다, 드리다' 등

  예 나는 어머니를 모시고 집으로 왔다.
  한 학생이 국어 책을 선생님께 드렸다.
  윤성이는 어제 할아버지를 뵈러 고향에 내려갔다.
  모르는 것이 있으면 선생님께 여쭈어라.

현대 국어의 객체 높임법은 어미로 나타낼 수 없나요?

할아버지를 뵙다. (현대 국어) vs. 보숩다 (중세 국어)

객체 높임법은 문장에서 주어의 행위가 미치는 대상, 즉 목적어나 부사어를 높이는 표현이야. 중세 국어에서는 동사나 형용사의 어간에 선어말 어미 '-숩-/-숳-, -줍-/-줗-, -숩-/-숳-'을 붙여 객체 높임을 표현했지만, 현대 국어에서는 이러한 객체 높임 선어말 어미는 사라졌고 '보다', '주다', '말하다' 등에 대하여 '뵙다', '드리다', '여쭈다'와 같은 높임의 특수 어휘를 써서 객체 높임을 표현해.

(3) 상대 높임법 평가원 밑줄 2015학년도 ⑥ 상대 높임법이란 대화의 상대인 청자를 높이거나 낮추는 것이다.

• 문법 표지: 종결 어미

격식체		비격식체	
아주높임	하십시오체	두루높임	해요체
예사 높임	하오체		
예사 낮춤	하게체	두루낮춤	해체 (반말)
아주낮춤	해라체		

- 철수네가 축구장에 간다. (해라체)
- 나 먼저 가네. (하게체)
- 내가 먼저 가오. (하오체)
- 철수가 축구장에 갑니다. (하십시오체)

- 철수가 축구장에 가. (해체)
- 철수가 먼저 가요. (해요체)

부적절한 높임 표현에 해당하는 경우를 알려 주세요!

부적절한 높임 표현은 주로 간접 높임의 대상을 직접 높여 말하거나, 높임이 불필요한 대상을 높이는 경우를 말해. 예를 들어 '선생님 수업이 언제 계신가요?'와 같은 문장에서는 간접 높임을 써야 할 것을 직접 높임으로 썼기 때문에 부적절한 높임 표현이 되고, '요즘에는 이런 모양이 유행이세요.', '고객님, 주문하신 상품은 배송되셨습니다.'에서는 '모양, 상품'을 높일 필요가 없는데 높임 표현을 사용해 부적절한 높임 표현이 된 거야. 그럼 적절하게 바꾸어 보자.

선생님 수업이 언제 계신가요? → 선생님 수업이 언제 있으신가요?
요즘에는 이런 모양이 유행이세요. → 요즘에는 이런 모양이 유행이에요.
고객님, 주문하신 상품은 배송되셨습니다. → 고객님, 주문하신 상품은 배송되었습니다.

'드시다'와 '잡수시다' 모두 높임의 특수 어휘인가요?

- 자, 어서 와서 좀 드시게.
  - → '드시다': '먹다'의 높임말인 '들다'의 어간 '들-'에 높임의 선어말 어미 '-시-'가 결합
    현재 '드시다'는 표준국어대사전에 표제어로 등재되어 있지 않아 '들다'가 활용한 형태로 본다.
- 할머니께서 진지를 잡수신다.
  - → '잡수시다': '먹다'를 높인 특수 어휘
    현재 '잡수시다'는 표준국어대사전에 표제어로 등재되어 있어 하나의 특수 어휘로 본다.

'드시다(들- + -시- + -다)'는 '먹다'의 높임말인 '들다'의 활용형이야. 현재 국어사전에 '먹다'의 높임말로 '드시다'가 등재되어 있지 않기 때문에 '드시다'를 하나의 특수 어휘로 볼 수는 없어. 그런데 '잡수시다'는 하나의 단어로 굳어졌고, 국어사전에도 등재되어 있기 때문에 하나의 특수 어휘라고 할 수 있지. 그래서 '잡수시다'는 선어말 어미 '-시-'를 따로 분석하지 않아. 조금 헷갈리지? 사람들이 많이 쓰는 언어 표현들을 이론화시킨 것이 문법인데, 언어의 변화는 계속 나타나기 때문에 명확하게 설명되지 않는 경우도 많아. 그래서 학자들마다 의견 차이가 있는 부분도 많은 거야. 수능을 준비하는 우리는 의견 차이가 있는 부분이 어떤 것이고, 현 시점에서 이를 어떻게 보고 있는지 정도만 알고 가면 되니까 너무 걱정하지 마!

드시다: 들- + -시- + -다
잡수시다: 잡수시- + -다

'높임법' 한눈에 보기

	중세 국어			현대 국어
주체 높임법	-시- -샤-			-시-
객체 높임법	-ᄉᆞᆸ- / -ᄉᆞᄫ- -ᄌᆞᆸ- / -ᄌᆞᄫ- -ᅀᆞᆸ- / -ᅀᆞᄫ-			부사격 조사 '께', 특수 어휘 등으로 나타남
상대 높임법	ᄒᆞ쇼셔체	-이-/-잇-	평서형: ᄒᆞᄂᆞ이다 의문형: ᄒᆞᄂᆞ니잇가 명령형: ᄒᆞ쇼셔	주로 종결 어미로 나타남
	ᄒᆞ야쎠체	-ᅌᅵ-/-ㅅ-	평서형: ᄒᆞᄂᆡᆼ다 의문형: ᄒᆞᄂᆞ닛가 명령형: ᄒᆞ야쎠	
	ᄒᆞ라체	없음	평서형: ᄒᆞᄂᆞ다 의문형: ᄒᆞᄂᆞ녀 / ᄒᆞᄂᆞ뇨 명령형: ᄒᆞ라	

⊕ 중세 국어에는 객체 높임법과 상대 높임법에서 현대 국어에는 쓰이지 않는 선어말 어미가 쓰였음

시간 표현

어제, 오늘, 내일
비가 왔다. / 비가 온다. / 비가 오겠다.

시제: 어떤 사건이나 사실이 일어난 시간 선상의 위치를 언어적으로 표현하는 것

발화시: 화자가 말을 하는 시점

사건시: 어떤 사건이 일어나는 시점

⊕ 시제는 발화시와 사건시의 관계에 따라 과거 시제, 현재 시제, 미래 시제로 나뉨

과거 시제: 발화시보다 사건시의 시점이 앞서는 시제

현재 시제: 발화시와 사건시의 시점이 일치하는 시제

미래 시제: 발화시보다 사건시의 시점이 나중인 시제

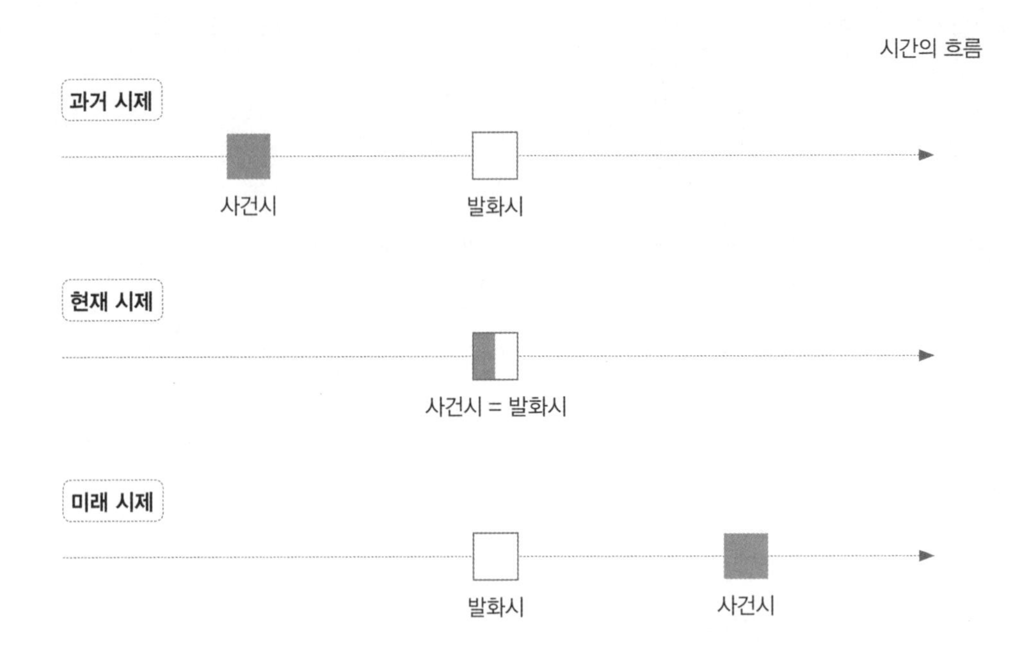

<table>
<tr><th colspan="2">시제 실현 방법</th><th>과거</th><th>현재</th><th>미래</th></tr>
<tr><td rowspan="2">선어말
어미</td><td>동사</td><td rowspan="2">'–았–/–었–',
'–았었–/–었었–',
'–더–'
예 먹었다, 먹었었다, 먹더라,
예뻤다, 예뻤었다, 예쁘더라</td><td>'–ㄴ–/–는–'
예 먹는다</td><td rowspan="2">'–겠–'<br>'–(으)리–'
예 먹겠다, 먹으리라</td></tr>
<tr><td>형용사, 서술격 조사</td><td>기본형
예 예쁘다</td></tr>
<tr><td rowspan="2">관형사형
어미</td><td>동사</td><td>'–(으)ㄴ'
예 먹은</td><td>'–는'
예 먹는</td><td rowspan="2">'–(으)ㄹ'
예 먹을</td></tr>
<tr><td>형용사, 서술격 조사</td><td>'–던'
예 예쁘던</td><td>'–(으)ㄴ'
예 예쁜</td></tr>
<tr><td colspan="2">시간 부사어</td><td>어제, 일찍, 옛날, 작년 등</td><td>지금, 현재, 이제, 오늘 등</td><td>내일, 장차, 모레, 후에 등</td></tr>
</table>

동작상: 시간의 흐름 속에서 어떤 동작의 양상을 나타내는 것

진행상: 어떤 사건이 특정 시간 구간 내에서 계속 이어지고 있음을 나타내는 것

완료상: 어떤 사건이 끝났거나 끝난 후의 결과 상태가 지속되고 있음을 나타내는 것

완료상과 과거 시제는 어떻게 다른가요?

철수가 집에 갔다. vs. 사과가 잘 익었다.

완료상은 어떤 사건이 끝났거나 끝난 후의 결과 상태가 지속되고 있음을 나타낸다고 했지? '철수가 집에 갔다.' 라는 문장은 시제로 따지면 과거이고, 특정 시간 구간 내에서 동작의 양상을 따지면 완료상이 되어서 '가다' 라는 행위가 끝났음을 나타내고 있어. 완료상의 또 다른 예로 '사과가 잘 익었다.' 를 살펴보면 '익다' 라는 작용이 끝난 후 그 결과 상태가 지속되고 있음을 의미하지. 참고로 어떤 사건이 끝난 후의 결과 상태가 지속되고 있음을 더 분명히 나타내기 위해서는 '-아/-어 있다.' 를 사용해서 '사과가 잘 익어 있다.' 라고 쓸 수도 있어. 즉 시제와 동작상은 의미적으로 겹치는 부분이 있지만, 동작상은 어떤 사건이나 동작에 초점을 맞춘 시간 표현이라는 점에서 이 둘은 차이가 있어!

1. 시제

(1) 과거 시제

① 선어말 어미

- '–았–/–었–': 과거 시제 선어말 어미

예 우리는 어제 그 영화를 보았다.
우리들이 처음 만난 것은 눈발 속이었지.

- '–았었–/–었었–': 현재와의 강한 단절

예 예전에 두 사람은 사랑했었다.
그 해 겨울밤은 정말 포근하게 느껴졌었지.

- '–더–': 과거 회상 선어말 어미

예 세미는 어제 도서관에서 공부하더라.

② 관형사형 어미

- '–(으)ㄴ': 동사의 어간에 결합
- '–던': 형용사의 어간이나 서술격 조사에 결합

예 영수가 아름답던 그녀를 처음 만난 것은 눈발 속이었지.

③ 시간 부사어: 옛날, 어제, 작년 등

예 나는 어제 수업을 들었다.

'–았–/–었–'이 나타나면 무조건 과거 시제인가요?

'–았–/–었–'이 항상 과거 시제로만 쓰이는 것은 아니야. 완료된 상태에서 지속되고 있음을 표현하거나 미래의 일을 확정적인 사실로 받아들임을 표현하기 위해서 사용되기도 해.

- 현재 시제를 나타내는 경우

수호는 엄마를 닮았다.
이 수박이 잘 익었다.
영희가 예쁜 옷을 입었다.

→ '–았–/–었–'이 '완료' 또는 '완결 지속'을 나타내며 과거 시제가 아니라 현재 시제를 나타내는 표현으로 사용됨

- 미래 상황을 표현하는 경우

너는 내일 소풍은 다 갔다.
너 이제 장가는 다 갔다.
넌 오늘 집에 오면 혼났다.

→ '–았–/–었–'이 '미래의 일을 확정적인 사실로 받아들임'을 나타내는 표현으로 사용됨

(2) 현재 시제

① 선어말 어미

- '–는–/–ㄴ–': 동사의 어간에 결합

  예 영수가 지금 밥을 먹는다.
  민호가 학교에 간다.

- 형용사나 서술격 조사의 기본형: 선어말 어미 없이 현재 시제를 나타냄

  예 영희는 참 아름답다.
  영수는 학생이다.

② 관형사형 어미

- '–는': 동사의 어간에 결합
- '–(으)ㄴ': 형용사의 어간이나 서술격 조사에 결합

  예 내가 아름다운 그녀를 사랑하는 것은 지금도 변함없다.

③ 시간 부사어: 지금, 현재, 오늘 등

  예 나는 지금 수업을 듣고 있다.

(3) 미래 시제

① 선어말 어미

- '–겠–': 미래 시제 선어말 어미

  예 내일 비가 오겠습니다.

- '–리–': '–(으)리다', '–(으)리라', '–(으)리까', '–(으)리니' 등의 한정된 표현에서 사용

  예 내일이면 서울에 다다르리라.

② 관형사형 어미

- '–(으)ㄹ': 동사의 어간에 결합

  예 나는 앞으로 태어날 아이를 위해 기도하겠다.

  – 관형사형 어미 '–(으)ㄹ'과 의존 명사 '것'이 서술격 조사 '이다'와 결합한 '–(으)ㄹ 것이다'도 미래를 표현하는 데 사용된다.

  예 내일은 날씨가 좋을 것이다.

③ 시간 부사어: 내일, 장차, 모레 등

  예 나는 내일 수업을 들을 것이다.

'–겠–'이 나타나면 무조건 미래 시제인가요?

선어말 어미 '-겠-'이 미래 시제만을 나타내는 것은 아니야. 맥락에 따라 추측이나 의지, 확신 등의 의미를 나타내기도 하지. 예를 들면 다음과 같아!

철수는 벌써 도착했겠다. (과거의 추측)
그곳엔 지금 눈이 오겠다. (현재의 추측)
내일 비가 오겠다. (미래의 추측)
내일은 반드시 일찍 오겠습니다. (의지)
그 정도는 나도 하겠다. (확신)

학교에서 절대 시제와 상대 시제라는 말을 들었는데, 정확히 이해가 안 가요.

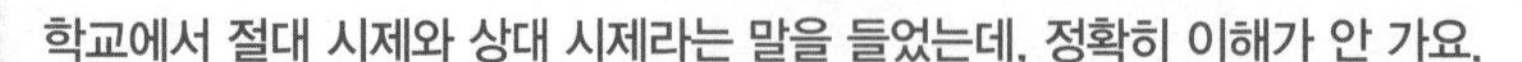

수지는 어제 김장하시는 어머니를 도와드렸다.

일반적으로 발화시를 기준으로 하여 그 앞뒤의 시간 관계를 따지는 것을 '절대 시제'라 하고, 사건시를 기준으로 하여 그 앞뒤의 시간 관계를 따지는 것을 '상대 시제'라고 해. 상대 시제는 주로 겹문장에서 관형사형 어미나 연결 어미에 의해 나타나. 예를 들어 '수지는 어제 김장하시는 어머니를 도와드렸다.'에서 발화시를 기준으로 따진 절대 시제는 '도와드렸다.'에서 알 수 있듯이 과거야. 그런데 관형절로 안긴문장인 '김장하시는'을 보면 과거를 나타내는 '-은'이 아니라 현재를 나타내는 '-는'을 사용하고 있지? 그 이유는 수지가 어머니를 도와드린 그 시간에 어머니가 김장하시는 중이었기 때문이지. 다시 말해 상대 시제는 사건시를 기준으로 삼기 때문에 어머니를 도와드린 그 시점에서 '김장하시는'은 현재가 되는 거야.

2. 동작상

(1) 진행상

• 실현 방법: 보조 용언 '–고 있다', '–아/–어 가다', '–는 중이다', 연결 어미 '–(으)면서', '–느라고'

예 바람이 세게 불고 있다.
과일이 빨갛게 익어 간다.
지금은 비가 내리는 중이다.
나는 노래를 들으면서 공부를 한다.
어머니는 손님을 맞이하느라고 정신이 없다.

(2) 완료상

• 실현 방법: 보조 용언 '–아/–어 있다', '–아/–어 버리다', 연결 어미 '–고서', '–자마자'

예 옷이 다 말라 있다.
짜장면을 다 먹어 버렸다.
철수는 밥을 다 먹고서 집에 갔다.
시험에 합격하자마자, 세영이는 경수와 결혼했다.

'철수가 차에 타고 있다.'가 진행상인지 완료상인지 헷갈려요.

철수가 차에 타고 있다.

'철수가 차에 타고 있다.'는 이미 차에 타는 행위가 완료된 상태에서 철수가 차 안에 있는지, 철수가 차에 타는 행위가 진행 중인지에 따라 두 가지 의미로 해석될 수 있어. '철수가 차에 천천히 타고 있다.'처럼 부사어를 넣어주거나, '철수가 차에 타고 있는 중이다.'처럼 '–고 있다'의 구성을 '–고 있는 중이다.'로 바꾸면 중의성을 해소하고 진행상임을 분명히 나타낼 수 있지. 참고로 '입다, 매다, 쓰다, 끼다, 타다' 등과 같은 동사에 '–고 있다'가 결합되면 중의적 의미를 가지게 된다는 것을 알아 두자!

평가원 밑줄 2016학년도 ⊕ 보조 용언 구성 '–고 있–'은 크게 두 가지 의미를 지닌다.
1. '어떤 동작이 진행되고 있음'을 나타냄 예 민수는 지금 떡국을 먹고 있다.
2. '어떤 상태가 지속되고 있음'을 나타냄 예 선생님은 너를 믿고 있다.
3. 문맥이 충분히 주어지지 않으면 '–고 있–'이 두 가지 의미 모두로 해석될 수 있음 예 지혜는 모자를 쓰고 있다.

피동 표현

피동 표현에 대하여
잡느냐 잡히느냐

능동: 주어가 동작을 스스로의 힘으로 하는 것
피동: 주어가 다른 주체에 의해서 동작을 당하게 됨을 나타내는 것

피동문: 주어가 다른 주체에 의해서 동작을 당하게 되는 것을 나타내는 문장
피동사: 어근에 피동 접미사 '–이– / –히– / –리– / –기–'가 붙어 만들어진 동사

1. 능동문을 피동문으로 바꿀 때의 특징

능동문		피동문
경찰이 범인을 잡았다.(잡- + -았- + -다) 개가 사람을 물었다.(물- + -었- + -다) 몽룡이가 춘향이를 안았다.(안- + -았- + -다)	↔	범인이 경찰에게 잡혔다.(잡- + -히- + -었- + -다) 사람이 개에게 물렸다.(물- + -리- + -었- + -다) 춘향이가 몽룡이에게 안겼다.(안- + -기- + -었- + -다)

① 능동사가 피동사로 바뀔 때는 일반적으로 타동사가 자동사로 바뀐다.

- 예외: 자동사에서 파생된 피동사도 있다. 예 종이 울다. - 종이 울리다.
- 통사적 피동문의 경우 타동사뿐 아니라 자동사나 형용사의 어간에 붙을 수 있다. 예 길이 넓다. - 길이 넓어지다.

② 능동문의 목적어가 피동문에서 주어로 대응된다.

③ 능동문의 주어는 피동문에서 부사어로 대응된다.

④ 능동문의 서술어가 피동문에서는 피동 접미사 '-이-/-히-/-리-/-기-'가 결합한 피동사나 '-아/-어지다'가 결합한 피동 표현으로 바뀐다.

2. 피동 표현 만들기

(1) 파생적 피동(단형 피동): 피동 접미사를 이용하는 방법

피동 접미사	예	
-이-	산이 보이다. 나뭇가지가 꺾이다. 이 글은 두 문단으로 나뉘다.	들판이 온통 눈으로 덮이다. 먼지가 쌓이다.
-히-	성문이 닫히다. 안개가 걷히다. 책장에 책이 꽂히다.	꽃잎에 이슬이 맺히다. 나무가 도끼에 찍히다.
-리-	그림이 벽에 걸리다. 책에 제목이 달리다. 벽에 구멍이 뚫리다.	운동화 끈이 풀리다. 치마가 바닥에 끌리다.
-기-	눈이 감기다. 실이 끊기다. 아기가 어머니 품에 안기다.	바구니에 과일이 담기다. 그가 경찰에게 쫓기다.
-되(다)	안건이 만장일치로 가결되다. 수익금 전액이 문화 사업에 사용되다. 도시가 형성되다.	

(2) 통사적 피동(장형 피동): '-아/-어지다'

피동 표현	예	
-아/-어지다	기차가 저만치 멀어지다. 옷고름이 풀어지다. 소원이 이루어지다.	책상이 튼튼하게 만들어지다. 유학 갈 기회가 주어지다.

형용사 '예쁘다'에 '–어지다'가 붙으면 동사가 되는 건가요?

예뻐지다.

'예쁘다', '아름답다', '슬프다' 등 형용사의 어간에 '–어지다'가 붙으면 앞말이 뜻하는 상태로 됨을 의미하는 동사가 돼. 예를 들어 '예쁘다'의 어간 뒤에 '–어지다'가 붙은 '예뻐지다'는 '모양, 생김새 따위가 보기에 좋아지다.'라는 뜻의 동사가 되어 '예뻐져라, 예뻐지자'와 같이 명령형과 청유형으로 활용할 수 있어. '–어지다'가 붙은 말 중 널리 쓰이는 '예뻐지다, 슬퍼지다' 등은 국어사전에 표제어로도 실려 있어. 물론 아직까지는 일반적으로 '–어지다'를 하나의 접사로 인정하지 않기 때문에 '–어지다'가 붙은 모든 말이 사전에 등재되어 있지는 않아. 하지만 '–어지다'가 붙은 말은 사전에 등재되어 있지 않더라도 동사처럼 활용을 한다는 것, '–어지다'는 특이하게 보조적 연결 어미 '–어'와 보조 동사 '지다'를 반드시 붙여 쓴다는 것을 기억하자!

'능동'과 '피동'의 관계를 비교해서 설명해 주세요.

이 글씨는 아무리 지우려고 해도 지워지지 않는다.
그 사람은 아무리 잡으려고 해도 잡히지 않았다.

'이 글씨는 아무리 지우려고 해도 지워지지 않는다.'에서 '지우려고(지우다)'는 주체가 스스로의 힘으로 글씨를 지우는 행위를 하는 것을 의미해. 그래서 글씨를 지우려고 하는 주어 '내가'가 생략되어 있다고 생각할 수 있겠지? 그럼 '지워지지'와 호응하는 주어는 무엇일까? 바로 '이 글씨는'이야. 피동은 주어가 다른 주체에 의해서 동작을 당하게 됨을 의미하잖아. '이 글씨는'은 지우는 행위를 당하게 되는 대상이니 '지워지지'의 주어가 되는 거지. '그 사람은 아무리 잡으려고 해도 잡히지 않았다.'도 마찬가지겠지? 그럼 이 두 문장을 능동과 피동으로 분석해 보자.

지우–(어간) + –려고(어미) :능동 / 피동: 지우–(어간) + –어지–(피동 표현) + –지(어미)
이 글씨는 아무리 (내가) 지우려고 해도 지워지지 않는다.

그 사람은 아무리 (내가) 잡으려고 해도 잡히지 않았다.
잡–(어간) + –으려고(어미) :능동 / 피동: 잡–(어근) + –히–(피동 접사) + –지(어미)

3. 피동 표현과 관련된 문제

(1) 능동문과 피동문의 의미 해석

- 피동문에서는 주어가 일단 주어진 대상으로 파악되기 때문에 중의성을 가지지 않는다.

┌ 농부 두 사람이 개구리 한 마리를 잡았다. – 능동문: ① 농부 두 사람이 각각 한 마리씩 ② 농부 두 사람이 합쳐서 한 마리 → 중의성
└ 개구리 한 마리가 농부 두 사람에게 잡혔다. – 피동문: 농부 두 사람이 합쳐서 한 마리

(2) 대응되는 능동문이 없는 경우 / 대응되는 피동문이 없는 경우

① 대응되는 능동문이 없는 경우

- 시간이 흐르거나 날씨가 바뀌는 것은 자연적인 것으로 어떤 주체의 동작성을 표현하기 어렵기 때문에 대응되는 능동문을 갖지 못한다.

┌ 책을 읽는 데 한 시간이 걸렸다.: 피동문 ⇏ 능동문 (→ *책을 읽는 데 누군가가 한 시간을 걸었다. (부자연스러움))
└ 오늘 갑자기 날씨가 풀렸다.: 피동문 ⇏ 능동문 (→ *오늘 갑자기 누군가가 날씨를 풀었다. (부자연스러움))

② 대응되는 피동문이 없는 경우

- 능동문의 목적어가 무정물인 경우, 무정물이 피동문의 주어가 되는 것은 부자연스럽고 이러한 피동문은 의미 없는 결과를 나타낸다.

┌ 철수가 밥을 먹었다.: 능동문 ⇏ 피동문 (→ *밥이 철수에 의해 먹혔다. (부자연스러움))
└ 철수가 욕을 먹었다.: 능동문 ⇏ 피동문 (→ *욕이 철수에 의해 먹혔다. (부자연스러움))

'이중 피동'은 잘못된 표현인가요?

믿겨지다, 잊혀지다, 끊겨지다, 씻겨지다

이중 피동은 피동사에 의한 피동과 '-아/어지다'에 의한 피동이 중복되어 나타나는 경우를 말해. '믿겨지다, 잊혀지다, 끊겨지다, 씻겨지다'와 같은 것들이 그 예인데, 학교 문법에서는 이중 피동을 잘못된 표현으로 보고 있어. 그래서 이들을 올바르게 수정하면 아래와 같아.

이중 피동		올바른 피동
믿겨지다 (믿- + -기- + -어지다)	→	믿기다 / 믿어지다
잊혀지다 (잊- + -히- + -어지다)	→	잊히다 / 잊어지다
끊겨지다 (끊- + -기- + -어지다)	→	끊기다 / 끊어지다
씻겨지다 (씻- + -기- + -어지다)	→	씻기다 / 씻어지다

⊕ '잊혀지다'와 같은 말은 '잊히다'나 '잊어지다'와는 미묘하게 다른 의미를 지니므로 이중 피동이 잘못된 표현이 아니라고 보는 의견도 있음

사동 표현

사동 표현에 대하여
입느냐 입히느냐

주동: 주어가 행동이나 동작을 스스로 하는 것
사동: 주어가 다른 대상에게 어떤 행위를 하게 하거나 어떤 상황에 놓이게 하는 것

사동문: 주어가 다른 대상에게 어떤 행위를 하게 하거나 어떤 상황에 놓이게 하는 것을 표현한 문장
사동사: 어근에 사동 접미사 '-이- / -히- / -리- / -기- / -우- / -구- / -추-, -시키(다)'가 붙어 만들어진 동사

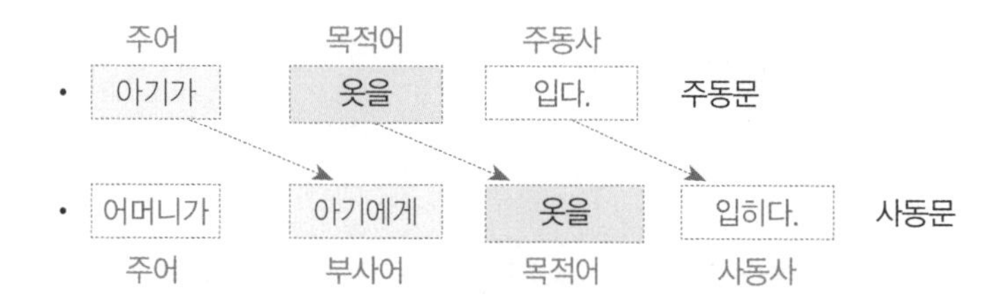

직접 사동: 주어가 직접 참여하여 다른 대상에게 어떤 행위를 하게 하는 것
간접 사동: 주어가 다른 대상에게 말 등을 통해 간접적으로 시켜 어떤 행위를 하게 하는 것

평가원 밑줄 2014학년도 ⑥ 일반적으로 사동문은 주어가 다른 대상을 동작하게 하거나 특정한 상태에 이르도록 하는 문장을 말한다. 사동문은 어근에 접미사가 결합한 사동사나 어간에 '-게 하다'가 결합한 구성에 의해 만들어진다.

1. 주동문을 사동문으로 바꿀 때의 특징

주동			사동	
자동사	눈이 녹는다.(녹- + -는- + -다)	↔	타동사	봄바람이 눈을 녹인다.(녹- + -이- + -ㄴ- + -다)
타동사	꼬마가 약을 먹는다.(먹- + -는- + -다)			엄마가 꼬마에게 약을 먹인다. (먹- + -이- + -ㄴ- + -다)
형용사	길이 넓다.(넓- + -다)			사람들이 길을 넓히다.(넓- + -히- + -다)

① 사동문은 원칙적으로 모두 타동사이다. (목적어 있음)

② 주동문과 달리 사동문에서는 사동주(주어)가 새롭게 도입된다.

③ 주동문의 주어는 사동문에서 목적어나 부사어로 대응된다.

④ 주동문의 서술어가 사동문에서는 사동 접미사 '-이-/-히-/-리-/-기-/-우-/-구-/-추-' 또는 '-시키(다)'가 결합한 사동사나 '-게 하다'가 결합한 사동 표현으로 바뀐다.

2. 사동 표현 만들기

(1) 파생적 사동(단형 사동): 사동 접미사를 이용한 방법

사동 접미사	자동사 어근 + 사동 접미사	타동사 어근 + 사동 접미사	형용사 어근 + 사동 접미사
-이-	따뜻한 햇살이 고드름을 녹이다. 철수가 수지를 죽이다. 그가 자신의 신분을 속이다.	그가 나에게 사진첩을 보이다.	마을 사람들이 둑을 높이다.
-히-	엄마가 김치를 익히다. 할머니가 아이를 무릎에 앉히다.	아이에게 옷을 입히다. 아이들에게 책을 읽히다. 할머니에게 아이를 업히다.	마을 사람들이 거리를 좁히다. 주인이 집을 넓히다. 조명탄이 사방을 밝히다.
-리-	수지가 종이비행기를 하늘로 날리다. 희수가 팽이를 돌리다. 의사가 사람을 살리다.	어머니가 아기에게 젖을 물리다.	
-기-	나무꾼이 토끼를 나무 뒤에 숨기다. 선생님이 학생을 웃기다. 그가 음식을 남기다.	할머니 품에 아기를 안기다. 엄마가 아이의 옷을 벗기다. 선생님이 수지에게 일을 맡기다.	
-우-	식구들이 집을 비우다. 선생님이 자는 학생을 깨우다.	노인이 젊은이에게 짐을 지우다.	
-구-	어깨를 한번 솟구다. 할머니가 무쇠솥을 달구다.		
-추-			그가 걸음을 늦추다. 엄마가 방의 온도를 낮추다.
-시키(다)	감독이 선수에게 훈련을 반복시키다. 선생님이 학생에게 노래를 연습시키다. ⊕ '-시키다'는 일부 명사 뒤에 붙어 '사동'의 뜻을 더함		

(2) 통사적 사동(장형 사동): '-게 하다'

사동 표현	예
-게 하다	할머니가 손녀에게 옷을 입게 하셨다. 나는 동생에게 우유를 마시게 하였다. 아버지가 나에게 머리카락을 자르게 하셨다.

⊕ 사동문의 구성 정리하기

주어 ∨ 부사어 ∨ 목적어 ∨ 행위 시킴

- ① 파생법: 행위 + 사동 접미사 '-이-/-히-/-리-/-기-/-우-/-구-/-추-' 또는 '-시키(다)'
  (파생적 사동) 예 엄마가 아이에게 옷을 입히다.
- ② 문장 구성 변화: 행위 + '-게 하다'
  (통사적 사동) 예 엄마가 아이에게 옷을 입게 하다.
- ③ [① + ②]: 예 엄마가 첫째에게 둘째를 옷을 입히게 하다.

'-시키다'가 붙으면 사동 표현이니까, '좋은 사람 있으면 소개시켜 줘.'라는 표현은 이상한 거죠?

좋은 사람 있으면 소개시켜 줘.

'-시키다'가 붙은 말은 사동 표현인데 사동은 주어가 남에게 어떤 행동이나 동작을 하게 한다는 의미니까 '좋은 사람 있으면 소개시켜 줘.'라는 문장은 뭔가 어색하네. 이 말의 의도는 좋은 사람이 있으면 나에게 소개해 달라는 의미겠지? '소개하다'는 'A가 B에게 C를 소개하다.'와 같이 쓰이는 주동사야. 그런데 '소개시키다'는 '소개하게 하다'라는 뜻을 나타내는 사동사이니까 'A가 B로 하여금 C에게 D를 소개시키다.'처럼 써야겠지? 즉 '좋은 사람 있으면 소개시켜 줘.'의 본래의 의미를 제대로 나타내려면 '소개시켜 줘.'가 아니라 '소개해 줘.'로 바꿔 써야 해.

좋은 사람 있으면 소개해 줘.

'소를 먹이다'에서 '먹이다'도 사동 표현인가요?

사동사와 형태는 같지만 사동사가 아닌 경우도 있어. '엄마가 아이에게 우유를 먹이다.'에서 '먹이다'는 사동사가 맞지만, '그는 시골에서 소를 먹인다.'의 '먹이다'는 '가축 따위를 기르다.'라는 의미를 나타내므로 사동사가 아니라 주동사야. 만약 '가축 따위를 기르다.'라는 뜻을 지닌 주동사 '먹이다'를 사동 표현으로 바꾸고 싶을 때는 '-게 하다'를 써서 '먹이게 하다'와 같이 만들어야 해. '놀리다'도 '놀이나 재미있는 일을 하며 즐겁게 지내다.'라는 '놀다'의 사동사로 쓰인 경우와 '짓궂게 굴거나 흉을 보거나 웃음거리로 만들다.'라는 주동사로 쓰인 경우가 있으니 구분해 두자!

사동사	주동사
엄마가 아이에게 우유를 먹이다.	그는 시골에서 소를 먹인다. – '먹이다'는 '먹다'의 사동사가 아니라 '사육하다'라는 의미의 주동사
아이들을 그만큼 공부시켰으면 이젠 좀 놀려라.	지금 누구를 놀리시는 겁니까? – '놀리다'는 '놀다'의 사동사가 아니라 '짓궂게 굴거나 흉을 보거나 웃음거리로 만들다.'라는 의미의 주동사

3. 사동 표현과 관련된 문제

- **파생적 사동문과 통사적 사동문의 차이**

① 직접 사동과 간접 사동

파생적 사동: 엄마가 아이에게 옷을 입히었다.: ① 엄마가 아이에게 직접 옷을 입힘 (직접 사동)
② 엄마가 아이에게 아이 스스로 옷을 입도록 함 (간접 사동)

통사적 사동: 엄마가 아이에게 옷을 입게 하였다.: 엄마가 아이에게 아이 스스로 옷을 입도록 함 (간접 사동)

– 사동사에 의한 파생적 사동문은 주어의 직접 행위는 물론 간접 행위도 나타내는데, '–게 하다'에 의한 통사적 사동문은 주어의 간접 행위만을 나타낸다.

② 부사 수식의 범위

파생적 사동: 엄마가 아이에게 옷을 빨리 입히었다.: '빨리'는 엄마의 행위를 꾸밈

통사적 사동: 엄마가 아이에게 옷을 빨리 입게 하였다.: '빨리'는 아이의 행위를 꾸밈

– 사동사에 의한 파생적 사동문에서 부사 '빨리'는 대체로 사동주인 엄마의 행위를 꾸미는데, '–게 하다'에 의한 통사적 사동문에서 부사 '빨리'는 피사동주인 아이의 행위를 꾸민다.

'이중 피동'이 잘못된 표현이니까 '이중 사동'도 잘못된 표현이겠죠?

재우다, 채우다, 태우다, 세우다, 띄우다, 씌우다

'재우다, 채우다, 태우다, 세우다, 띄우다, 씌우다' 등의 이중 사동은 오랜 세월 동안 써 왔기 때문에 한 단어로 굳어져 국어사전에 등재되어 있어. 그래서 이중 사동은 이중 피동과는 달리 학교 문법에서 비문법적 표현으로 보지 않아. 그런데 국립국어원에서는 '재우다, 채우다, 태우다, 세우다, 띄우다, 씌우다' 등을 하나의 접미사 '-이우-'가 결합했다고 보아서 이중 사동 표현이 아니며, 이외의 다른 이중 사동 표현은 이중 피동 표현과 마찬가지로 바람직하지 않다는 견해를 보이고 있어. 이중 사동에 대해서는 이 두 가지 관점을 모두 알아 두자!

단어	형태소 분석	단어	형태소 분석
재우다	자– + –이– + –우– + –다	세우다	서– + –이– + –우– + –다
채우다	차– + –이– + –우– + –다	띄우다	뜨– + –이– + –우– + –다
태우다	타– + –이– + –우– + –다	씌우다	쓰– + –이– + –우– + –다

피동사와 사동사의 형태가 같으면 어떻게 구분하나요?

보이다, 잡히다, 업히다, 끌리다, 읽히다, 뜯기다

'보이다, 잡히다, 업히다, 끌리다, 읽히다, 뜯기다' 등 피동사와 사동사는 형태가 동일한 경우가 많아. 이를 구분하는 가장 간편한 방법은 '목적어'의 유무야. 일반적으로 피동사가 쓰이면 목적어가 나타나지 않고, 사동사가 쓰이면 목적어가 나타나지. 그런데 피동사가 쓰일 때에도 예외적으로 '도둑이 경찰에게 덜미를 잡혔다.'와 같이 목적어가 나타나는 경우가 있기 때문에 목적어의 유무만으로 피동사인지 사동사인지 판단하는 것은 위험할 수 있어. 그래서 용어에 대한 개념 이해가 중요해. 피동사는 남의 행동을 입어서 행하여지는 동작을 나타내는 동사이고, 사동사는 문장의 주체가 다른 대상에게 행동이나 동작을 하게 함을 나타내는 동사라고 했으니 그 의미를 잘 이해하고, 기출 문제에 나왔던 사동사와 피동사를 구분하는 훈련을 해 봐. 또 한 가지 방법은 통사적 피동, 통사적 사동의 형태로 바꿔 보는 거야. '산이 (나에게) 보이다.'는 피동문이니까 '산이 (나에게) 보여지다.'로 바꿀 수 있고, '친구가 나에게 책을 보이다.'는 사동문이니까 '친구가 나에게 책을 보게 하다.'로 바꿀 수 있어.

부정 표현

부정문에 대하여
안 갔다. / 못 갔다. / 가지 말자!

부정 표현: 문장의 내용을 의미상으로 부정하는 표현
의지 부정: 행동 주체의 의지가 작용할 수 있는 행위를 부정하는 것
단순 부정(상태 부정): 단순한 사실을 부정하는 것
능력 부정: 행동 주체의 능력이나 그 외의 다른 외부 원인 때문에 그 행위가 일어나지 못하는 것

'안' 부정문: '안', '않다/아니하다'로 만들어지는 부정문
'못' 부정문: '못', '못하다'로 만들어지는 부정문
'말다' 부정문: 주로 명령문과 청유문에서 '-지 마라', '-지 말자'처럼 쓰이는 부정문

⊕ 형식의 길고 짧음에 따른 부정의 종류 알아두기
짧은 부정(단형 부정): 부정 부사 '안/아니', '못'이 쓰인 형식이 짧은 부정문
긴 부정(장형 부정): '-지 아니하다/-지 않다', '-지 못하다', '-지 마라', '-지 말자'가 쓰인 형식이 긴 부정문

형태 의미	짧은 부정 (단형 부정)	긴 부정 (장형 부정)	명령형, 청유형의 긴 부정 (장형 부정)
의지 부정	안, 아니 예 철수가 학교에 안 갔다. (의지)	-지 아니하다, -지 않다 예 철수가 학교에 가지 않았다. (의지)	-지 마라, -지 말자 예 오늘은 학교에 가지 마라. (명령) 예 오늘은 학교에 가지 말자. (청유)
단순 부정 (상태 부정)	예 오늘은 비가 안 온다. (단순)	예 오늘은 비가 오지 않는다. (단순)	
능력 부정	못 예 철수가 학교에 못 갔다.	-지 못하다 예 철수가 학교에 가지 못했다.	

'의지 부정', '단순 부정', '능력 부정'을 좀 더 쉽게 설명해 주세요.

수지가 밥을 안 먹는다. vs. 수지가 밥을 못 먹는다.
철수는 오늘 학교에 안 간다.

'안' 부정은 주체가 어떤 행위에 대해 의지를 가지지 않았음을 의미해. '수지가 밥을 안 먹는다.'는 수지가 밥을 먹을 수 있지만 의지를 가지고 먹지 않음을 의미하기 때문에 '의지 부정'이라고 하는 거지. 반면 '못' 부정은 주체의 능력이 미치지 못하거나 상황이 여의치 못해 그 행위를 실현할 수 없음을 의미해. '수지가 밥을 못 먹는다.'는 주체의 의지와는 별개인 다른 이유로 인해 수지가 밥을 먹고 싶어도 밥을 먹을 수 없을 경우에 쓰일 수 있고, 이때는 '능력 부정'이라는 표현을 사용하지. 그리고 '안' 부정은 주체의 의지와 상관없이 중립적인 의미의 부정인 단순 부정으로 쓰일 수도 있어. '철수는 오늘 학교에 안 간다.'라는 문장은 문맥에 따라 철수가 의지를 가지고 학교에 일부러 안 간다는 의미일 수도 있고, 휴일이기 때문에 철수의 의지와는 상관없이 학교에 안 간다는 뜻을 나타낼 수도 있는 거지.

1. 부정 표현의 종류

(1) '안' 부정문: 의지 부정, 상태 부정

① 동사가 서술어인 경우: 주로 의지 부정의 뜻이 나타나지만 상태 부정으로도 해석 가능함

예 나는 오늘 밥을 안 먹었다. / 나는 오늘 밥을 먹지 않았다.

② 형용사가 서술어인 경우: 주로 상태 부정의 뜻만 나타남

예 철수는 키가 작지 않다.

③ 서술어가 '체언 + 서술격 조사'인 경우: '아니다'를 가진 문장으로 나타남

예 철수는 학생이 아니다.

(2) '못' 부정문: 능력 부정

① 서술어가 동사일 때 쓰이는 것이 원칙임

예 이 짐이 너무 무거워서 못 들겠다.
그는 음식이 너무 매워서 거의 먹지 못했다.

② 형용사가 서술어인 경우: '어떤 대상이 어떤 기준에 이르지 못함'을 의미함

예 그 아이는 똑똑하지 못하다.

③ 의도를 나타내는 연결 어미 '-고자', '-(으)려고' 등과는 결합하지 못함

예 *나는 그를 못 찾고자 했다.
*나는 도서관에 못 가려고 했다.

(3) '말다' 부정문: 명령문이나 청유문의 부정

① 서술어가 동사일 때 쓰이는 것이 원칙임

예 수영장에 가지 마라.
수영장에 가지 말자.

② 서술어가 '희망이나 기원'을 의미하는 형용사일 경우 가능함

예 오늘은 제발 춥지만 말아라.

2. 부정 표현의 의미

(1) 부정 표현의 중의성

철수가 수지에게 선물을 주지 않았다.	철수가 수지에게 선물을 주지 않았다.: 수지에게 선물을 준 사람은 철수가 아니었다.
	철수가 수지에게 선물을 주지 않았다.: 철수가 선물을 준 사람은 수지가 아니었다.
	철수가 수지에게 선물을 주지 않았다.: 철수가 수지에게 준 것은 선물이 아니었다.
	철수가 수지에게 선물을 주지 않았다.: 철수가 수지에게 선물을 주지는 않았다.

⊕ 부정의 의미를 어디에 부여하느냐에 따라 의미가 달라지므로 중의성이 나타남

부정 표현에서 중의성을 해소하려면 어떻게 해야 하나요?

철수가 수지에게 선물을 주지 않았다.

부정문은 구조적으로 중의성을 가질 수밖에 없기 때문에 문장 성분을 추가하여 의미를 보강하거나 문장 부호의 사용, 교체, 보조사 '은, 는, 만, 도' 등의 사용으로 중의성을 해소할 수 있어. 이 중에서 보조사를 사용하여 중의성을 해소하는 방법을 예로 들면 다음과 같아!

철수만 수지에게 선물을 주지 않았다.
철수가 수지에게만 선물을 주지 않았다.
철수가 수지에게 선물은 주지 않았다.
철수가 수지에게 선물을 주지는 않았다.

(2) 부정의 영역

① 긴 부정문 형식의 '안' 부정문과 부사

성분 부사: 동생은 일찍 집에 가지 않았다.: 성분 부사 '일찍'은 부정된다.
문장 부사: 다행히 동생은 집에 가지 않았다.: 문장 부사 '다행히'는 부정되지 않는다.

– 성분 부사는 부정의 영역 안에 포함되지만 문장 부사는 부정의 영역 안에 포함되지 않는다.

② 짧은 부정문 형식의 '못' 부정문과 사동 표현

파생적 사동: 어머니가 아이에게 그 책을 못 읽혔다.: '못'은 어머니의 행위를 부정한다.
통사적 사동: 어머니가 아이에게 그 책을 못 읽게 했다.: '못'은 아이의 행위를 부정한다.

– 사동사에 의한 파생적 사동문에서 부정 부사 '못'은 대체로 사동주인 어머니의 행위를 부정하는데, '–게 하다'에 의한 통사적 사동문에서 부정 부사 '못'은 피사동주인 아이의 행위를 부정한다.

MEMO

▶ 2022학년도 9월 모평 38번

01 〈학습 활동〉의 ㉠에 들어갈 예로 적절한 것은?

〈학습 활동〉

높임 표현이 홑문장에서 실현될 수도 있지만, 겹문장의 안긴문장 속에서도 실현될 수 있다. 다음 조건에 해당하는 예문을 만들어 보자.

조건	예문
안긴문장에서의 주체 높임의 대상이 안은 문장에서 주어로 실현된 겹문장	공원에서 산책하시던 할아버지께서 활짝 웃으셨다.
안긴문장에서의 객체 높임의 대상이 안은 문장에서 목적어로 실현된 겹문장	㉠
⋮	⋮

① 편찮으시던 어르신께서는 좀 건강해지셨나요?

② 오빠는 고향에 계신 부모님을 집으로 모시고 갔다.

③ 나는 할아버지께서 선물을 주신 날짜를 아직도 기억해.

④ 누나는 다음 주에 인사를 드릴 할머니께 편지를 썼어요.

⑤ 형은 동생이 찾아뵈려던 선생님을 학교에서 만났습니다.

▶ 2021학년도 10월 학평 39번

02 〈보기〉의 ㉠과 ㉡이 모두 사용된 문장으로 적절한 것은?

〈보기〉

국어의 높임 표현은 조사나 어미로 실현되기도 하지만 ㉠그 자체에 높임의 의미가 담긴 특수 어휘를 통해 실현되기도 한다. 또한 국어에는 대상을 높이는 것이 아니라 자신을 낮추는 겸양의 표현도 존재한다. 겸양의 표현은 일부 어미로 실현되기도 하지만 ㉡그 자체에 낮춤의 의미가 있는 특수 어휘를 통해 실현되기도 한다.

① 저희가 어머니께 드렸던 선물이 여기 있네요.

② 연세가 지긋하신 할아버지께서 걸어가신다.

③ 제 말씀은 그런 의도가 아니었어요.

④ 이 문제는 아버지께 여쭈어보자.

⑤ 지나야, 가서 할머니 모시고 와.

◐ 2019학년도 6월 모평 15번

03 〈보기〉의 ㉠~㉤의 예로 적절하지 않은 것은?

〈보기〉

선어말 어미 '-더-'는 시간 표현, 주어의 인칭, 용언의 품사, 문장 종결 표현 등과 다양하게 관련을 맺는다.

예컨대 '아까 달력을 보니 내일이 언니 생일이더라.'와 같이 ㉠새삼스럽거나 새롭게 알게 된 내용이 비록 미래의 일이라도 그것을 안 시점이 과거이면 '-더-'가 쓰일 수 있다. 또한 '-더-'가 쓰인 문장에는 특정 인칭의 주어만 나타나는 경우가 있다. 가령, ㉡본인만이 직접 느껴 알 수 있는 감정이나 감각을 표현하는 형용사가 서술어일 때, 평서문에는 1인칭 주어만이 '-더-'와 함께 쓰인다. ㉢이 경우, 의문문에는 2인칭 주어만이 '-더-'와 함께 쓰인다. 단, ㉣이때도 수사 의문문에는 '-더-'와 함께 1인칭 주어가 나타날 수 있다. 한편, '꿈에서 내가 하늘을 날더라.'처럼 ㉤꿈속의 일이나 무의식중에 일어난 일을 말할 때, 화자가 자신의 행동이나 상태를 타인이 관찰하듯이 진술할 경우 '-더-'가 1인칭 주어와 쓰일 수 있다.

① ㉠: 아까 수첩을 보니 다음 주에 약속이 있더라.

② ㉡: 나는 그의 합격이 놀랍더라.

③ ㉢: 영수야, 넌 내가 그리 말했는데도 안 밉더냐?

④ ㉣: 기어이 우승한 그날, 우리 어찌 아니 기쁘더냐?

⑤ ㉤: 내가 어제 마신 약은 생각보다 안 쓰더라.

◐ 2018학년도 9월 모평 15번

04 밑줄 친 말에 주목하여 〈보기〉의 ㉠~㉤에 대해 탐구한 결과로 적절하지 않은 것은?

〈보기〉

㉠ 거기에는 눈이 왔겠다. / 지금 거기에는 눈이 오겠지.
㉡ 그가 집에 갔다. / 막차를 놓쳤으니 나는 집에 다 갔다.
㉢ 내가 떠날 때 비가 올 것이다. / 내가 떠날 때 비가 왔다.
㉣ 그는 지금 학교에 간다. / 그는 내년에 진학한다고 한다.
㉤ 오늘 보니 그는 키가 작다. / 작년에 그는 키가 작았다.

① ㉠을 보니, 선어말 어미 '-겠-'이 미래의 사건을 추측하는 데에 쓰이고 있군.

② ㉡을 보니, 선어말 어미 '-았-'이 과거 시제를 나타내지 않는 경우도 있군.

③ ㉢을 보니, 관형사형 어미 '-ㄹ'이 붙을 때 미래의 사건을 나타내지 않는 경우도 있군.

④ ㉣을 보니, 현재 시제 선어말 어미 '-ㄴ-'이 미래의 사건을 나타낼 때도 쓰이고 있군.

⑤ ㉤을 보니, 형용사에서 현재 시제를 나타낼 때 시제 선어말 어미가 나타나지 않고 있군.

◆ 2017학년도 수능 14~15번

[05~06] **다음 글을 읽고 물음에 답하시오.**

국어에서 동사나 형용사에 붙어 새로운 단어를 형성하는 접미사는 다양한 문법적 특징을 지니고 있다. 그 특징은 다음과 같다.

첫째로, 접미사는 동사나 형용사에 붙어 새로운 어간을 형성한다. 예를 들면, '녹다'의 어근 '녹-'에 접미사 '-이-'가 붙어 새로운 어간 '녹이-'가 형성된다. 이렇게 만들어진 '녹이다'의 어간 '녹이-'는 '녹다'의 어간 '녹-'과 구별된다. 둘째로, 접미사는 동사나 형용사의 어근에 붙어 품사를 바꾸기도 한다. 예를 들면, 명사 '먹이'나 '넓이'는 각각 동사와 형용사의 어근에 접미사 '-이'가 붙어 형성된 단어이다. 이때 '먹이'와 '넓이'의 '먹-'과 '넓-'은 서술어로 기능하지 못한다. 셋째로, ㉠접미사는 동사나 형용사에 붙어 사동의 의미를 더하기도 한다. 예를 들면, 동사 '익다'와 '먹다'의 어근에 각각 접미사 '-히-'와 '-이-'가 붙어 형성된 '익히다'와 '먹이다'는 '고기를 익히다.'와 '아이에게 밥을 먹이다.'에서와 같이 사동의 의미를 가진다. 넷째로, ㉡접미사는 타동사에 붙어 피동의 의미를 더하기도 한다. 예를 들면, '안다'의 어근 '안-'에 접미사 '-기-'가 붙어 형성된 '안기다'는 '아기가 엄마한테 안기다.'와 같이 피동의 의미를 가진다. 이때 피동을 나타내는 접미사는 '눕다', '식다'와 같은 자동사에는 결합하지 않는다.

한편, 하나의 접미사가 모든 동사나 형용사에 자유롭게 결합하는 것은 아니다. 예를 들면, 접미사 '-히-'는 '읽다'의 어근 '읽-'에 붙어 '읽히다'를 만들 수 있지만, '살다'의 어근 '살-'에는 붙지 못한다. 어근 '살-'에는 접미사 '-리-'가 붙어 '살리다'가 형성된다. 또한 어근과 접미사 사이에는 다른 형태소가 끼어들 수 없다. 가령, 어근 '읽-'과 접미사 '-히-' 사이에 '-시-'와 같은 선어말 어미가 끼어든 '읽시히-'와 같은 것은 만들어지지 않는다.

◆ 2017학년도 수능 14번

05 윗글을 바탕으로 〈보기〉의 ⓐ~ⓔ를 이해한 내용으로 적절한 것은?

〈보기〉

ⓐ 달콤한 휴식을 위해 시간을 비워 놓았다.
ⓑ 아주 높이 나는 새라야 멀리 볼 수 있다.
ⓒ 마을 앞 공터를 놀이 공간으로 조성했다.
ⓓ 멀리서 찾아온 손님을 위해 차를 끓였다.
ⓔ 할아버지께서는 오늘 일찍 오시기 힘들다.

① ⓐ에서 '비워'의 어간은 '시간이 빈다.'에서 '비다'의 어간과 같다.
② ⓑ에서 '높이'는 형용사 '높다'의 어근 '높-'에 접미사 '-이'가 붙어 형성된 명사이다.
③ ⓒ에서 '놀이'는 명사이므로 '놀이' 속의 '놀-'은 서술어로 기능하지 못한다.
④ ⓓ에서 '끓였다'의 어근에 붙은 접미사 '-이-'는 모든 동사에 자유롭게 결합한다.
⑤ ⓔ에서 '오시기'는 '오-'와 '-기' 사이에 다른 형태소가 끼어든 것이므로 명사이다.

▶ 2017학년도 수능 15번

06 **밑줄 친 부분이 ㉠, ㉡에 해당하는 예로 적절한 것은?**

① ㉠: 형이 동생을 울렸다.
   ㉡: 그는 지구본을 돌렸다.

② ㉠: 이제야 마음이 놓인다.
   ㉡: 우리는 용돈을 남겼다.

③ ㉠: 공책이 가방에 눌렸다.
   ㉡: 옷이 못에 걸려 찢겼다.

④ ㉠: 바위 뒤에 동생을 숨겼다.
   ㉡: 피곤해서 눈이 자꾸 감겼다.

⑤ ㉠: 나는 종이비행기를 하늘로 날렸다.
   ㉡: 그는 소년에게 중요한 임무를 맡겼다.

▶ 2014학년도 10월 학평B 13번

07 **〈보기 1〉은 접미사 '-시키다'와 관련하여 국어사전을 찾아본 결과이다. 〈보기 1〉을 참고하여 〈보기 2〉에서 '-시키다'가 바르게 사용된 것을 모두 고른 것은?**

〈보기1〉

국어사전의 정보 1
-시키다 접 (서술성을 가지는 일부 명사 뒤에 붙어) '사동'의 뜻을 더하고 동사를 만드는 접미사.

국어사전의 정보 2
사동 명 주체가 제3의 대상에게 동작이나 행동을 하게 하는 동사의 성질.

〈보기2〉

ㄱ. 내 힘으로는 군중을 진정시키기 어려웠다.
ㄴ. 여러분들께 저희 가족을 소개시켜 드리겠습니다.
ㄷ. 우리 군대는 적군을 항복시켜 사실상 전쟁을 끝냈다.
ㄹ. 경수는 몸이 아픈 수희를 병원에 급히 입원시켰다.
ㅁ. 모든 기계를 가동시켜도 기일을 맞출 수 있을지 모르겠다.

① ㄱ, ㄴ, ㅁ　② ㄱ, ㄷ, ㄹ　③ ㄴ, ㄷ, ㄹ
④ ㄴ, ㄷ, ㅁ　⑤ ㄷ, ㄹ, ㅁ

▶ 2014학년도 4월 학평AB 15번

08 〈보기〉의 ㉠~㉤에 대한 설명으로 적절하지 않은 것은?

〈보기〉

서술어로 사용된 용언에 접미사나 선어말 어미를 결합시키면 사동이나 피동, 높임, 시간 표현, 주체의 심리적 태도 등 다양한 문법 범주를 실현할 수 있다.

- 할머니께서 진지를 ㉠드신다.
- 아버지께서 연을 ㉡날리시고 있다.
- 그는 운동장을 열심히 ㉢뛰었다.
- 나는 지금 영화관에 ㉣가겠다.
- 도둑이 경찰에게 ㉤쫓기고 있다.

① ㉠의 '-시-'와 ㉡의 '-시-'는 각각의 행위 주체를 높이기 위해 사용된 선어말 어미이다.
② ㉠의 '-ㄴ-'과 ㉢의 '-었-'은 현재나 과거 등의 시제를 나타내기 위해 사용된 선어말 어미이다.
③ ㉡의 '-리-'는 행위 주체인 '아버지'가 다른 대상으로 하여금 어떤 동작을 하게끔 만드는 것을 나타내기 위해 사용된 접미사이다.
④ ㉣의 '-겠-'은 행위 주체인 '나'의 의지를 나타내기 위해 사용된 선어말 어미이다.
⑤ ㉤의 '-기-'는 행위 주체인 '경찰'이 자신의 의지와 상관없이 다른 대상에 의해 동작을 당하는 것을 나타내기 위해 사용된 접미사이다.

◐ 2014학년도 9월 모평A 14번

09 〈보기 1〉의 ㉠, ㉡에 해당하는 가장 적절한 예를 〈보기 2〉에서 고른 것은?

〈보기1〉

대답을 요구하는 의문문에는 긍정이나 부정의 대답을 요구하는 것과 ㉠구체적인 설명을 요구하는 것이 있다. 대답을 요구하지 않는 의문문은 구체적인 담화 상황에 따라 화자의 의도를 나타내는데, 서술을 나타내는 경우, 감탄을 나타내는 경우, ㉡명령을 나타내는 경우 등이 있다.

〈보기2〉

• 학교에서 수업을 하는 상황

선생님: ㉮독서 모둠 활동은 언제, 어디에서 하면 좋겠니?

학　생: 3시부터 도서실에서 하면 좋겠어요.

• 늦잠 자는 아들을 깨우는 상황

어머니: 학교 늦겠어! ㉯그만 자고 얼른 일어나지 못하겠니?

아　들: 엄마, 제발요. 조금만 더 잘래요.

• 두 학생이 함께 하교하는 상황

학생 A: ㉰나랑 같이 문구점에 갈 수 있니?

학생 B: 나도 연필 살 게 있었는데, 참 잘됐다.

• 동생이 억울한 일을 겪은 상황

언　니: ㉱어쩜 이럴 수 있니?

동　생: 아, 정말 억울해서 못 견디겠어.

	㉠	㉡
①	㉮	㉯
②	㉮	㉰
③	㉯	㉱
④	㉰	㉯
⑤	㉰	㉱

◐ 2013학년도 7월 학평A 15번 / B 14번

10 〈보기〉의 밑줄 친 부분의 사례에 해당하는 것은?

〈보기〉

선어말 어미 '-겠-'은 일반적으로 미래 시제를 나타내기 위하여 사용되며, 미래의 일에 대한 추측이나 가능성, 말하는 이의 의지 등을 나타내기도 한다. 그러나 특정 담화 상황에서는 말하는 이의 완곡한 태도를 나타내기 위해 사용되기도 한다.

① 제가 잠시 들어가도 되겠습니까?
② 동생은 영화를 보러 가겠다고 한다.
③ 지금 떠나면 저녁에야 도착하겠구나.
④ 다음 달 정도면 날씨가 시원해지겠지?
⑤ 이 정도의 고통은 내 힘으로 이겨내겠다.

◐ 2011학년도 6월 모평 11번

11 〈보기〉를 참고하여 작성한 ㉮~㉲의 예문으로 알맞은 것은?

〈보기〉

부르다[1] 동 1 말이나 행동으로 다른 사람의 주의를 끌거나 오라고 하다.
2 무엇이라고 가리켜 말하거나 이름을 붙이다.
부르다[2] 동 먹은 것이 많아 속이 꽉 찬 느낌이 들다.
붇다[1] 동 물에 젖어서 부피가 커지다.
붇다[2] 동 분량이나 수효가 많아지다.

평가원 오류
: '부르다[2]'는 형용사, 형

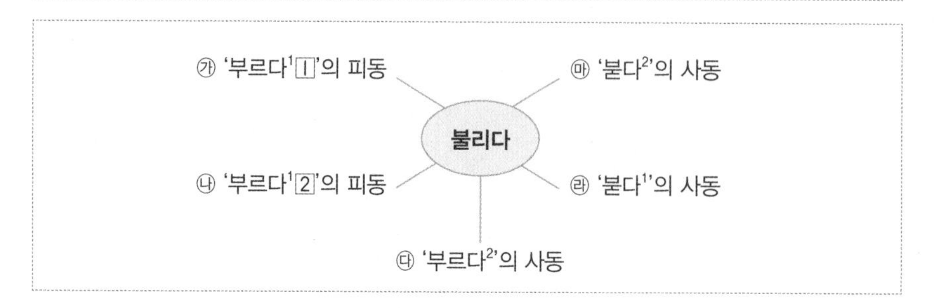

① ㉮: 그는 많은 사람들에게 천재라고 불렸다.
② ㉯: 반장이 가장 먼저 불려 갔다.
③ ㉰: 주먹밥 하나로 아이들의 주린 배를 불릴 수는 없었다.
④ ㉱: 그는 요즘 재산을 불리는 재미에 빠져 있다.
⑤ ㉲: 메주를 쑤려면 콩을 물에 불려야 한다.

▶ 2008학년도 10월 학평 11번

12 〈보기〉에서 선생님이 제시한 과제에 대한 답으로 적절하지 않은 것은?

〈보기〉

선생님: 우리말의 부정 표현은 두 가지로 나누어 볼 수 있습니다. 하나는 '안'이나 '않다'로 표현되는 '안 부정문'이고, 다른 하나는 '못'이나 '못하다'로 표현되는 '못 부정문'입니다. 그러면 이 두 가지가 어떠한 경우에 쓰이는지 다음 자료를 보면서 하나하나 발표해 보세요.

ㄱ. 장빈은 배가 고팠지만 입맛이 없어서 식사를 안 했다.
ㄴ. 논바닥이 갈라지고 있는데도, 비는 여전히 오지 않았다.
ㄷ. 다시는 실패하지 않겠다는 각오로 많은 준비를 했다.
ㄹ. 우종은 100m 기록을 14초 이내로 당기고 싶지만, 아직은 달성하지 못했다.
ㅁ. 12시까지 고향집에 꼭 가야 하는데, 폭설이 내려 도저히 못 갈 것 같다.

① ㄱ – 동작 주체의 의지가 반영될 때, '안 부정문'이 쓰일 수 있습니다.
② ㄴ – 부정하는 대상이 객관적인 사실일 때, '안 부정문'이 쓰일 수 있습니다.
③ ㄷ – 말하는 이의 기대에 미치지 못할 때, '안 부정문'이 쓰일 수 있습니다.
④ ㄹ – 동작 주체의 능력이 부족할 때, '못 부정문'이 쓰일 수 있습니다.
⑤ ㅁ – 외부의 상황이 원인일 때, '못 부정문'이 쓰일 수 있습니다.

수능 국어 문법 필수 개념서

국어 문법

F A Q

PART

4

의미 관계와 중의성

의미 관계와 중의성

문법 체계 한눈에 보기

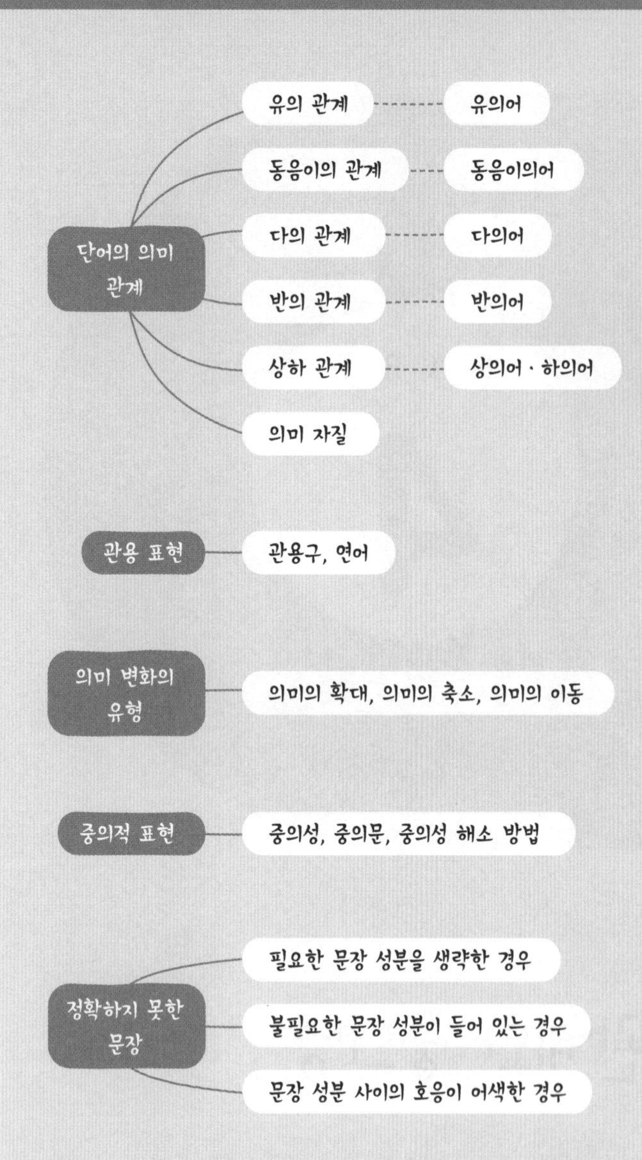

단어의 의미 관계

단어들 사이의 의미 관계
비슷하거나 대립되거나 포함하거나 포함되거나…

1. 단어의 의미 관계: 단어의 의미는 다른 단어들의 의미와 서로 관련성을 가지고 존재함

(1) 유의 관계(유의어): 의미가 같거나 비슷한 둘 이상의 단어가 맺는 의미 관계를 유의 관계라 하고, 유의 관계에 있는 단어들을 유의어라고 함

예 가끔 – 종종 – 더러 – 이따금

동의어라는 말도 들어 봤는데, 유의어와 동의어는 다른 뜻인가요?

이–치아, 얼굴–낯, 고맙다–감사하다, 담낭–쓸개, 죽다–돌아가다

동의어와 유의어는 자주 혼동해서 쓰이지. 학자들에 따라 의미가 같거나 비슷한 둘 이상의 단어들을 동의어라고 하기도 하고, 유의어라고 하기도 해. 사실 정확히 말하자면 두 단어의 의미가 완전히 같을 수는 없고 비슷한 의미를 지닐 수밖에 없기 때문에 유의어라는 말이 더 자주 사용돼. 즉, 단어의 의미 관계에서 유의어는 문맥에 따라 조금씩 의미 차이를 보여. '이'의 유의어로 '치아'가 있지? 이들은 고유어와 외래어의 차이로 인한 경우로, '치아'는 '이'를 점잖게 이르는 말이야. 할아버지께 '이가 참 고르세요.'라고 하기보다는 '치아가 참 고르세요.'라고 하는 것이 좋겠지? 이때 '이'와 '치아'를 유의어라고 불러.

(2) 동음이의 관계(동음이의어): 우연히 소리는 같지만 의미가 완전히 다른 단어들이 가지는 관계를 동음이의 관계라 하고, 동음이의 관계에 있는 단어들을 동음이의어라고 함

예 추운 날 김을 매러 나왔더니, 입에서 김이 난다.

– 앞의 '김'은 논밭에 난 잡풀을 나타내고, 뒤의 '김'은 입에서 나오는 더운 기운을 의미하여 형태만 같고 의미적 연관성이 없는 동음이의 관계를 이룬다.

(3) 다의 관계(다의어): 하나의 단어가 둘 이상의 의미를 가지는 관계를 다의 관계라 하고, 다의 관계에 있는 단어들을 다의어라고 함

예 아침에 일어나 아침을 먹고 학교에 갔다.

– 앞의 '아침'은 '날이 새고 난 오전 반나절쯤까지의 특정 시간'을 의미하고, 뒤의 '아침'은 '아침에 끼니로 먹는 밥'을 의미하여 의미적 연관성이 있는 다의 관계를 이룬다.

동음이의어와 다의어의 가장 큰 차이는 무엇인가요?

쓰다

동음이의어와 다의어는 의미적 연관성이 있느냐 없느냐가 가장 중요해. 동음이의어는 의미적 연관성이 없고, 다의어는 의미적 연관성이 있지. 그리고 사전의 내용을 〈보기〉로 제시했을 때, 표제어가 따로 따로 제시되어 있는 경우에는 동음이의어, 한 표제어 안에 여러 가지 의미로 제시되어 있는 경우에는 다의어라는 사실을 기억하자!

동음이의어	쓰다[01] – 글을 쓰다 쓰다[02] – 모자를 쓰다 쓰다[03] – 도구를 쓰다
다의어	쓰다[02] – 모자를 쓰다 – 우산을 쓰다 – 누명을 쓰다

동음이의어와 다의어 구분하기

동음이의어: 우연히 소리가 같아졌을 뿐 어원은 전혀 다른 단어로 사전에 각각의 단어로 등재

다의어: 하나의 소리에 두 가지 이상의 관련된 의미가 결합되어 있는 것으로 사전에 한 단어로 등재

	말소리의 형태	의미적 연관성	사전 등재 방식
동음이의어	같음	어원이 다르고 의미적 연관성이 없음	각각 다른 표제어로 등재
다의어	같음	어원이 같고 의미적 연관성이 있음	한 표제어 아래 등재

[표준국어대사전]

→ 표제어

쓰다[02] 〔써, 쓰니〕

「동사」

「1」 모자 따위를 머리에 얹어 덮다.

예 모자를 쓰다. / 삿갓을 쓰다. / 머리에 가발을 쓰다.

「2」 사람이 죄나 누명 따위를 가지거나 입게 되다.

예 그는 억울하게 누명을 썼다. / 충신이 반역죄를 쓰고 감옥에 갇혔다.

→ 표제어

쓰다[06] 〔써, 쓰니〕

「형용사」

「1」 혀로 느끼는 맛이 한약이나 소태, 씀바귀의 맛과 같다.

예 나물이 쓰다. / 이 커피는 향기도 없고 쓰기만 하다.

「2」 달갑지 않고 싫거나 괴롭다.

예 여러 번 실패를 경험했지만 언제나 그 맛은 썼다.

– '쓰다[02]'와 '쓰다[06]'은 별개의 표제어로 기술되었으므로 동음이의 관계이고, '쓰다[02]'의 「1」과 「2」, '쓰다[06]'의 「1」과 「2」는 하나의 표제어 아래에 기술되었으므로 다의 관계이다.

다의어는 어떤 방식으로 확장되나요?

할아버지의 머리가 드문드문 나 있어요.

손님들이 드문드문 왔다 간다.

첫째 문장의 '드문드문'은 공간적 의미로 쓰인 것이고, 둘째 문장의 '드문드문'은 시간적 의미로 쓰인 거야. 그런데 이 두 '드문드문'은 공통적으로 '많지 않음'을 의미해. 그래서 '드문드문'은 국어사전에서도 하나의 표제어 아래에서 서로 연관된 의미를 가지고 있는 다의어로 처리되지. 이처럼 공간적 개념을 시간적 개념으로 바꾸어 사용하다가 서로 연관된 의미를 갖고 있는 다의어가 된 거야.

[표준국어대사전]

드문-드문 「부사」

「1」 시간적으로 잦지 않고 드문 모양

「2」 공간적으로 배지 않고 사이가 드문 모양

다의 관계에서 중심적 의미와 주변적 의미가 있다고 하는데 알려 주세요!

손(手) – 중심적 의미

손(씀씀이)이 크다, 손(노동력)이 모자라다, 손(관계)을 끊다 – 주변적 의미

단어는 다양한 맥락에서 사용되면서 중심적 의미가 주변적 의미로 확장되어 하나의 형태에 여러 개의 의미가 대응하는 다의 관계를 이룰 수 있어. 한 단어가 여러 가지 의미로 쓰일 때, 그 가운데에서 가장 기본적이고 핵심적인 의미를 중심적 의미라고 하지. 예를 들어, '손'의 중심적 의미는 신체 일부인 '손(手)'이 되고, '손이 크다'의 '손'은 '씀씀이'를, '손이 모자라다'의 '손'은 '노동력'을, '손을 끊다'의 '손'은 '관계'를 의미하는데, 이때 '손'은 주변적 의미가 되는 거야. 다의어는 중심적 의미에서 주변적 의미로 확장되는데, 일반적으로 ① 구체적 의미 → 추상적 의미, ② 물리적 의미 → 사회적 의미 → 심리적 의미, ③ 일반적 의미 → 비유적 의미로 확장해. 다의어 '바람'을 살펴보자.

[표준국어대사전]

바람[01]

「명사」

「1」 기압의 변화 또는 사람이나 기계에 의하여 일어나는 공기의 움직임 예 바람에 촛불이 꺼지다.
물리적, 구체적

「4」 사회적으로 일어나는 일시적인 유행이나 분위기 또는 사상적인 경향 예 서구화 바람이 불어닥치다.
사회적, 추상적

「9」 들뜬 마음이나 일어난 생각을 비유적으로 이르는 말 예 그 아이는 뱃속에 바람이 잔뜩 들었다.
심리적, 비유적

평가원 밑줄 2020학년도 ㉮ 다의어에서 기본이 되는 핵심 의미를 중심 의미라고 하고, 중심 의미에서 확장된 의미를 주변 의미라고 한다.

다의어의 특징

1. 주변 의미로 사용되었을 때 문법적 제약이 나타나기도 함 예 한 살을 먹다(o), 한 살이 먹히다(x), 한 살을 먹이다(x)
2. 새로 생긴 주변 의미는 기존 의미보다 추상성이 강화됨 예 손: 손이 부족하다(노동력) – 손에 넣다(권한이나 범위)
3. 다의어의 의미들은 서로 관련성을 가짐
4. 다의어의 의미들이 대립적 관계를 맺는 경우 예 앞: 앞 세대의 입장(이미 지나간 시간) – 앞으로 다가올 일(장차 올 시간)

2016학년도 ⑥ 단어는 다양한 맥락에서 사용되면서 중심적 의미가 주변적 의미로 확장되어 다의 관계를 이루기도 한다.

일례로 자연과 관련된 단어가 자연물이나 자연현상을 그대로 나타내는 중심적 의미로 쓰이다가 비유적으로 확장되어 주변적 의미로 사용되기도 한다.

예 여름이 오기 전에 홍수를 대비한다. – 우리는 정보의 홍수 시대에 살고 있다.
천체 망원경으로 밤하늘의 별을 관찰했다. – 어제 물리학계의 큰 별이 졌다.
천둥과 번개를 동반한 비가 내렸다. – 그는 도망가는 데만큼은 정말 번개야.
일출을 기다리는 우리 앞에 붉은 태양이 떠올랐다. – 그녀는 그가 자기 마음의 태양이라고 말했다.
들판에는 풀잎마다 이슬이 맺혔다. – 그녀의 두 눈에 맺힌 이슬이 뜨겁게 흘러내렸다.

(4) 반의 관계(반의어): 둘 이상의 단어에서 의미가 짝을 이루어 대립하는 의미 관계를 반의 관계라 하고, 반의 관계에 있는 단어들을 반의어라고 함

– 반의 관계는 두 단어가 여러 공통 의미 요소를 가지고 있으면서 다만 하나의 의미 요소가 다를 때 성립한다.

	의미	예
① 모순(상보) 반의어	두 단어가 한 영역 안에서 상호 배타적 대립 관계에 있음	출석 : 결석 참 : 거짓 미혼자 : 기혼자
② 정도(등급) 반의어	두 단어 사이에 등급성이 있어서 중간 단계가 있음	덥다 : 춥다 넓다 : 좁다 높다 : 낮다
③ 방향(대칭) 반의어	두 단어가 상대적 관계를 형성하며 방향상의 대립 관계를 나타내고 의미상 대칭을 이룸	왼쪽 : 오른쪽 가다 : 오다 오르다 : 내리다

평가원 밑줄 2012학년도 ⑥ 반의 관계란 서로 반대되거나 대립되는 의미를 가진 단어 사이의 의미 관계이다.
반의 관계는 두 단어가 여러 공통 의미 요소를 가지고 있으면서 다만 하나의 의미 요소가 다를 때 성립한다.
예 상보(모순) 반의어: 금속 - 비금속 / 등급(정도) 반의어: 길다 - 짧다 / 방향(대칭) 반의어: 형 - 아우, 출발선 - 결승선

'할아버지'의 반의어는 '할머니'만 되나요?

할아버지 : 할머니 (성별 기준)
할아버지 : 손자 (세대 기준)

반의어는 기준에 따라 하나의 단어에 여러 가지 반의어가 존재할 수 있다는 것을 주의해야 해. '할아버지'의 반의어는 성별을 기준으로 하면 '할머니'가 되고, 세대를 기준으로 하면 '손자'가 되지. 이때 반의어가 성립하려면 다른 의미 요소들은 모두 같으면서 단 하나의 의미 요소만 달라야 한다는 것을 꼭 기억하자!

(5) 상하 관계(상의어·하의어): 한쪽이 의미상 다른 쪽을 포함하거나 다른 쪽에 포함되는 의미 관계를 상하 관계라 하고, 이때, 포함하는 단어를 상의어, 포함되는 단어를 하의어라고 함

예 문학 ⊃ 시 ⊃ 정형시 ⊃ 시조

– 문학이 시를 포함하고, 시는 정형시를 포함하고 정형시는 시조를 포함하므로 상하 관계를 이룬다.

부분–전체 **관계:** 한쪽의 의미가 다른 쪽 의미의 구성 요소가 되는 의미 관계

예 몸 – 머리, 어깨, 무릎, 발

– 몸은 전체이고 머리, 어깨, 무릎, 발은 부분이므로 부분–전체 관계를 이룬다.

평가원 밑줄 2018학년도 6 상하 관계란 의미상 한 단어가 다른 단어를 포함하거나 다른 단어에 포함되는 관계이다. 예 스포츠 - 구기 - 축구, 야구, 농구 등
상의어란 다른 단어의 의미를 포함하는 단어이다. / 하의어란 다른 단어의 의미에 포함되는 단어이다.
상의어일수록 일반적이고 포괄적인 의미를 지니며 하의어일수록 구체적이고 한정적인 의미를 지닌다.

(6) 의미 자질: 단어의 의미를 구성하는 성분으로, 주어진 단어가 어느 특정한 자질을 가지고 있느냐 없느냐에 따라 '+'와 '–'로 표시됨

- 상의어일수록 의미 자질의 수가 적고 하의어일수록 의미 자질 수가 많다.

예 사람: [+생물], [+동물], [+인간]
남자: [+생물], [+동물], [+인간], [+남성]
소년: [+생물], [+동물], [+인간], [+남성], [+연소(年少)]
– '남자'와 '소년'은 '사람'이 가지는 의미 자질을 모두 가지고 있다.
– '남자'는 '소년'에 대해서는 상의어이고, '사람'에 대해서는 하의어이다.

예 제비는 새의 일종이다.
새는 동물의 일종이다.
제비는 동물의 일종이다.
– '제비'는 '새', '동물' 등 여러 층위의 상의어를 가질 수 있다.
– '새'는 하의어인 '제비'에 비해 의미 자질을 더 적게 가지고, 상의어인 '동물'에 비해서는 의미 자질을 더 많이 가진다.

관용 표현

둘이 함께 새로운 뜻으로!
습관적으로 짝을 이루어 쓰기!

1. 관용구: 둘 이상의 낱말이 합쳐져 원래의 뜻과는 다른 새로운 뜻으로 굳어져서 쓰이는 표현

예 식은 죽 먹기, 간이 크다, 귀에 못이 박히도록, 눈에 불을 켜다, 시치미를 떼다

관용구에 반의어를 쓰면 관용구 전체가 반의 관계가 될 수 있나요?

관용구 중에서 그것을 구성하는 말 중에 반의어가 될 수 있는 말이 있다면 관용구도 반의 관계를 이룰 수 있어. 하나의 단어를 그와 대응하는 반의어로 대치하면 관용구의 내용이 반대가 되기 때문이지. 아래의 예를 보자!

손이 크다. – 씀씀이가 후하고 크다. ↔ 손이 작다. – 씀씀이가 깐깐하고 작다.

입이 무겁다. – 말수가 적거나 비밀을 잘 지킨다. ↔ 입이 가볍다. – 말수가 많고 비밀을 잘 지키지 못한다.

가방끈이 길다. – 많이 배워 학력이 높다. ↔ 가방끈이 짧다. – 많이 배우지 못해 학력이 낮다.

2. 연어: 어떤 단어가 특정 어휘와만 습관적으로 결합하면서 관용적인 의미를 가지는 말

- 복합어가 되기 전의 결합 관계를 바탕으로 체언이 복합어를 이루어 '체언 + 용언'의 연어 구성을 이루는 경우가 있다.

예 눈총을 쏘다 – '총을 쏘다'를 바탕으로 연어 구성이 성립된다.
웃음꽃이 피다 – '꽃이 피다'를 바탕으로 연어 구성이 성립된다.
도끼눈을 뜨다 – '눈을 뜨다'를 바탕으로 연어 구성이 성립된다.
맞장구를 치다 – '장구를 치다'를 바탕으로 연어 구성이 성립된다.
입방아를 찧다 – '방아를 찧다'를 바탕으로 연어 구성이 성립된다.

의미 변화의 유형

시간은 흐른다!
단어의 의미도 변한다!

1. 의미 변화의 유형

(1) 의미의 확대: 단어의 본래 의미보다 그 의미 영역이 더 넓어지는 현상

예 다리 – '사람이나 짐승의 다리'를 가리키다가 현재는 '책상다리'나 '지겟다리'까지 가리키는 말로 쓰이고 있다.

(2) 의미의 축소: 단어의 본래 의미보다 그 의미 영역이 더 좁아지는 현상

예 놈 – '사람'을 뜻하는 일반적인 단어였으나 현재는 남자를 낮잡아 이르는 말로 쓰이고 있다.

(3) 의미의 이동: 단어의 본래 의미 영역의 변화 없이 의미가 옮겨가는 현상

예 예쁘다(어엿브다(중세)) – 중세 국어에서는 '불쌍하다'는 뜻이었으나 현재는 '아름답다'의 뜻으로 쓰이고 있다.

중의적 표현

말이 많다.
말[馬]이 많다는 거야? 말[言]이 많다는 거야?

중의성: 하나의 언어 표현이 둘 이상의 의미를 나타내는 현상
중의문: 하나의 문장이 둘 이상의 의미로 해석되는 문장

1. 중의문의 유형

(1) 어휘의 중의성으로 인한 것

① 동음이의어에 의한 중의성

예 배가 정말 크다. – 과일의 한 종류인 배가 정말 크다. vs. 사람이나 짐을 싣는 수단인 배가 정말 크다.

② 다의어와 관용 표현에 의한 중의성

예 우리 어머니는 손이 크다. – 신체의 일부인 손(手)이 크다. vs. 씀씀이가 크다.

(2) 문장 구조 차이로 인한 것

원인	예	해석
① 주어의 범위로 인한 경우	광수가 보고 싶은 친구가 많다.	'광수'가 보고 싶은 친구가 많다. vs. 광수를 보고 싶어 하는 '친구'가 많다.
② 수식하는 말이 불분명한 경우	귀여운 승호의 동생이 놀러 왔다.	'승호'가 귀엽다. vs. '승호의 동생'이 귀엽다.
③ 비교 대상이 불분명한 경우	준영이는 나보다 통닭을 더 좋아한다.	'준영'과 '나'가 각각 '통닭'을 좋아하는 정도를 비교 vs. '준영'이 좋아하는 대상인 '나'와 '통닭'을 비교
④ 접속 조사로 인한 경우	영수는 찬기와 창수를 불렀다.	[영수는 찬기와] 창수를 불렀다. vs. 영수는 [찬기와 창수를] 불렀다.
⑤ 부정 표현의 범위로 인한 경우	학생들이 다 오지 않았다.	학생들 전체가 오지 않았다. (전체 부정) vs. 학생들 일부가 오지 않았다. (부분 부정)

(3) 상황 맥락으로 인한 것

예 그는 구두를 신고 있다.
– 구두를 신는 동작이 진행 중인 상황 (진행) vs. 구두를 신고 있는 상태가 지속되고 있는 상황 (완료 지속)
아빠가 동생을 차에 태웠다.
– 아빠가 직접 동생을 차에 태운 상황 (직접 사동) vs. 아빠가 말로 동생을 차에 타도록 시킨 상황 (간접 사동)

Q & A 78

다의어도 중의성이 있나요?

이 길을 나와 함께 걸어가자!

하나의 언어 표현이 둘 이상의 의미를 나타내는 현상을 중의성이라고 하지? 문장의 중의성은 하나의 문장이 둘 이상의 의미로 해석되는 현상이야. 이러한 중의성은 다의어와는 구별하여 사용되고 있어. 중의성은 문맥 안에서 둘 이상의 의미를 가지는 경우를 말하고, 다의어는 문맥과는 무관하게 어떤 단어가 둘 이상의 의미를 가질 때 사용하지. 물론 문장에서 중의성을 유발하는 요인 중 하나가 다의어야. '이 길을 나와 함께 걸어가자!' 라는 문장은 다의어인 '길' 때문에 문장에서 중의성이 나타나. '길' 이 '사람이나 차가 다니는 도로' 라는 의미로 해석될 수도 있고, '인생의 여정' 이라는 의미로 해석될 수도 있지. 참고로 다의어뿐만 아니라 동음이의어도 문장의 중의성을 유발하는 요소가 될 수 있어. '어머니께 차를 사 드렸다.' 라는 문장이 중의성이 생기는 이유는 '차' 가 '자동차' 의 의미도 있고, '마시는 차' 의 의미도 있기 때문이지. 이때 '차' 는 의미적 연관성이 없기 때문에 동음이의어야. 즉, 일반적으로 중의성은 문장 차원의 의미를 말할 때, 다의어와 동음이의어는 단어 차원의 의미를 말할 때 사용해.

(2) 중의성 해소 방법

• 의미를 한정해 주는 문맥이나 상황의 제시, 쉼표의 사용, 어순 조절, 조사(은/는)의 사용 등을 통해 중의성을 해소할 수 있다.

① 전체 부정과 부분 부정의 해석이 모두 가능할 때

학생들이 전부 오지 않았다.	→	학생들이 전부는 오지 않았다.
학생들 전체가 오지 않음을 의미 (전체 부정) 학생들 일부가 오지 않음을 의미 (부분 부정)		학생들 일부가 오지 않음을 의미 (부분 부정)

② 직접 사동과 간접 사동의 해석이 모두 가능할 때

우리는 아이를 차에 태웠다.	→	우리는 아이를 차에 타게 했다.
직접적으로 아이를 들어서 차에 넣는 행위를 의미 (직접 사동) 간접적으로 말로만 아이를 차에 타게 시킨 의미 (간접 사동)		간접적으로 말로만 아이를 차에 타게 시킨 의미 (간접 사동)

③ 진행상과 완료상의 해석이 모두 가능할 때

형이 넥타이를 매고 있습니다.	→	형이 넥타이를 매는 중입니다.
지금 넥타이를 매는 중이라는 진행의 의미 (진행상) 넥타이를 맨 것이 완료된 상태가 지속되고 있음을 의미 (완료상)		지금 넥타이를 매는 중이라는 진행의 의미 (진행상)

④ 수량 표현의 의미가 다양하게 해석될 때

포수 둘이 참새 세 마리를 잡았다.	→	포수 둘이 각각 참새 세 마리를 잡았다.
포수 둘이 잡은 참새의 합계가 세 마리라는 의미 포수 둘이 각각 세 마리씩 총 여섯 마리를 잡았다는 의미		포수 둘이 각각 세 마리씩 총 여섯 마리를 잡았다는 의미

정확하지 못한 문장

필요한 문장 성분과
불필요한 문장 성분을 정확히 파악하자!

(1) 필요한 문장 성분을 생략한 경우

• 문장을 어법에 맞게 쓰려면 필요한 문장 성분을 갖추어야 한다.

① 주어 또는 서술어의 생략

예 우리는 한글을 만드신 것에 감사해야 한다. – 안긴문장의 주어 생략
→ 우리는 세종대왕께서 한글을 만드신 것에 감사해야 한다.

예 어제는 비와 바람이 많이 불었다. – '비가 불었다'는 어색한 문장, 서술어의 생략
→ 어제는 비가 내리고 바람이 많이 불었다.

② 목적어 또는 부사어의 생략

예 인간은 자연에 복종하기도 하고, 지배하기도 하면서 살아간다. – '지배하다'와 호응하는 목적어의 생략
→ 인간은 자연에 복종하기도 하고, 자연을 지배하기도 하면서 살아간다.

예 우리는 법을 지배하기도 하고, 구속받기도 한다. – '구속받기도'와 호응하는 부사어의 생략
→ 우리는 법을 지배하기도 하고, 법에 구속받기도 한다.

(2) 불필요한 문장 성분이 들어 있는 경우

• 불필요하게 의미가 중복된 내용은 삭제해야 한다. 의미 중복은 고유어와 한자어가 겹쳐 쓰이는 경우에 흔히 나타난다.

① 단어의 반복 사용

예 속담의 특징은 교훈적인 의미를 담고 있고, 비유를 사용한다는 점이 특징이다. – '특징'이 불필요하게 반복
→ 속담의 특징은 교훈적인 의미를 담고 있고, 비유를 사용한다는 점이다.
→ 속담은 교훈적인 의미를 담고 있고, 비유를 사용한다는 점이 특징이다.

② 의미의 중복

예 윤 감독이 이번에 새로 만든 신작(新作) 영화를 소개했다. – '새로 만들다'와 '신작(新作)'의 의미가 중복
→ 윤 감독이 이번에 새로 만든 영화를 소개했다.
→ 윤 감독이 이번에 신작(新作) 영화를 소개했다.

의미 중복의 예를 더 많이 알려 주세요.

우리가 무심코 사용하는 일상적인 언어 표현 중에는 의미가 중복되는 말들이 많이 있어. 이런 의미의 중복은 불필요하기 때문에 정확한 문장 표현과 관련된 문제로 출제될 수 있어. 의미 중복의 예를 몇 가지 더 들어 줄게!

역전 앞 – '전'과 '앞'의 의미가 중복
밖으로 표출되다. – 겉이라는 의미의 '밖'과 '표'의 의미가 중복
미리 예견하다. – '미리'와 '예'의 의미가 중복
결실을 맺다. – '결실'과 '맺다'의 의미가 중복
뿌리 뽑아 근절하다. – '뿌리 뽑다'와 '근절'의 의미가 중복
원서 제출은 1월 1일까지 내야 한다. – '제출'와 '내다'의 의미가 중복

(3) 문장 성분 사이의 호응이 어색한 경우

• 문장 성분의 호응이란 문장 안에서 특정 문장 성분이 뒤에 오는 문장 성분을 제약하는 것이다. 주어와 서술어의 호응, 수식어와 피수식어의 호응, 부사어와 서술어의 호응 관계에 주의하여 문장을 구성해야 한다.

① 주어와 서술어의 호응

예 내가 하고 싶은 말은 항상 마음의 여유를 갖기를 바란다. – 주어 '말은'과 서술어 '바란다'가 서로 호응하지 않는다.
→ 내가 하고 싶은 말은 항상 마음의 여유를 갖기를 바란다는 것이다.

② 부사어와 서술어의 호응

예 공연장에 입장하기 위해서는 절대로 한 줄로 서서 기다려야 합니다.
– '절대로'라는 부사어는 '~해야 한다'라는 서술어와 호응하지 않는다.
→ 공연장에 입장하기 위해서는 반드시 한 줄로 서서 기다려야 합니다.
– '반드시'라는 부사어가 '~해야 한다'라는 서술어와 호응 관계를 가진다.

⊕ 부사어와 서술어의 호응 살펴보기

• 긍정적 호응: 과연 ~ –했구나
• 부정적 호응: 여간 ~ –지 않다, 결코/절대로 ~ 해서는 안 된다, 전혀 ~ 아니다
• 반의적 호응: 하물며 ~ –랴
• 가정적 호응: 만약/만일 ~ –(더)라도, 혹시(아무리) ~ –(으)ㄹ지라도, 비록 ~ –(더)라도/–지만/–어도
• 당위적 호응: 모름지기/마땅히/당연히/반드시 ~ –해야 한다
• 추측적 호응: 아마(틀림없이) ~ –(으)ㄹ 것이다
• 비교적 호응: 마치/흡사 ~ 와 같다

③ 수식어와 피수식어의 호응

예 아름다운 소녀의 목소리가 우리를 감동시켰다. – 수식어 '아름다운'의 꾸밈을 받는 말이 '소녀'인지 '목소리'인지 불분명하다.
→ 소녀의 아름다운 목소리가 우리를 감동시켰다. – 어순을 교체하여 '아름다운'의 꾸밈을 받는 말을 '목소리'로 한정한다.

④ 조사 및 어미와 서술어의 호응

예 그는 초보자치고 운전을 잘하지 못한다. – 조사 '치고'와 '잘하지 못한다'라는 서술어가 호응하지 않는다.
→ 그는 초보자치고 운전을 잘한다. – 조사 '치고'는 앞말과 대립되는 뜻의 서술어와 호응한다.
→ 그는 초보자라서 운전을 잘하지 못한다. – 연결 어미 '–라서'는 앞말의 의미와 유사한 의미의 서술어와 호응한다.

MEMO

◐ 2022학년도 수능 37번

01 〈보기〉의 ㉠~㉥에 대한 설명으로 적절한 것은?

〈보 기〉

(두 사람이 공원에서 만난 상황)
민수: 영이야, ㉠우리 둘이 뭐 하고 놀까? 이 강아지랑 놀까?
영이: (민수 품에 안겨 있는 강아지를 가리키며) 아, 얘?
민수: 응, 얘가 전에 말했던 봄이야. 봄이 동생 솜이는 집에 있고.
영이: 봄이랑 뭐 하고 놀까? 우리 강아지 별이는 실뭉치를 좋아해서 ㉡우리 둘은 실뭉치를 자주 가지고 놀아. 너네 강아지들도 그래?
민수: 실뭉치는 ㉢둘 다 안 좋아해. 그런데 공은 좋아해서 ㉣우리 셋은 공을 갖고 자주 놀아. 그래서 공을 챙겨 오긴 했어.
영이: 그렇구나. 별이는 실뭉치를 좋아하니까, 다음에 네가 혼자 나오고 내가 별이랑 나오면 그때 ㉤우리 셋은 실뭉치를 갖고 놀면 되겠다.
민수: 그러자. 그럼 오늘 ㉥우리 셋은 공을 가지고 놀자.

① ㉠과 ㉡은 가리키는 대상이 동일하다.
② ㉡이 가리키는 대상은 ㉤이 가리키는 대상에 포함된다.
③ ㉢이 가리키는 대상은 ㉥이 가리키는 대상에 포함된다.
④ ㉣과 ㉤은 가리키는 대상이 동일하다.
⑤ ㉣과 ㉥은 가리키는 대상이 동일하다.

◐ 2022학년도 6월 모평 39번

02 〈보기〉를 바탕으로 할 때, ㉠~㉢에 해당하는 단어가 사용된 예로 적절한 것은?

〈보 기〉

선생님: 신체 관련 어휘는 ㉠신체 부위를 나타내는 중심적 의미가 ㉡주변적 의미로 확장될 수 있어요. 이때 ㉢소리는 같지만 중심적 의미가 다른 단어와 잘 구분해야 합니다. 그럼 아래에서 이러한 의미 관계를 확인해 봅시다.

코[1]
- 포유류의 얼굴 중앙에 튀어나온 부분.
- 콧구멍에서 흘러나오는 액체.

코[2]
- 그물이나 뜨개질한 물건의 눈마다의 매듭.

① ㉠: 묽은 코가 옷에 묻어 휴지로 닦았다.
② ㉠: 어부가 쳐 놓은 어망의 코가 끊어졌다.
③ ㉡: 코끼리는 긴 코를 자유자재로 사용한다.
④ ㉡: 동생이 갑자기 코를 다쳐서 병원에 갔다.
⑤ ㉢: 어머니께서 목도리를 한 코씩 떠 나가셨다.

▶ 2019학년도 수능 15번

03 〈보기〉를 활용하여 국어사전을 만드는 활동을 하였다. 표제어 ⓐ와 예문 ⓑ, ⓒ에 들어갈 말로 적절한 것은?

〈보기〉

㉠ 약속 날짜를 너무 밭게 잡았다.
㉡ 서로 밭게 앉아 더위를 참기 어려웠다.
㉢ 시간이 더 필요한데 제출 기한을 너무 바투 잡았다.
㉣ 어머니는 아들에게 바투 다가가 두 손을 움켜쥐었다.
⋮

[ⓐ]
[1] 두 대상이나 물체의 사이가 썩 가깝게.
¶ [ⓑ]
[2] 시간이나 길이가 아주 짧게.
⋮

밭다 형
[1] 시간이나 공간이 다붙어 몹시 가깝다.
¶ [ⓒ]
[2] 길이가 매우 짧다.
¶ 새로 산 바지가 **밭아** 발목이 다 보인다.
[3] 음식을 가려 먹는 것이 심하거나 먹는 양이 적다.
¶ 우리 아들은 입이 너무 **밭아서** 큰일이야.
⋮

	ⓐ	ⓑ	ⓒ
①	**밭게** 부	㉠	㉡
②	**밭게** 부	㉡	㉢
③	**밭게** 부	㉡	㉣
④	**바투** 부	㉢	㉠
⑤	**바투** 부	㉣	㉠

◘ 2018학년도 수능 15번

04 〈보기〉는 사전의 개정 내용을 정리한 자료의 일부이다. ㉠~㉤에 대한 이해로 적절하지 않은 것은?

〈보기〉

	개정 전	개정 후
㉠	**긁다** 동 「1」 손톱이나 뾰족한 기구 따위로 바닥이나 거죽을 문지르다. ⋮ 「9」 ……	**긁다** 동 「1」 손톱이나 뾰족한 기구 따위로 바닥이나 거죽을 문지르다. ⋮ 「9」 …… 「10」 물건 따위를 구매할 때 카드로 결제하다.
㉡	**김-밥**[김ː밥] 명 ……	**김-밥**[김ː밥/김ː빱] 명 ……
㉢	**냄새** 명 「1」 코로 맡을 수 있는 온갖 기운. 「2」 어떤 사물이나 분위기 따위에서 느껴지는 특이한 성질이나 낌새.	**냄새** 명 「1」 코로 맡을 수 있는 온갖 기운. 「2」 어떤 사물이나 분위기 따위에서 느껴지는 특이한 성질이나 낌새.
	내음 명 '냄새'의 방언(경상).	**내음** 명 코로 맡을 수 있는 나쁘지 않거나 향기로운 기운. 주로 문학적 표현에 쓰인다.
㉣	**태양-계** 명 태양과 그것을 중심으로 공전하는 천체의 집합. 태양, 9개의 행성, ……	**태양-계** 명 태양과 그것을 중심으로 공전하는 천체의 집합. 태양, 8개의 행성, ……
㉤	(표제어 없음)	**스마트-폰** 명 휴대 전화에 여러 컴퓨터 지원 기능을 추가한 지능형 단말기.

※ 사전의 개정 내용은 표준어와 표준 발음의 최신 정보를 반영한 것임.

① ㉠: 표제어의 뜻풀이가 추가되어 다의어의 중심적 의미가 수정되었군.
② ㉡: 표준 발음이 추가로 인정되어 기존의 표준 발음과 함께 제시되었군.
③ ㉢: 방언이었던 단어가 표준어의 지위를 얻고 뜻풀이도 새롭게 제시되었군.
④ ㉣: 과학적 정보를 반영하여 뜻풀이 일부가 갱신되었군.
⑤ ㉤: 새로운 문물을 지칭하는 신어가 표제어로 추가되었군.

▶ 2018학년도 9월 모평 13번

05 〈보기〉의 담화 상황에서 ⓐ~ⓔ가 가리키는 대상이 같은 것끼리 바르게 짝지은 것은?

〈보기〉

(수빈, 나경, 세은이 대화를 하고 있다.)
수빈: 나경아, 머리핀 못 보던 거네. 예쁘다.
나경: 고마워. ⓐ우리 엄마가 얼마 전 새로 생긴 선물 가게에서 사 주셨어.
세은: 너희 어머니 참 자상하시네. 나도 그런 머리핀 하나 사고 싶은데 ⓑ우리 셋이 지금 사러 갈까?
수빈: 미안해. 나도 같이 가고 싶은데 ⓒ우리 집에 일이 있어 못 갈 것 같아.
세은: 그래? 그럼 할 수 없네. ⓓ우리끼리 가지, 뭐.
나경: 그래, 수빈아. 다음엔 꼭 ⓔ우리 다 같이 가자.

① ⓐ-ⓑ ② ⓐ-ⓓ ③ ⓑ-ⓔ
④ ⓒ-ⓓ ⑤ ⓒ-ⓔ

▶ 2018학년도 6월 모평 11~12번

[06~07] **다음 글을 읽고 물음에 답하시오.**

단어의 의미 관계 중 상하 관계는 의미상 한 단어가 다른 단어를 포함하거나 다른 단어에 포함되는 관계를 말한다. 이때 다른 단어의 의미를 포함하는 단어를 상의어라 하고 다른 단어의 의미에 포함되는 단어를 하의어라 하는데, 상의어일수록 일반적이고 포괄적인 의미를 지니며 하의어일수록 구체적이고 한정적인 의미를 지닌다.

상하 관계에 있는 단어들은 상의어와 하의어가 상대적으로 정해진다. 이를테면 '구기'는 '스포츠'와의 관계 속에서 하의어가 되지만, '축구'와의 관계 속에서는 상의어가 된다. 그런데 '구기'의 하의어에는 '축구' 외에 '야구', '농구' 등이 더 있다. 이때 상의어인 '구기'에 대해 하의어 '축구', '야구', '농구' 등은 같은 계층에 있어 이들을 상의어 '구기'의 공하의어라 하며, 이들 공하의어 사이에는 ㉠비양립 관계가 성립한다. 곧 어떤 구기가 '축구'이면서 동시에 '야구'나 '농구'일 수는 없다.

한편 상하 관계에서는 하의어들이 상의어의 의미를 이어받아 상의어를 의미적으로 함의한다. 일례로 어떤 새가 '장끼'이면 그 '장끼'는 상의어 '꿩'의 의미를 이어받으므로 '꿩'을 의미적으로 함의하는 것이다. 그러나 어떤 새가 '꿩'이라 해서 그것이 꼭 '장끼'여야 하는 것은 아니므로, 상의어는 하의어를 의미적으로 함의하지 못한다. 이를 '[ ]'로 표현하는 의미 자질로 설명하면, 하의어 '장끼'는 상의어 '꿩'의 의미 자질들을 가지면서 [수컷]이라는 의미 자질을 더 가져, 결국 하의어 '장끼'는 상의어 '꿩'보다 의미 자질 개수가 많다. 곧 상의어보다 의미 자질이 많은 하의어는 상의어를 의미적으로 함의하는 것이다.

그런데 앞에서 살폈듯이 '구기'의 공하의어가 여러 개인 것과 달리, '꿩'의 공하의어는 성별로 구분했을 때 '장끼'와 '까투리' 둘뿐이다. '구기'의 공하의어인 '축구', '야구' 등과 마찬가지로 '장끼', '까투리'는 '꿩'의 공하의어로서 비양립 관계에 있다. 그러나 '장끼'와 '까투리'의 경우, '장끼'가 아닌 것은 곧 '까투리'이고 그 역도 성립한다는 점에서 ㉡상보적 반의 관계에 있다. 따라서 한 상의어가 같은 계층의 두 단어만을 공하의어로 포함하면, 그 공하의어들은 상보적 반의 관계에 있다고 할 수 있다.

◐ 2018학년도 6월 모평 11번

06 윗글을 바탕으로 다음 자료를 탐구한 것으로 적절하지 않은 것은?

> **악기(樂器)** [-끼] 명
> [음악] 음악을 연주하는 데 쓰는 기구를 통틀어 이르는 말. 연주법에 따라 일반적으로 현악기, 관악기, 타악기로 나눈다.
>
> **타-악기(打樂器)** [타:-끼] 명
> [음악] 두드려서 소리를 내는 악기를 통틀어 이르는 말. 팀파니, 실로폰, 북이나 심벌즈 따위이다.

① '타악기'는 '실로폰'의 상의어로서 '실로폰'보다 포괄적인 의미를 갖겠군.

② '북'은 '타악기'의 하의어이므로 [두드림]을 의미 자질 중 하나로 갖겠군.

③ '기구'는 '악기'를 의미적으로 함의하고 '악기'는 '북'을 의미적으로 함의하겠군.

④ '타악기'와 '심벌즈'는 모두 '기구'의 하의어이지만, '기구'의 공하의어는 아니겠군.

⑤ '현악기'와 '관악기'는 '악기'의 공하의어이므로 모두 '악기'의 상의어 '기구'보다 의미 자질의 개수가 많겠군.

◐ 2018학년도 6월 모평 12번

07 윗글을 바탕으로 할 때 ㉠과 ㉡을 모두 만족시키는 단어 쌍만을 〈보기〉에서 있는 대로 고른 것은?

〈보 기〉

ⓐ여름에 고향을 출발한 그가 마침내 ⓑ북극에 도달했다는 소식에 나는 다급해졌다. 지구의 양극 중 ⓒ남극에는 내가 먼저 가야 했다. 남극 대륙은 ⓓ계절이 여름이어도 내 고향의 ⓔ겨울만큼 바람이 찼다. 남극 대륙에서 나를 위로해 준 것은 썰매를 끄는 ⓕ개들과 귀여운 몸짓을 하는 ⓖ펭귄들, 그리고 먹이를 찾아 날아다니는 ⓗ갈매기들뿐이었다.

① ⓑ-ⓒ

② ⓐ-ⓔ, ⓑ-ⓒ

③ ⓑ-ⓒ, ⓖ-ⓗ

④ ⓐ-ⓓ, ⓑ-ⓒ, ⓖ-ⓗ

⑤ ⓐ-ⓔ, ⓑ-ⓒ, ⓕ-ⓗ

◐ 2017학년도 수능 11번

08 〈보기〉의 ㉠, ㉡에 해당하는 예로 적절한 것은?

〈보 기〉

학 생: 선생님, 다음 두 문장을 보면 모두 '가깝다'가 쓰였는데 의미가 좀 다른 것 같아요.

(1) 우리 집은 학교에서 가깝다.

(2) 그의 말은 거의 사실에 가깝다.

선생님: (1)의 '가깝다'는 "어느 한 곳에서 다른 곳까지의 거리가 짧음"을 뜻하고, (2)의 '가깝다'는 "성질이나 특성이 기준이 되는 것과 비슷함"을 뜻한단다. 이는 본래 ㉠공간과 관련된 중심적 의미를 지니던 것이 ㉡추상화되어 주변적 의미도 지니게 된 것이라고 할 수 있지.

학 생: 아, 그렇군요. 그러면 '가깝다'는 여러 의미를 지닌 단어로군요.

선생님: 그렇지. 그래서 '가깝다'는 다의어란다.

	㉠	㉡
①	물은 낮은 곳으로 흐른다.	환경에 대한 관심도가 낮다.
②	그는 성공할 가능성이 크다.	힘든 만큼 기쁨이 큰 법이다.
③	두 팔을 최대한 넓게 벌렸다.	도로 폭이 넓어서 좋다.
④	내 좁은 소견을 말씀드렸다.	마음이 좁아서는 곤란하다.
⑤	작은 힘이라도 보태고 싶다.	우리 학교는 운동장이 작다.

◐ 2014학년도 9월 모평AB 15번

09 다음의 ㉠~㉤에 대해 검토한 것으로 적절하지 않은 것은?

▶ 문장의 중의성 해소 방법 학습 활동지 ◀

중의성 있는 문장	중의성 해소 방법
예쁜 모자의 장식물이 돋보였다.	'장식물'이 예쁜 경우에는 ㉠"예쁜, 모자의 장식물이 돋보였다."로 고친다.
손님들이 다 오지 않았어.	손님들 중 일부만 온 경우에는 ㉡"손님들 중 일부가 오지 않았어."로 고친다.
언니가 교복을 입고 있다.	교복을 입는 동작이 진행 중인 경우에는 ㉢"언니가 교복을 입는 중이다."로 고친다.
형은 나보다 동생을 더 좋아한다.	'나'와 '동생'이 비교 대상인 경우에는 ㉣"형은 나를 좋아하는 것보다 동생을 더 좋아한다."로 고친다.
나는 웃으면서 매장에 들어오는 손님에게 인사했다.	'나'가 웃으면서 인사하는 경우에는 ㉤"나는 매장에 들어오는 손님에게 웃으면서 인사했다."로 고친다.

① ㉠은 "모자의 예쁜 장식물이 돋보였다."로도 고칠 수 있다.

② ㉡은 "손님들이 다는 오지 않았어."로도 고칠 수 있다.

③ ㉢은 "언니가 지금 교복을 입고 있다."로도 고칠 수 있다.

④ ㉣은 "형은 나와 동생 중에서 동생을 더 좋아한다."로도 고칠 수 있다.

⑤ ㉤은 "매장에 들어오는 손님에게 나는 웃으면서 인사했다."로도 고칠 수 있다.

◆ 2014학년도 6월 모평B 12번

10 〈보기 1〉을 참고하여 〈보기 2〉와 같이 문장을 수정하였다. 〈보기 2〉의 (가), (나)에 들어갈 내용을 바르게 고른 것은?

〈보기1〉

정확한 문장을 구성하기 위해서는 문장을 형성하는 규칙인 문법을 잘 지켜야 한다. ㉠주어, 목적어, 필수적 부사어 등 서술어가 필요로 하는 문장 성분이 빠져 있는 경우, ㉡주어와 서술어, 부사어와 서술어 등 문장 성분 간의 호응이 지켜지지 않은 경우, ㉢조사나 어미를 잘못 사용한 경우에는 문법성이 결여되어 바르지 않은 문장이 된다.

〈보기2〉

원래의 문장 → 수정한 문장	고려한 사항
• 이 장면은 연출된 것이니 반드시 따라 하지 마세요. → 이 장면은 연출된 것이니 절대로 따라 하지 마세요.	(가)
• 우리는 타인의 인격을 존중해야 하고 나와 평등하다는 생각을 지녀야 한다. → 우리는 타인의 인격을 존중해야 하고 타인이 나와 평등하다는 생각을 지녀야 한다.	(나)

	(가)	(나)
①	㉠	㉡
②	㉠	㉢
③	㉡	㉠
④	㉡	㉢
⑤	㉢	㉡

◆ 2012학년도 수능 11번

11 〈보기〉를 참고할 때, ⓐ와 같은 특성을 보이는 것끼리 바르게 묶은 것은?

〈보기〉

둘 이상의 단어가 어휘적으로 긴밀하게 결합하여 하나의 구성단위처럼 인식되는 경우가 있다. 아래 ㄱ에서 보는 바와 같이 '무거운 짐'은 '무거운' 대신 '가벼운, 큰' 등이 쓰일 수 있고, '짐'은 '돌, 책임' 등과 자유롭게 대체될 수 있다. 그러나 '무거운 침묵'은 ㄴ과 같이 '가벼운, 큰' 등이 '무거운'을 대신하여 쓰이기 어렵고, ㄷ에서 확인되듯이 '무거운 짐'과 달리 앞뒤 순서를 바꾸면 부자연스럽거나 의미가 달라진다. 즉, ⓐ'무거운 침묵'은 고정된 형식으로 '정적이 흐르는 상태가 매우 심하다'는 일정한 의미를 나타낸다.

ㄱ. {무거운 / 가벼운 / 큰……} {짐 / 돌 / 책임……}
ㄴ. {무거운 / *가벼운 / *큰……} 침묵
ㄷ. 짐이 무겁다. / 침묵이 *무겁다.

*는 부자연스러운 어휘.

① 꽃다운 나이, 높다란 나무
② 진정한 친구, 싯누런 들판
③ 차가운 공기, 막다른 골목
④ 뜨거운 눈물, 새파란 젊은이
⑤ 팽팽한 대결, 가벼운 발걸음

◆ 2012학년도 6월 모평 11번

12 〈보기〉의 설명을 바탕으로 반의어에 대한 탐구 활동을 한다고 할 때, 추론한 내용으로 가장 적절한 것은?

〈보기〉

반의 관계는 서로 반대되거나 대립되는 의미를 가진 단어 사이의 의미 관계이다. ㉠반의 관계는 두 단어가 여러 공통 의미 요소를 가지고 있으면서 다만 하나의 의미 요소가 다를 때 성립한다. 가령 ㉡'총각'의 반의어가 '처녀'인 것은 두 단어가 여러 공통 의미 요소를 가지고 있으면서 '성별'이라고 하는 하나의 의미 요소가 다르기 때문이다.

반의어는 반의 관계의 성격에 따라 분류할 수 있다. 즉 반의어에는 ㉢'금속', '비금속'과 같이 한 영역 안에서 상호 배타적 대립 관계에 있는 상보(모순) 반의어, ㉣'길다', '짧다'와 같이 두 단어 사이에 등급성이 있어서 중간 단계가 있는 등급(정도) 반의어, ㉤'형', '아우'와 '출발선', '결승선' 등과 같이 두 단어가 상대적 관계를 형성하고 있으면서 의미상 대칭을 이루고 있는 방향(대칭) 반의어가 있다.

① ㉠: 두 단어가 공통 의미 요소만 가지고 있어도 반의 관계가 성립한다.
② ㉡: '손녀'와 '할아버지'는 '연령'이라는 의미 요소만 다르므로 서로 반의 관계에 있다.
③ ㉢: '선배가 아닌 사람'은 모두 '후배'이므로 '선배'와 '후배'는 상보 반의어이다.
④ ㉣: '길다'를 부정한 '길지 않다'는 '길다'의 반의어인 '짧다'와 똑같은 의미이다.
⑤ ㉤: '가다'와 '오다'는 이동 방향에서 상대적 관계를 가지므로 방향 반의어에 포함된다.

수능 국어 문법 필수 개념서

국어 문법

F A Q

PART

5

국어의 역사

PART

5 국어의 역사

문법 체계 한눈에 보기

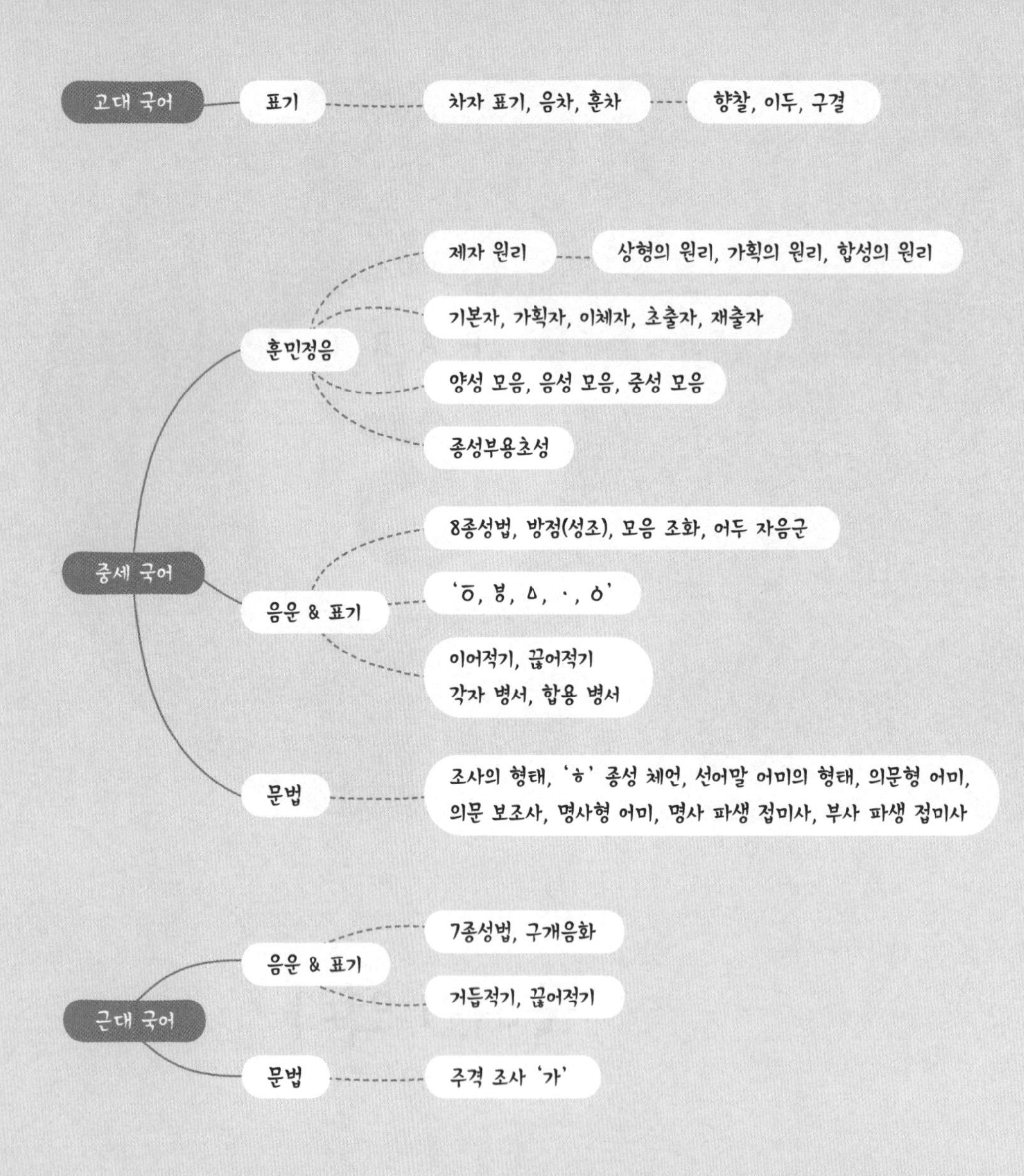

훈민정음

백성을 가르치는 바른 소리
세종대왕은 어떻게 이런 생각을?

상형의 원리: 사물의 모양을 본떠서 글자를 만드는 원리

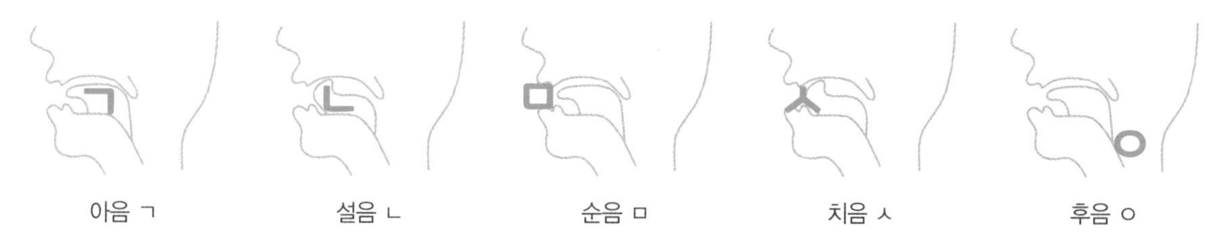

- '아음'은 혀뿌리가 목구멍을 막는 모양이고, '설음'은 혀 끝이 윗잇몸에 닿는 모양, '순음'은 입술 모양, '치음'은 이 모양, '후음'은 목구멍 모양을 본떠 만들어졌다.

- 중성자(모음)는 하늘, 땅, 사람을 상형하여 기본자를 만들었는데, '·'는 하늘의 둥긂을, 'ㅡ'는 땅의 평평함을, 'ㅣ'는 서 있는 사람의 모양을 본떠 만들어졌다.

가획의 원리: 기본자에 획을 더하여 글자를 만드는 원리

	아음	설음	순음	치음	후음
기본자	ㄱ	ㄴ	ㅁ	ㅅ	ㅇ
가획자	↓ ㅋ	↓ ㄷ ↓ ㅌ	↓ ㅂ ↓ ㅍ	↓ ㅈ ↓ ㅊ	↓ ㆆ ↓ ㅎ

가획자: 기본자에 획을 더하여 만들어진 글자

⊕ 기본자에 획을 더할수록 소리는 점점 강하게 됨

이체자: 예외에 속하는 글자들(ㆁ, ㄹ, ㅿ)

⊕ 'ㆁ, ㄹ, ㅿ'은 가획의 과정을 거쳤지만 가획 이전과 비교하여 소리의 세기가 세지지 않았다는 점에서 예외적임

이체자들도 가획의 과정을 거쳤으니 가획자 아닌가요?

ㆁ, ㄹ, ㅿ

'ㆁ, ㄹ, ㅿ'은 모두 가획의 과정을 거쳤다고 할 수 있어. 'ㆁ'은 'ㅇ'에, 'ㄹ'은 'ㄷ'에, 'ㅿ'은 'ㅅ'에 획을 더해 만들어졌으니까! 그런데 가획의 원리에 따라 가획자가 되려면 기본자에 획을 더할수록 소리가 점점 더 강해져야 해. 예를 들어 'ㅁ→ㅂ→ㅍ'을 보면 획이 더해질수록 소리가 더 강하게 나는 것을 알 수 있지! 하지만 'ㆁ, ㅿ, ㄹ'은 소리가 강해지지 않아. 그래서 예외에 해당돼. 게다가 'ㆁ'은 후음의 기본자 'ㅇ'에 획을 더한 모양이지만 후음이 아니라 아음에 속해. 그래서 'ㆁ, ㄹ, ㅿ'는 가획자라고 부르지 않고, 모양을 달리하는 문자를 뜻하는 '이체자'라고 부르는 거야.

초출자: 'ㆍ' 하나와 'ㅡ', 'ㅣ'가 결합한 글자
재출자: 'ㆍ' 하나와 초출자가 결합한 글자

기본자	ㆍ, ㅡ, ㅣ
초출자	ㅗ, ㅏ, ㅜ, ㅓ
재출자	ㅛ, ㅑ, ㅠ, ㅕ

양성 모음: 어감이 밝고 산뜻한 느낌을 주는 모음
음성 모음: 어감이 어둡고 무거운 느낌을 주는 모음
중성 모음: 어떤 모음과도 잘 어울리는 모음

양성 모음		음성 모음	중성 모음
ㆍ	↔	ㅡ	
ㅗ		ㅜ	ㅣ
ㅏ		ㅓ	

종성부용초성: 종성자를 별도로 만들지 아니하고, 초성자를 다시 사용한다는 종성의 제자 원리
⊕ 8종성법: 중세 국어에서 일부 예외를 제외하면 종성에는 'ㄱ, ㄴ, ㄷ, ㄹ, ㅁ, ㅂ, ㅅ, ㆁ'의 8개의 자음으로 표기함

종성부용초성과 8종성법은 같은 말 아닌가요?

'종성부용초성'은 종성자를 따로 만들지 않고 초성자를 다시 사용한다는 의미로, 훈민정음 제자 원리와 관련된 말이야. 즉, 종성자를 어떻게 만들었는지를 나타낸 것이지. 이와 달리 '8종성법'은 제자 규정이 아닌 표기 규정이야. 즉, 종성에는 'ㄱ, ㄴ, ㄷ, ㄹ, ㅁ, ㅂ, ㅅ, ㆁ'의 8개의 자음으로 표기하라는 내용과 관련된 거야. 물론 일부 문헌에서 '곶, 닢' 등의 예외가 나타나기는 하지만, 중세 국어의 종성 표기는 일반적으로 8종성법을 따르고 있어. 정리하면, '종성부용초성'은 제자 규정, '8종성법'은 표기 규정에 해당된다는 것, 알아 두자!

기타 용어

용어의 뜻을 알면
어렵지 않아~

차자 표기: 다른 문자를 빌려서 우리말을 표기하는 방식
음차: 한자의 음을 빌려 와 우리말을 표기하는 방식
훈차: 한자의 뜻을 빌려 와 우리말을 표기하는 방식

음차와 훈차의 예를 들어 설명해 주세요.

소나

'소나' 라는 사람의 이름을 예로 설명해 줄게. 한글이 창제되기 전인 고대 국어 시기에는 한자를 빌려서 우리말을 표기했는데, 한자의 음을 빌려 와 표기하는 음차와 한자의 뜻을 빌려 와 표기하는 훈차, 두 가지 표기 방식이 있었어. 이를 적용해 보면 '素(흴 소) 那(어찌 나)' 는 한자의 음을 빌려 '소나' 를 표기한 것이고, '金(쇠 금) 川(내 천)' 은 한자의 훈(뜻)을 빌려 '쇠내(소나)' 를 표기한 거야.

'소나'를 표기하기 위한 방법	
음차	'素那'로 적음 –'素(흴 소) 那(어찌 나)'
훈차	'金川'으로 적음 –'金(쇠 금) 川(내 천)'

성조: 단어의 뜻을 분별하는 기능을 하는 소리의 높낮이
이어적기: 받침 있는 체언이나 용언의 어간에, 모음으로 시작하는 조사나 어미가 연결될 경우 앞 형태소의 종성을 다음 형태소의 초성에 내려 쓰는 방식으로, 연철이라고도 함 예 사르미

끊어적기: 받침 있는 체언이나 용언의 어간에, 모음으로 시작하는 조사나 어미가 연결될 경우 앞 형태소의 종성과 뒤 형태소의 초성을 각각 구별하여 적는 방식으로, 분철이라고도 함 예 사름이

거듭적기: 이어적기와 끊어적기의 과도기적 형태로, 앞 형태소의 종성을 그대로 적고 뒤 형태소의 초성에도 적는 방식. 중철이라고도 함
예 사름미

각자 병서: 같은 자음자를 가로로 나란히 붙여 쓰는 방식 예 ㄲ, ㄸ, ㅃ, ㅆ, ㅉ, ㆅ
합용 병서: 서로 다른 자음자를 가로로 나란히 붙여 쓰는 방식 예 ㅺ, ㅼ, ㅴ
어두 자음군: 단어의 첫머리에 오는 둘 또는 그 이상의 자음의 연속체 예 ᄡᆞᆯ, ᄢᅢ

국어의 역사

고대 국어부터 근대 국어까지
흐름을 파악하자!

국어의 역사적 흐름		주요 역사적 사건
고대 국어(~10세기)		신라 삼국 통일
중세 국어	전기 중세 국어(10~14세기)	고려 건국
	후기 중세 국어(15~16세기)	훈민정음 창제
근대 국어(17~19세기)		임진왜란 이후
현대 국어(20세기~)		

Ⅰ. 고대 국어 (~10세기)

1. 음운

• 고대 국어의 자음은 예사소리와 거센소리만 있고 된소리는 발달하지 않은 것으로 보이며, 고대 국어의 모음은 'ㆍ, ㅡ, ㅣ, ㅗ, ㅏ, ㅜ, ㅓ'가 있었을 것으로 추정된다.

2. 표기

• 한글이 창제되기 전, 한자의 훈(뜻)과 음(소리)을 이용하여 우리말을 표기했다.

⊕ 향찰, 이두, 구결 등이 대표적

향찰: '향가'의 표기에 주로 쓰인 차자 표기법

⊕ 단어의 실질적인 의미를 가진 부분은 훈차를 하고, 문법적인 의미를 가진 부분은 음차를 하는 것을 원칙으로 함

⊕ 향찰 표기

향찰 표기	善	化	公	主	主	隱
음	ⓢ선	화	공	주	주	은
뜻	착하다	되다	공평하다	님	님	숨다

3. 문법

(1) 조사: 주격 조사 '伊(이)', 목적격 조사 '乙(을)' 및 보조사 '隱(은)', '置(도)' 등이 사용됨

(2) 어미: 관형사형 어미 '尸(-ㄹ)', '隱(-(으)ㄴ)', 연결 어미 '古(-고)'와 '旀(-며)', 종결 어미 '如(-다)' 등이 사용됨

Ⅱ. 중세 국어 (고려 건국 이후 10~16세기)

1. 음운

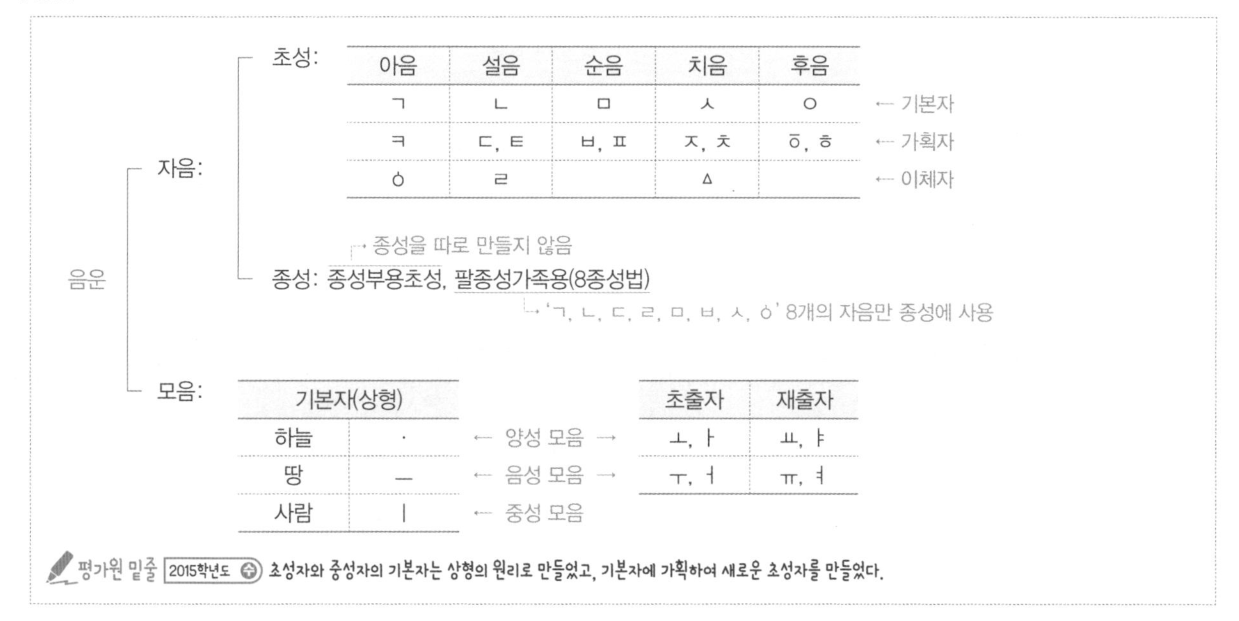

(1) 자음

① 'ㆁ' (옛이응): 현대 국어의 종성 'ㅇ'과 소리가 같으나 현대 국어와는 달리 음절의 초성에서도 발음됨

예 바올(방울), 그에(거기에)

② 유성 마찰음 'ㅿ'(반치음), 'ㅸ'(순경음 비읍), 'ㅇ'(이응): 주로 울림소리 사이에 쓰임

ㄴ, ㅁ, ㄹ, ㅇ, 모음

예 아ᅀᆞ(아우), 글ᄫᆞᆯ(글월), 앗이(아우가)

중세 국어의 'ㅇ'(이응)과 현대 국어의 'ㅇ'(이응)은 무엇이 다른 건가요?

아ᅀᆞ(아우) vs. 앗이(아우가)

중세 국어의 'ㅇ'은 두 가지 용법으로 쓰여. 하나는 '아ᅀᆞ'의 첫 번째 음절에 쓰인 'ㅇ'처럼 형식을 갖추기 위해 소릿값 없이 쓰이는 경우이고, 다른 하나는 '앗이'의 둘째 음절에 쓰인 'ㅇ'처럼 소릿값이 존재하는 자음으로 쓰이는 경우야. 후자의 경우에 'ㅇ'을 '후두유성마찰음'이라고 하는데, (외울 필요는 없어!) 정확한 소릿값은 알 수 없어. 그런데 후자의 경우 소릿값이 있는 자음인지 어떻게 아느냐고? 만약 둘째 음절의 'ㅇ'이 소릿값이 없이 형식적으로만 쓰였다면, 일반적으로 이어적기를 한 중세 국어에서는 '아시'가 되었을 거야. 하지만 'ㅇ'이 자음으로 기능하고 있기 때문에 끊어적기로 표기된 거지. 이와는 달리 현대 국어에서 초성에 쓰인 'ㅇ'은 모두 형식적으로 쓰인 소릿값이 없는 이응이야. 음절이 모음으로 시작할 때 형식을 갖추기 위해 초성에 'ㅇ'이라고 표기만 해 주는 거지. 즉 현대 국어에서 초성의 'ㅇ'은 중세 국어의 'ㅇ'이 쓰이는 첫 번째 경우와 그 기능이 같아. 주의할 점은 현대 국어에서 종성에 쓰인 소릿값이 있는 'ㅇ'은 중세 국어에서는 'ㆁ'(옛이응)으로 표기되었다는 거야! 정리해 보자!

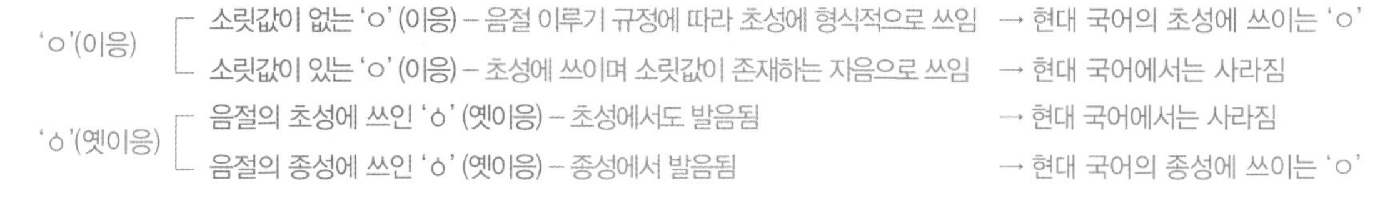

‘ㆁ’(옛이응)은 현대 국어에서는 사라진 건가요?

ㆁ → ㅇ
롱담 → 농담

‘ㆁ’은 현대 국어에서는 더 이상 쓰지 않는 표기지만, 그 소릿값은 현대 국어의 종성에 쓰이는 ‘ㅇ’의 소릿값과 같아. 16세기부터 표기상으로 ‘ㆁ’과 ‘ㅇ’이 혼동되어 쓰이다가 현대 국어에서는 ‘ㅇ’으로 표기가 통합되었어. 아래 중세 국어 자음표에서 ‘ㆁ’이 ‘ㄱ’과 같은 조음 위치에 있는 것 보이지? 현대 국어의 자음 체계표에서도 ‘ㅇ’은 ‘ㄱ’과 같은 연구개음으로 동일한 조음 위치에 있어! 정리하면, 중세 국어에서 종성에 쓰인 ‘ㆁ’은 표기가 ‘ㅇ’으로 통합되었고, 발음은 그대로 남아 있는 거야! ‘롱담’에서 첫 번째 음절의 종성에 쓰인 ‘ㆁ’이 현대 국어에서는 ‘ㅇ’으로 바뀐 것처럼 말이야. 참고로 ‘롱담’은 현대 국어에서 두음 법칙이 적용되어 ‘농담’으로 바뀐 거야.

〈중세 국어〉

아음	설음	순음	치음	후음
ㄱ	ㄴ	ㅁ	ㅅ	ㅇ
ㅋ	ㄷ, ㅌ	ㅂ, ㅍ	ㅈ, ㅊ	ㆆ, ㅎ
ㆁ	ㄹ		ㅿ	

③ 어두 자음군: 단어의 첫머리에서 둘 이상의 자음이 발음

유형	형태	예
‘ㅅ’계	ㅺ, ㅼ, ㅽ	ᄭᅮᆷ, ᄯᅩ, ᄲᅳ리다
‘ㅂ’계	ㅲ, ㅄ, ㅶ, ㅷ	ᄠᅳᆮ, ᄡᅳ다, ᄧᅡᆯ, ᄩᅡᆨ, ᄩᅳ다
‘ㅄ’계	ㅴ, ㅵ	ᄢᅵ, ᄣᅢ

④ 종성에서 ‘ㄷ’과 ‘ㅅ’의 음가가 구별됨 예 몯(釘), 못(池)

중세 국어에서는 받침의 ‘ㄷ’과 ‘ㅅ’이 발음상 구별되었다고요?

몯 vs. 못

중세 국어에서는 받침의 ‘ㄷ’과 ‘ㅅ’이 구별되었어. 현대 국어의 받침은 ‘ㄱ, ㄴ, ㄷ, ㄹ, ㅁ, ㅂ, ㅇ’의 7개만 올 수 있지만, 중세 국어의 8종성법을 보면 음절의 종성에 ‘ㄱ, ㄴ, ㄷ, ㄹ, ㅁ, ㅂ, ㅅ, ㆁ’이 쓰였지. 즉, 현대 국어에서처럼 ‘ㅅ’이 [ㄷ]으로 발음되는 것이 아니라, ‘ㄷ’과 구별되는 ‘ㅅ’의 발음이 종성에서 실현되었던 거지. 중세 국어에서는 일반적으로 발음에 충실한 표기법을 썼기 때문에 8종성법에서 ‘ㄷ’과 ‘ㅅ’을 구별하여 썼다는 것은 이 둘의 발음이 구별되었다는 것을 의미해. 그래서 벽이나 나무에 박는 물건(釘)의 뜻을 나타낼 때는 ‘몯’으로, 연못(池)의 뜻을 나타낼 때는 ‘못’으로 받침의 ‘ㄷ’과 ‘ㅅ’을 구별해서 표기했어. 근대 국어 시기에는 받침에서 ‘ㅅ’이 ‘ㄷ’으로 발음되는 변화가 나타났지만 ‘ㅅ’으로 표기하는 경향이 강했어. 주의할 점은 중세 국어의 8종성법과 근대 국어의 7종성법은 표기와 관련되고, 현대 국어의 음절의 끝소리 규칙은 발음과 관련된다는 거야. 꼭 기억하자!

중세 국어 8종성법 ㄱ, ㄴ, ㄷ, ㄹ, ㅁ, ㅂ, ㅅ, ㆁ – 표기
근대 국어 7종성법 ㄱ, ㄴ, ㄹ, ㅁ, ㅂ, ㅅ, ㅇ – 표기
현대 국어 음절의 끝소리 규칙 ㄱ, ㄴ, ㄷ, ㄹ, ㅁ, ㅂ, ㅇ – 발음

어두 자음군은 현대 국어에서 완전히 사라졌나요?

조 + 쌀 → 좁쌀

어두 자음군은 현대 국어에서 쓰지 않지만 어두 자음군의 흔적이 남아 있는 경우가 있어. '좁쌀'을 살펴보자. '조'와 '쌀'이 결합했는데 왜 '좁쌀'이 되었을까? 현대 국어의 '쌀'이 중세 국어 시기에는 'ᄡᆞᆯ'이었고, 어두 자음군 'ㅄ'에서 'ㅂ'의 흔적이 남아 '좁쌀'이 된 것이라고 볼 수 있어. '햅쌀, 찹쌀'도 마찬가지야. 또한 현대 국어의 '입때, 접때'의 경우에도 현대 국어의 '때'가 중세 국어 시기에는 'ᄣᅢ'의 형태였기 때문에 어두 자음군 'ᄣ'에서 'ㅂ'의 흔적이 남았다고 볼 수 있어. 즉, 현대 국어에서 어두 자음군은 사라졌지만, 중세 국어에 쓰였던 어두 자음군의 흔적이 남아 있는 예들을 찾아볼 수 있어!

(2) 모음

① 'ㆍ'(아래아): 'ㅏ'와 'ㅗ'의 중간 음 예 ᄃᆞ리(다리)

⊕ 'ㆍ'(아래아)의 소실 알아두기

1단계 소실: 16세기 말엽, 2음절 이하에서 ㆍ → ㅡ (ᄆᆞᅀᆞᆷ → ᄆᆞ음)

2단계 소실: 18세기 중엽, 1음절에서 ㆍ → ㅏ (ᄆᆞ음 → 마음)

② 'ㅐ, ㅔ, ㅚ, ㅟ': 현대 국어와 달리 이중 모음으로 발음

③ 모음 조화: 양성 모음은 양성 모음끼리 음성 모음은 음성 모음끼리 어울리는 것으로, 중세 국어 시기에는 모음 조화가 대체로 잘 지켜짐

예 소ᄂᆞᆫ(손은), 자ᄇᆞ니(잡으니), 브른(불은), 머그니(먹으니)

중세 국어의 단모음 체계와 현대 국어의 단모음 체계는 어떻게 다른가요?

중세 국어의 단모음은 'ㆍ, ㅡ, ㅣ, ㅗ, ㅏ, ㅜ, ㅓ'로, 7모음 체계였어. 반면 현대 국어의 단모음은 'ㅏ, ㅐ, ㅓ, ㅔ, ㅗ, ㅚ, ㅜ, ㅟ, ㅡ, ㅣ'의 10모음 체계야. 그럼 이 두 체계를 비교해 보자. 중세 국어의 7모음 체계가 현대 국어의 10모음 체계로 바뀌는 과정에서 두 가지 중요한 사실이 있어. 첫째는 'ㆍ' 의 소실인데, 'ㆍ'의 소실은 위에서 설명했듯이 1단계와 2단계의 소실이 있지? 1단계 소실은 주로 어두가 아닌 비어두 즉, 둘째 음절 이하에서 'ㆍ'가 'ㅡ'로 바뀌는 것이고, 2단계 소실은 어두의 'ㆍ'가 주로 'ㅏ'로 바뀌는 것을 말해. 물론 이러한 변화는 일반적인 경향을 말하는 것이고 'ㆍ'는 'ㅓ', 'ㅗ' 등 여러 모음으로 바뀌기도 했어. 둘째는 'ㅐ, ㅔ, ㅚ, ㅟ'가 새롭게 단모음이 되었다는 거야. 중세 국어의 단모음 중 전설 모음은 'ㅣ' 하나밖에 없었는데, 근대 국어 시기에 'ㅐ, ㅔ'가 단모음으로 바뀐 후, 19세기 후반 이후 'ㅚ, ㅟ'도 단모음으로 바뀌면서 현대 국어의 10모음 체계가 완성되었어!

중세 국어 7모음 체계 ㆍ, ㅡ, ㅣ, ㅗ, ㅏ, ㅜ, ㅓ

현대 국어 10모음 체계 ㅏ, ㅐ, ㅓ, ㅔ, ㅗ, ㅚ, ㅜ, ㅟ, ㅡ, ㅣ

(3) 성조

사성	방점	성격	예
평성	없음	낮고 짧은 소리	활(弓), 비(梨)
거성	1점	높고 짧은 소리	·갈(刀), ·말(斗)
상성	2점	낮은 음에서 높은 음으로 올라가는 긴 소리	:돌(石), :말ᄊᆞ미
입성	없음, 1점, 2점	급히 닫는 소리 (종성이 'ㄱ, ㄷ, ㅂ, ㅅ'으로 끝나는 소리)	입(口), :낟(穀)

⊕ 글자의 왼쪽에 방점을 찍어 소리의 높낮이를 표시함

2. 글자의 운용

(1) 이어쓰기(연서)

① 'ㅇ'을 순음(ㅁ, ㅂ, ㅍ, ㅃ) 아래에 이어 쓰면 순경음(ㅱ, ㅸ, ㆄ, ㅹ)이 됨

② 'ㅸ'은 고유어 표기에 쓰이고, 'ㅱ, ㆄ, ㅹ'은 동국정운식 한자음 표기에 쓰임

(2) 나란히 쓰기(병서)

① 각자 병서: 같은 초성(자음)을 나란히 쓰는 것 (ㄲ, ㄸ, ㅃ, ㅆ, ㅉ, ㆅ)

평가원 밑줄 2015학년도 ⊕ 초성자를 나란히 써서 또 다른 초성자로 사용하였다.

② 합용 병서: 서로 다른 초성(자음)을 두 개, 세 개 나란히 쓰는 것

예 'ㅅ'계: ㅺ, ㅼ, ㅽ

'ㅂ'계: ㅳ, ㅄ, ㅶ, ㅷ

'ㅄ'계: ㅴ, ㅵ

현대 국어의 두음 법칙을 설명해 주세요.

량심(良心) → 양심
락원(樂園) → 낙원
녀자(女子) → 여자
ᄡᅳ다 → 쓰다

현대 국어의 두음 법칙은 세 가지만 기억하자! 첫째, 'ㄹ'은 단어의 첫머리에 올 수 없어. 'ㄹ'이 탈락하거나, 'ㄹ'이 'ㄴ'으로 바뀌지. 그래서 '량심'은 '양심'으로, '락원'은 '낙원'으로 쓰여. 다만 '라면, 라디오'와 같은 외래어나 새로 생긴 말에는 예외가 있기도 해. 둘째, 단어의 첫음절의 모음이 'ㅣ, ㅑ, ㅕ, ㅛ, ㅠ'인 경우에 어두의 'ㄴ'은 나타날 수 없어. 그래서 '녀자'가 아니라 '여자'가 되는 거지. 셋째, 중세 국어와는 달리 '어두 자음군'이 올 수 없어. 15세기에 어두 자음군이 쓰일 수 있었다는 것은 현대 국어의 두음 법칙이 적용되지 않았기 때문이야!

현대 국어의 두음 법칙 – 단어의 첫머리에 특정 자음이 올 수 없는 법칙
- 'ㄹ'이 어두에 올 수 없음
- 'ㄴ'이 어두에서 'ㅣ'나 'ㅣ̆' 앞에 올 수 없음
- 어두 자음군이 올 수 없음

⊕ 중세 국어 시기에는 현대 국어의 두음 법칙이 적용되지 않았으므로 어두 자음군이 쓰일 수 있음

(3) 붙여쓰기(부서): 초성을 기준으로 중성의 위치를 규정한 것

① 초성 아래 쓰는 중성: ·, ㅡ, ㅗ, ㅜ, ㅛ, ㅠ 예 ㄱ + ㅗ → 고

② 초성 오른쪽에 쓰는 중성: ㅣ, ㅏ, ㅓ, ㅑ, ㅕ 예 ㄱ + ㅏ → 가

(4) 음절 이루기(성음): 음절을 이룰 때에는 초성과 중성, 종성이 합해져 하나의 음절을 이루게 됨

예 世솅, 音흠 – 고유어를 표기할 때에는 종성이 없이 '초성 + 중성'으로도 음절이 구성되지만, 한자를 표기할 때에는 초성, 중성, 종성을 갖추어 표기

3. 표기

(1) 이어적기(연철): 중세 국어의 일반적인 표기법으로 발음(소리)에 충실한 표기인 '표음적 표기법'에 해당함

예 님 + 을 → 니믈, 높– + –을시고 → 노플시고

평가원 밑줄 2014학년도 ㊄ 15세기 국어에서는 연철 표기(이어적기)를 하였다. 예 ·ᄡᅮ·메, ·ᄠᅳ·들

(2) 끊어적기(분철): 여러 형태소가 연결될 때 기본 형태를 밝혀 적거나 음절이나 성분 단위로 끊어 적는 것으로 '표의적 표기법'에 해당함

예 님 + 을 → 님을, 높– + –을시고 → 높을시고

⊕ 『용비어천가』와 『월인천강지곡』과 같은 일부 문헌에서 끊어적기(분철)가 나타남

예 곶 됴코, 깊고, 맞나ᅀᆞᄫᆞ며 – 기본 형태를 밝혀 적은 경우

예 눈에, 일ᄋᆞᆯ, 안아, 담아, 여ᇫ의갗 – 끊어적기를 한 경우

(3) 거듭적기(중철): 이어적기(연철)와 끊어적기(분철)의 과도기적 표기라 불리는 중철은 16~17세기에 주로 사용됨

예 님 + 을 → 님믈, 높– + –을시고 → 놉플시고

4. 문법

(1) 조사

① 주격 조사 (현대 국어의 '이, 가'에 해당)

형태	환경	예
이	자음으로 끝난 체언 뒤	사ᄅᆞᆷ + 이 → 사ᄅᆞ미
ㅣ	'ㅣ' 모음 이외의 모음으로 끝난 체언 뒤	부텨 + ㅣ → 부톄, 孔子ㅣ
ø	'ㅣ' 모음으로 끝난 체언 뒤	불휘 + ø → 불휘(뿌리가)

– 'ㅣ'는 한글로 표기할 때는 체언과 합쳐 쓰고, 한자에는 따로 쓴다. 예 물읫 字ㅣ(모든 글자가)

– 'ø'(영 주격 조사)는 표기상으로만 쓰이지 않았을 뿐 성조 변화를 통해 발음되었다. 예 ᄃᆞ리 + ø → ᄃᆞ:리

평가원 밑줄 2021학년도 ⑨ '말ᄊᆞ미(말씀이)'와 'ᄒᆞᆯ 배(하는 바가)'에 쓰인 주격 조사는 그 형태가 동일하지 않다. 예 말ᄊᆞᆷ + 이, ᄒᆞᆯ바 + ㅣ

⊕ 특이한 주격 조사 살펴보기

형태	현대어	환경	예
씌셔, 겨오셔	께서	높임 명사 뒤	和平翁主씌셔(화평옹주께서), 先人겨오셔(선인께서)
ᄋᆡ이셔, 애이셔	에서	단체 명사 뒤	나라해이셔(나라에서)
셔	서	일반 명사 뒤	사공셔 오늘 日出이 유명ᄒᆞ리란다.
ㅣ라셔	이라서	'누구' 뒤	뉘라셔(누구이라서)

② 서술격 조사 (현대 국어의 '이다'에 해당)

이라 / ㅣ라 / ø라 – 환경은 중세 국어 주격 조사와 동일하다.

평가원 밑줄 2021학년도 ⊕ 중세 국어에서 'ㅔ, ㅐ'로 끝나는 체언에 결합하는 서술격 조사의 형태가 'ø라'라는 것을 근거로 'ㅔ, ㅐ'가 ('ㅣ'모음으로 끝나는) 이중 모음이었음을 알 수 있다. 예 이제라(이제 + ø라), 아래라(아래 + ø라)

③ 목적격 조사 (현대 국어의 '을, 를'에 해당)

형태	환경	예
ᄋᆞᆯ/을	자음 뒤	ᄆᆞᅀᆞᄆᆞᆯ(마음을), 나라ᄒᆞᆯ(나라를), 이ᄠᅳ들(이뜻을)
ᄅᆞᆯ/를	모음 뒤	놀애ᄅᆞᆯ(노래를), 天下ᄅᆞᆯ(천하를), ᄲᅧ를(뼈를)
ㄹ	선행 체언이 모음으로 끝날 때 수의적으로 사용	님금 位ㄹ ᄇᆞ리샤(임금 자리를 버리시어)

⊕ 목적격 조사 'ᄋᆞᆯ/을, ᄅᆞᆯ/를'의 교체는 모음 조화에 따라 결정됨

④ 관형격 조사 (현대 국어의 '의'에 해당)

형태	환경		예
ㅅ	1. 높임 명사 (존칭의 유정 명사) 뒤 2.무정 명사 뒤		岐王ㅅ 집(기왕의 집) – 존칭 체언 뒤 나랏 말ᄊᆞᆷ(나라의 말씀) – 무정 체언 뒤
ᄋᆡ	양성 모음 뒤	평칭의 유정 명사 뒤	ᄆᆞᄅᆡ 香(말의 향기)
의	음성 모음 뒤		崔九의 집(최구의 집)

⊕ '유정 명사'는 감정을 나타내는 사람이나 동물을 가리키는 명사, '무정 명사'는 감정을 나타내지 못하는 식물이나 무생물을 가리키는 명사를 의미함

평가원 밑줄 2017학년도 ⑨ 무정 명사에 결합되는 관형격 조사는 'ㅅ'이 쓰였다. 예 하ᄂᆞᆳ 벼리(하늘의 별이)

⊕ 'ㅣ'로 끝난 명사 뒤에 관형격 조사 'ᄋᆡ/의'가 붙으면 체언의 'ㅣ' 모음이 탈락되고 바로 관형격 조사가 연결됨

예 기러기 + 의 → 기러긔, 어미 + 의 → 어믜, 아비 + ᄋᆡ → 아ᄇᆡ, 아기 + ᄋᆡ → 아ᄀᆡ

⑤ 부사격 조사

형태	환경	예
애/에	선행 체언의 모음이 양성이면 '애', 음성이면 '에'	바ᄅᆞ래(바다에), 兜率天에(도솔천에)
예	선행 체언의 모음이 'ㅣ'일 때	狄人 서리예(오랑캐들 사이에), 져근 비예(작은 배에)
ᄋᆡ/의	특정 체언에만 연결되는 부사격 조사 – 관형격 조사와 형태가 같으므로 무정 체언과 연결되면 '부사격 조사', 유정 체언과 연결되면 '관형격 조사'로 구분	바ᄆᆡ(밤에), 겨ᄐᆡ(곁에)
와/과	말음이 'ㄹ'이나 모음이면 '와', 말음이 자음이면 '과'	달와(달과), ᄯᅡ콰(땅과) └→ 'ᄯᅡㅎ'(땅) + 과 ('ㅎ' 종성 체언)

⊕ 비교나 기준을 나타내는 부사격 조사로 '와, 과' 이외에 '에'가 사용됨

예 나랏 말ᄊᆞ미 中國에 달아(나라의 말이 중국과 달라)

관형격 조사 'ᄋᆡ/의'와 부사격 조사 'ᄋᆡ/의'는 어떻게 구별하나요?

아ᄃᆞᄅᆡ ᄆᆞᄅᆞᆯ 드르샤
(아들의 말을 들으시어)
vs
바ᄆᆡ 우놋다
(밤에 우는구나)

조사의 형태는 같은데 문장에서 하는 기능이 다른 경우가 있지? 이때는 조사가 실제 문장에서 어떠한 기능을 수행하는지 잘 따져 봐야 해. 가장 쉬운 방법은 '현대어 풀이'를 꼼꼼히 보는 거야. '아ᄃᆞᄅᆡ'의 현대어 풀이는 '아들의'로 되어 있고, '바ᄆᆡ'의 현대어 풀이는 '밤에'로 되어 있으니 앞의 'ᄋᆡ'는 관형격 조사이고, 뒤의 'ᄋᆡ'는 부사격 조사라는 것을 알 수 있어. 이제 문법적으로 설명해 볼게. 중세 국어의 관형격 조사 'ᄋᆡ/의'는 평칭의 유정 체언 뒤에서 나오고, 부사격 조사 'ᄋᆡ/의'는 '새벽, 아침, 밤' 등 처소나 시간 등을 의미하는 일부 무정 체언 뒤에 나와. 따라서 'ᄋᆡ/의'가 유정 체언 뒤에 나오면 관형격 조사이고, 무정 체언 뒤에 나오면 부사격 조사인 거지.

⑥ 호격 조사 (현대 국어의 '아/야'에 해당)

형태	환경	예
하	상위자에게 사용 (높임 명사 뒤)	님금하(임금이시여), 世尊하(세존이시여)
(이)여	상위자는 아니나 대우하여 부를 때 사용	觀世音이여(관세음이여)
아/야	하위자나 동등한 경우에 사용	阿難아(아난아), 長者아(장자야)

⊕ 체언의 형태 변화 알아두기

- 중세 국어에서는 현대 국어와 달리 결합하는 조사에 따라 체언의 모습이 달라지기도 한다. 단독으로 쓰이거나 자음으로 시작하는 조사가 결합하면, '나모, 노ᄅᆞ, ᄆᆞᄅᆞ, 아ᅀᆞ'로 나타나고 '와'를 제외한 모음으로 시작하는 조사와 결합하면 '남ㄱ', '놀ㅇ', 'ᄆᆞᆯㄹ', '아ᇫㅇ'로 나타난다.

예 나모(나무): 나모도, 나모와, 남기, 남ᄀᆞᆫ
노ᄅᆞ(노루): 노ᄅᆞ도, 노ᄅᆞ와, 놀이, 놀ᄋᆞᆯ
ᄆᆞᄅᆞ(마루): ᄆᆞᄅᆞ도, ᄆᆞᄅᆞ와, ᄆᆞᆯ리, ᄆᆞᆯᄅᆞᆯ
아ᅀᆞ(아우): 아ᅀᆞ도, 아ᅀᆞ와, 아ᇫ이, 아ᇫᄋᆞᆯ

⊕ 'ㅎ' 종성 체언 알아두기

• 중세 국어에는 현대 국어와 달리 체언의 종성에 'ㅎ'을 가진 단어들이 존재했다. 그 예로 '돓(돌), 긿(길), 갏(칼), 가숧(가을), 겨슳(겨울), 엃(열), 하놇(하늘), 나랗(나라), 암ㅎ(암), 숳(수), 않(안)' 등이 있다.

평가원 밑줄 2016학년도 ⑥ 중세 국어 체언 중에는 'ㅎ'을 끝소리로 가진 것들이 있다. 이러한 체언을 'ㅎ' 종성 체언이라고 하는데 조사가 뒤따를 경우에 다음과 같이 나타난다.

뒤따르는 조사	'ㅎ' 종성 체언의 실현 양상
모음으로 시작하는 조사	'ㅎ'은 뒤따르는 모음에 이어 적는다. 예 싸히(쌓+이) 즐어늘(땅이 질거늘)
'ㄱ, ㄷ'으로 시작하는 조사	'ㅎ'은 뒤따르는 'ㄱ', 'ㄷ'과 어울려 'ㅋ', 'ㅌ'으로 나타난다. 예 싸토(쌓+도) 뮈더니(땅도 움직이더니)
관형격 조사 'ㅅ'	'ㅎ'은 나타나지 않는다. 예 다른 쌋(쌓+ㅅ) 風俗은(다른 땅의 풍속은)

'ㅎ' 종성 체언
- 단독형이나 관형격 조사 'ㅅ' 앞 → 돌 / 돐
  – 'ㅎ' 종성 체언이 단독형으로 쓰이거나, 관형격 조사 'ㅅ' 앞에 나타날 때 'ㅎ' 없이 쓰인다.
- 돌ㅎ(石) + 이 (주격 조사) → 돌히
  – 'ㅎ' 종성 체언이 모음으로 시작하는 조사 앞에 나타날 때 종성 'ㅎ'이 연음되어 나타난다.
- 돌ㅎ(石) + 과 (부사격 조사) → 돌콰
  – 'ㅎ' 종성 체언이 'ㄱ, ㄷ'으로 시작하는 조사와 결합할 때 축약되어 'ㅋ, ㅌ'으로 나타난다.

Q & A 90

'암'과 '닭'이 결합한 합성어가 '암탉'이 되는 이유도 'ㅎ' 종성 체언과 관련이 있나요?

암ㅎ + 돍 → 암탉

숳 + 돍 → 수탉

역사적 관점에서 살펴보면, 현대 국어의 '암탉'에서 '닭'이 '탉'으로 나타나는 것은 현대 국어의 '암'이 중세 국어 시기에는 'ㅎ' 종성 체언인 '암ㅎ'였고, 이 'ㅎ'이 '닭'의 'ㄷ'과 만나 '탉'과 같이 거센소리로 축약된 형태로 나타났기 때문이야. '암컷, 수컷, 안팎' 등도 이와 마찬가지로 중세 국어의 'ㅎ' 종성 체언의 흔적이 현재까지 남아 있는 경우야.

(2) 어미

① 높임 표현 선어말 어미

ㄱ. 주체 높임 선어말 어미

형태	환경	예
-시-	자음 어미 앞	가시고, 가시니
-샤-	모음 어미 앞	ᄂᆞᄅᆞ샤 (ᄂᆞᆯ- + -ᄋᆞ샤- + -아) 니ᄅᆞ샤ᄃᆡ(니ᄅᆞ- + -샤- + -오ᄃᆡ)

ㄴ. 객체 높임 선어말 어미

어간의 끝소리	형태	후행 어미의 첫소리	예
ㄱ, ㅂ, ㅅ, ㅎ	-ᄉᆞᆸ-	자음	막ᄉᆞᆸ거늘(막다)
	-ᄉᆞᇦ-	모음	돕ᄉᆞᄫᆞ니(돕다)
ㄷ, ㅌ, ㅈ, ㅊ	-ᄌᆞᆸ-	자음	듣ᄌᆞᆸ게(듣다)
	-ᄌᆞᇦ-	모음	얻ᄌᆞᄫᅡ(얻다)
유성음 (모음, ㄴ, ㅁ, ㄹ)	-ᅀᆞᆸ-	자음	보ᅀᆞᆸ게(보다)
	-ᅀᆞᇦ-	모음	ᄀᆞ초ᅀᆞᄫᅡ(갖추다)

⊕ 현대 국어에서는 선어말 어미에 의한 객체 높임법은 사라지고 '드리다, 여쭈다, 모시다' 등의 특수 어휘를 통한 객체 높임 표현만 나타남

현대 국어에서 '하옵니다, 하오니'의 '-옵-/-오-'도 객체 높임 선어말 어미인가요?

현대 국어에서 '하옵니다, 하오니' 등에 쓰이는 공손의 선어말 어미 '-옵-/-오-'는 현대 국어에서는 사라진 중세 국어의 객체 높임 선어말 어미 '-ᄉᆞᆸ-'과 관련이 있어. 중세 국어의 객체 높임 선어말 어미 '-ᄉᆞᆸ-, -ᄌᆞᆸ-, -ᅀᆞᆸ-'은 모음 어미 앞에서는 '-ᄉᆞᇦ-, -ᄌᆞᇦ-, -ᅀᆞᇦ-'으로 나타났는데, 역사적으로 살펴보면, 일반적으로 '-ᅀᆞᆸ-'은 -'-옵-'으로, '-ᅀᆞᇦ-'은 '-오-'로 변하여 현대 국어의 공손의 선어말 어미 '-옵-/-오-'로 나타나게 된 거야. 그런데 '-ᄉᆞᆸ-/-ᄉᆞᇦ-, -ᄌᆞᆸ-/-ᄌᆞᇦ-, -ᅀᆞᆸ-/-ᅀᆞᇦ-'은 중세 국어에서는 객체 높임의 선어말 어미지만 현대 국어의 공손법은 상대 높임법의 하나이기 때문에 '-옵-'과 '-오-'를 객체 높임의 선어말 어미로 보지 않아. 현대 국어의 객체 높임은 특수 어휘로만 실현된다는 사실 기억하지? 현대 국어에서는 객체 높임의 선어말 어미는 존재하지 않아.

ㄷ. 상대 높임 선어말 어미

구분	형태	예
ᄒᆞ쇼셔체	-이-/-잇-	평서형: ᄒᆞᄂᆞ이다 의문형: ᄒᆞᄂᆞ니잇가
ᄒᆞ야쎠체	-ᅌᅵ-/-ㅅ-	평서형: ᄒᆞᇰ다 의문형: ᄒᆞᄂᆞᆺ가
ᄒᆞ라체	없음	평서형: ᄒᆞᄂᆞ다 의문형: ᄒᆞᄂᆞ녀 / ᄒᆞᄂᆞ뇨

평가원 밑줄 2018학년도 ⑨ (중세 국어에서는) 듣는 이를 높이기 위한 선어말 어미가 사용되었다.

② 의문형 어미와 의문 보조사

	설명 의문문	판정 의문문
의미	구체적인 설명을 요구하는 의문문 (의문사 있음)	가부(可否) 또는 긍정이나 부정의 대답을 요구하는 의문문 (의문사 없음)
실현 방법	• '–오' 계통의 어미: '–뇨', '–(잇)고' • 보조사: '고'	• '–아' 계통의 어미: '–녀', '–(잇)가' • 보조사: '가'
예	• 어미: 이제 어듸 잇ᄂᆞ뇨(이제 어디에 있느냐) • 보조사: 이 엇던 광명(光明)고(이 어떤 광명이냐)	• 어미: 공덕(功德)이 하녀 져그녀(공덕이 많으냐 적으냐) • 보조사: 이 ᄯᆞ리 너희 죵가(이 딸이 너희 종이냐)

평가원 밑줄 2020학년도 ⑥ 중세 국어에서 의문문의 종류에 따라 종결 어미나 보조사가 달리 쓰였다.

2018학년도 ㊌ 중세 국어에서 보조사 '고/구'는 문장에 '엇던', '므슴', '어느' 등과 같은 의문사가 있을 때, 체언 또는 의문사 그 자체에 결합해 의문문을 만들었다.

2018학년도 ❾ 설명 의문문과 판정 의문문에서 쓰이는 종결 어미가 서로 달랐다.

예 설명 의문문: 므슴 마ᄅᆞᆯ 니ᄅᆞᄂᆞ뇨 (무슨 말을 말하느냐?) vs. 판정 의문문: 져므며 늘구미 잇ᄂᆞ녀 (젊으며 늙음이 있느냐?)

2017학년도 ❾ 판정 의문문의 '–아' 계열 의문형 어미가 쓰였다. 예 어마니ᄆᆞᆯ 아라보리로소니잇가 (어머님을 알아보겠습니까?)

⊕ 중세 국어에서 주어가 2인칭인 의문문은 1인칭이나 3인칭의 경우와 달리 의문형 어미 '–ㄴ다' 또는 '–ㄹ따(–ㅭ다)'가 쓰여 형태적으로 구별됨

예 네 엇뎨 안다 (네가 어찌 아느냐?)

네 내 마ᄅᆞᆯ 드를따 (너는 내 말을 들었느냐?)

평가원 밑줄 2020학년도 ⑥ 주어가 2인칭일 때에는 의문문의 종류와 관계없이 종결 어미 '–ㄴ다'가 쓰였다. 예 네 엇뎨 아니 가ᄂᆞᆫ다

중세 국어 의문문의 특징을 설명해 주세요.

중세 국어의 의문문에는 의문사에 대한 대답을 요구하는 설명 의문문과 의문사 없이 가부(可否)에 대해 묻는 판정 의문문이 있어. 물론 현대 국어에도 설명 의문문과 판정 의문문이 있지만, 중세 국어에는 어미와 보조사를 형태적으로 구별해서 달리 표현했지. 특이한 것은 의문 보조사야. '이는 賞(상)가 賞(벌)아'처럼 체언에 바로 보조사가 붙어 의문문을 만들 수 있었는데, 이러한 형태는 현대 국어에서는 사라졌어. 참고로 'ㄹ' 받침 뒤에서는 '가'와 '고'가 '아'와 '오'로 나타났어. 그리고 중세 국어에서는 특이하게 주어가 2인칭인 의문문에서는 별도의 의문형 어미를 사용했고, 어미를 통해 판정 의문문과 설명 의문문을 구별하지 않았어.

중세 국어에만 있는 특이한 선어말 어미가 있나요?

내 … 스믈여듧 字ᄅᆞᆯ 밍ᄀᆞ노니 (내가 스물여덟 자를 만드니)

현대 국어에서는 사라진 중세 국어의 선어말 어미로 '–오–'가 있어. 선어말 어미 '–오–'는 주어가 1인칭인 화자 자신일 때, 이를 표시하기 위해 사용돼. 관형절 안에서 쓰일 때는 또 다른 기능으로 쓰이기도 하지만, 여기서는 1인칭 화자로 쓰일 때 이를 표시하기 위한 경우만 살펴볼 거야. '내 … 스믈여듧 字ᄅᆞᆯ 밍ᄀᆞ노니 (내가 스물여덟 자를 만드니)'를 보면, 주어가 1인칭 화자 자신이기 때문에 '밍ᄀᆞ노니'로 쓰인 거야. 여기에 '–오–'가 어디 있냐고? '밍ᄀᆞ노니'를 자세히 분석해 보자!

내 … 스믈여듧 字ᄅᆞᆯ 밍ᄀᆞ노니 (내가 스물여덟 자를 만드니)

→ 밍ᄀᆞᆯ–(만들–) + –ᄂᆞ–(현재 시제) + –오–(1인칭 화자) + –니(연결 어미)

③ 명사형 어미

형태	환경	예
–옴	어간의 마지막 음절이 양성 모음	안좀(앉음), ᄇᆞᆯ곰(밝음)
–움	어간의 마지막 음절이 음성 모음	ᄒᆞᆫ거름나소 거룸(한 걸음 나아가도록 걸음)

⊕ 명사형 어미 '-옴/-움'은 서술격 조사 뒤에서는 '-롬'으로 나타남

(3) 접미사

① 명사 파생 접미사

형태	환경	예
–ᄋᆡ	어근의 마지막 음절이 양성 모음	나못 노ᄑᆡ(나무의 높이)
–의	어근의 마지막 음절이 음성 모음	山川ㅅ 구븨예(산천의 굽이에)

평가원 밑줄 2019학년도 ⑥ 현대 국어의 두 가지 '-(으) ㅁ'은 중세 국어의 명사 파생 접미사 '-(ᄋᆞ/으) ㅁ'과 명사형 전성 어미 '-옴/움'에 각각 대응한다.
└→ 현대 국어에서는 명사 파생 접미사 '–(으)ㅁ'과 명사형 전성 어미 '–(으)ㅁ'의 형태가 같음

⊕ 중세 국어의 명사 파생 접미사는 이밖에도 '-엄(무덤), -개(ᄂᆞᆯ개), -애(ᄀᆞᄉᆡ/ᄀᆞᅀᆡ) 등이 더 있음

② 부사 파생 접미사

형태	환경	예
–이	모음 조화에 상관 없음	'노ᄑᆡ ᄂᆞᄂᆞᆫ 져비(높이 나는 제비)'

평가원 밑줄 2019학년도 ⑥ 현대 국어의 두 가지 '-이' 역시 중세 국어의 명사 파생 접미사 '-ᄋᆡ/의'와 부사 파생 접미사 '-이'에 각각 대응한다.
└→ 현대 국어에서는 '높다' 등의 일부 형용사에 결합하는 명사 파생 접미사 '–이'와
부사 파생 접미사 '–이'의 형태가 같음

Ⅲ. 근대 국어(17세기 초~19세기 말)

1. 음운

(1) 자음

① 'ㅿ'은 16세기부터 약화되어 이 시기에 소실됨 예 ᄆᆞᅀᆞᆯ > ᄆᆞᄋᆞᆯ > 마을

② 'ㆁ'은 종성에서만 실현되고 글꼴도 'ㅇ'으로 변함 예 부어 > 붕어

③ 어두 자음군이 점차 사라짐 예 ᄣᅢ > ᄯᅢ(때), ᄠᅳᆮ > ᄯᅳᆮ(뜻)

④ 거센소리되기와 된소리되기가 나타남 예 고키리 > 코키리(코끼리), 곶 > ᄭᅩᆾ(꽃)

⑤ 두음 법칙에 변화가 나타나 어두의 'ㄴ'이 탈락되기 시작함 예 님금 > 임금

⑥ 17~18세기에 구개음화가 점진적으로 나타남 예 티다 > 치다

근대 국어의 구개음화는 현대 국어의 구개음화와 똑같나요?

뎌 → 저, 엇디 → 엇지, 모딘 → 모진

구개음화 현상은 근대 국어 시기에 등장했어. 앞에서 현대 국어의 구개음화는 받침 'ㄷ, ㅌ'이 모음 'ㅣ' 또는 반모음 'ĭ'로 시작하는 형식 형태소와 결합되는 경우에 나타난다고 했지? 그런데 근대 국어의 구개음화는 현대 국어의 구개음화의 조건과는 조금 달라. 받침 'ㄷ, ㅌ'이 모음 'ㅣ' 또는 반모음 'ĭ'로 시작하는 형식 형태소와 결합되는 경우뿐만 아니라, 'ㄷ, ㅌ'과 모음 'ㅣ' 또는 반모음 'ĭ'가 한 형태소 안에서 만날 때에도 구개음화가 나타났어. 그리고 현대 국어의 구개음화는 발음을 표기에 적용하지 않지만, 근대 국어의 구개음화는 발음을 표기에도 적용했어. 그래서 '어딜다'가 '어질다'로 쓰이게 된 거야. 그렇다면 '어디, 디디다'는 왜 구개음화를 겪지 않았냐고? 그 이유는 이들이 당시에는 구개음화의 조건에 해당되지 않는 '어듸, 듸듸다'로 쓰였기 때문이야. '어듸, 듸듸다'는 19세기 중반 이후에 'ㅢ'가 'ㅣ'로 바뀌면서 오늘날의 모습인 '어디, 디디다'로 바뀌게 된 거지. 그럼 근대 국어의 구개음화 조건과 현대 국어의 구개음화의 조건을 정리해 보자!

근대 국어 구개음화의 조건: 받침 'ㄷ, ㅌ(ㄾ)'인 형태소가 모음 'ㅣ' 나 반모음 'ĭ'로 시작되는 형식 형태소와 만날 때
또는 한 형태소 안에서 'ㄷ, ㅌ'가 'ㅣ' 나 반모음 'ĭ'와 만날 때

현대 국어 구개음화의 조건: 받침 'ㄷ, ㅌ(ㄾ)'인 형태소가 모음 'ㅣ' 나 반모음 'ĭ'로 시작되는 형식 형태소와 만날 때

(2) 모음

① 'ㆍ'가 점차 소실: 16세기부터 둘째 음절 이하에 쓰인 'ㆍ'가 주로 'ㅡ'로 변하였으며, 18세기부터는 첫째 음절에 쓰인 'ㆍ'도 주로 'ㅏ'로 변함 예 ᄀᆞᄅᆞ치다 > ᄀᆞ르치다 > 가르치다

– 'ㆍ'의 음가는 근대 국어 시기에 사라졌으나, 표기는 '한글 맞춤법 통일안(1933)'에서 폐지될 때까지 남아 있었다.

② 이중 모음이던 'ㅐ'와 'ㅔ'가 18~19세기에 단모음으로 변함

③ 원순 모음화: 입술소리(순음) 아래 쓰인 'ㅡ' 모음은 원순 모음 'ㅜ'로 바뀜
예 믈 > 물, 블 > 불, 븕다 > 붉다

(3) 성조

① 16세기 후반부터 동요하던 성조가 사라지면서 방점 표기가 완전히 사라짐

② 상성은 대체로 장음으로 변화하여 음장(音長)으로 남게 됨 예 :굽다 > 굽다 [굽:다]

2. 표기

① 종성 'ㄷ'과 'ㅅ'의 구별이 어려워지면서 표기의 혼란이 심해져 'ㄷ'을 'ㅅ'으로 적는 경향이 나타남 예 밋어(믿어)

② 중세 국어의 이어적기 방식이 현대 국어의 끊어적기 방식으로 가는 과도기에서 거듭적기 방식이 나타남
예 니믈(이어적기), 님믈(거듭적기), 님을(끊어적기)

3. 문법

① 주격 조사 '가'가 출현하여 '이'와 구별됨 예 ᄇᆡ가(배가)

② 활용에서 'ㅸ'계 활용은 이미 15세기부터 반모음 'ㅗ̆/ㅜ̆[w]'로 변하여 'ㅂ' 불규칙 활용이 됨 예 도ᄫᆞ > 도와, 구ᄫᅥ > 구워

③ 'ㅿ'계 활용은 'ㅿ'이 소실되면서 현대 국어의 'ㅅ' 불규칙 활용으로 이어짐 예 지ᅀᅥ > 지어

④ 주어가 1인칭 화자일 때 사용되던 선어말 어미 '-오-'가 기능을 잃게 됨

⑤ 객체 높임 선어말 어미 '-ᄉᆞᆸ-/-ᄌᆞᆸ-/-ᅀᆞᆸ-' 등은 그 기능이 소멸됨

국어의 역사 한눈에 보기

	고대 국어	중세 국어	근대 국어
음운/표기	• 예사소리와 거센소리 두 계열이 존재했으나, 된소리는 발달하지 않은 것으로 보임 • 한자의 뜻과 음을 빌려 우리말을 적음 : 향찰, 이두, 구결 등 차자(借字) 표기	• 받침으로는 'ㄱ, ㄴ, ㄷ, ㄹ, ㅁ, ㅂ, ㅅ, ㆁ'의 8개 자음만을 적는 것이 일반적이었음 (8종성법) • 종성에서 'ㄷ'과 'ㅅ'의 음가가 구별됨 • 'ㆆ, ㅸ, ㅿ, ㆍ, ㆁ'이 사용됨 • 어두 자음군이 존재함 예 ᄡᆞᆯ, ᄣᅢ • 모음 조화 현상이 대체로 잘 지켜짐 • 성조를 나타내기 위해 방점이 사용됨 • 이어적기를 주로 사용하고 띄어쓰기를 하지 않음 • 소리 나는 대로 적는 경향이 강했음	• 받침으로는 주로 'ㄱ, ㄴ, ㄹ, ㅁ, ㅂ, ㅅ, ㅇ'의 7개 자음을 적음 (7종성법) • 'ㆍ'는 표기로는 나타났지만 점차 음가를 잃게 됨 • 성조가 사라져 방점을 표기하지 않음 • 종성에서의 'ㄷ'과 'ㅅ' 표기가 혼란을 겪음 예 밋다(信)–믿다(信) • 'ㆁ'은 종성에서만 실현되고 글꼴도 'ㅇ'으로 변함 • 이중 모음으로 발음되던 'ㅔ'와 'ㅐ'가 단모음으로 변함 • 18세기 전후로 구개음화 현상이 전국적으로 나타남 • 중세의 이어적기 표기가 현대의 끊어적기 표기로 바뀌면서 거듭적기 표기가 나타나기도 함 예 빗츨(빛을)
문법	• 주격 조사 '이'만 쓰임	• 주격 조사는 대체로 '이/ l /∅(zero)'가 쓰임 • 객체 높임법도 선어말 어미 '–ᅀᆞᆸ–/–ᄉᆞᆸ–/–ᄌᆞᆸ–' 등에 의해 실현됨 예 받ᄌᆞᄫᆞᆯ • 의문형 종결 어미와 의문 보조사가 구별됨 – 판정 의문문: '–아' 계통의 어미, 보조사 '가' – 설명 의문문: '–오' 계통의 어미, 보조사 '고' • 1인칭 주어를 표시하는 선어말 어미 '–오–/–우–'가 사용됨	• 주격 조사 '가'가 출현함 • 1인칭 주어를 표시하던 선어말 어미 '–오–/–우–'가 소멸됨 • 개화기에 이르러 한글 사용이 확대되어 문장 구성 방식이 현대의 문장 구성 방식과 비슷하게 변함
어휘	• 점차 한자어가 늘어나기는 했으나 지금보다는 고유어가 많이 쓰였을 것으로 보임	• 한자어가 침투하여 고유어와의 경쟁이 계속되었으며, 한자어 이외에도 몽골어 등에서 어휘가 차용되기도 함	• 한자어가 점차 늘어나면서 고유어와 한자어의 경쟁이 계속됨 • 고유어가 사라지기도 함 예 ᄀᆞᄅᆞᆷ(江), 뫼(山)

문제에 문헌이 제시되면 다 해석할 수 있어야 하나요?

지금까지 국어의 역사에 대해 기초에서부터 심화까지 수능에 나올 만한 용어와 이론들을 공부했어. 여기까지 따라와 줘서 정말 기특하고 고마워! 실전에서 낯선 문헌이 나온다고 해서 걱정할 필요는 전혀 없어! 모든 내용을 완벽히 해석할 수 있어야 문제를 해결할 수 있는 것은 아니니까! 그리고 일반적으로 문헌과 함께 '현대어 풀이'를 제시해 주기 때문에 모르는 내용이 나왔다고 너무 당황해 하지 않아도 돼! 특히 어휘의 의미에 대해 묻는 경우에는 '현대어 풀이'를 반드시 살펴봐야 해. 자, 그럼 지금까지 배운 내용과 현대어 풀이를 참고하여 문헌을 정리해 보자!

나·랏:말ᄊᆞ·미中듀ᇰ國·귁·에달·아文문字·ᄍᆞᆼ·와·로서르ᄉᆞᄆᆞᆺ·디아·니ᄒᆞᆯ·ᄊᆡ·이런젼·ᄎᆞ·로어·린百·ᄇᆡᆨ姓·셔ᇰ·이니르·고·져·홇·배이·셔·도ᄆᆞᄎᆞᆷ:내제·ᄠᅳ·들시·러펴·디:몯ᄒᆞᇙ·노·미하·니·라·내·이·ᄅᆞᆯ爲·윙·ᄒᆞ·야:어엿·비너·겨·새·로·스·믈여·듧字·ᄍᆞᆼ·ᄅᆞᆯᄆᆡᇰ·ᄀᆞ노·니:사ᄅᆞᆷ:마·다:ᄒᆡ·ᅇᅧ:수·ᄫᅵ니·겨·날·로·ᄡᅮ·메便뼌安한·킈ᄒᆞ·고·져ᄒᆞᇙᄯᆞᄅᆞ·미니·라

| 현대어 풀이 |

우리나라의 말이 중국과 달라서 한자와는 서로 통하지 아니하므로 이런 까닭으로 어리석은 백성들이 말하고자 하는 바가 있어도 마침내 자기의 뜻을 능히 펴지 못하는 사람이 많다. 내가 이를 위하여 가엽게 여겨 새로 스물여덟 글자를 만드니 모든 사람들로 하여금 쉬이(쉽게) 익혀서 날마다 사용함에 편안하게 하고자 할 따름이다.

예	현대어 풀이	설명
듕귁에	중국과	중세 국어에는 비교나 기준을 나타내는 부사격 조사 '에'가 있었다.
어린	어리석은	중세 국어에서 '어린'은 '어리석은'의 뜻이었으나, 현대 국어에서는 '나이가 적은'의 뜻으로 쓰인다.
니르고져	말하고자	현대 국어에서는 두음 법칙이 적용되어 어두의 'ㄴ'이 탈락했고, 어미 '-고져'가 '-고자'로 바뀌었다.
ᄠᅳ들	뜻을	중세 국어 시기에 존재하던 어두 자음군이 소실되어 'ㅵ'이 된소리 'ㄸ'으로 바뀌었다.
펴디	펴지	근대 국어 시기에 일어난 구개음화의 영향으로 '-디'가 '-지'로 바뀌었다.
어엿비	가엽게	중세 국어에서는 '가엽게, 불쌍하게'의 뜻이었으나 현대 국어에서는 '예쁘게, 어여쁘게'의 뜻으로 쓰인다.

기출 문제로 훈련하기

정답과 해설 P.228

◘ 2022학년도 9월 모평 39번

01 〈보기〉의 ㉠~㉤에 해당하는 예로 적절하지 않은 것은?

〈보기〉

[중세 국어 조사의 쓰임]

㉠ 주격 조사 'ㅣ'는 모음 '이'나 반모음 'ㅣ' 이외의 모음으로 끝난 체언 뒤에 쓰였다.
㉡ 목적격 조사 'ᄋᆞᆯ' 또는 '을'은 자음으로 끝나는 체언 뒤에 쓰였다.
㉢ 관형격 조사 'ㅅ'은 사물이나 존대 대상인 체언 뒤에 쓰였다.
㉣ 부사격 조사 '로'는 모음이나 'ㄹ'로 끝나는 체언 뒤에 쓰였다.
㉤ 호격 조사 '하'는 존대 대상인 체언 뒤에 쓰였다.

① ㉠: ᄃᆞ리 즈믄 ᄀᆞᄅᆞ매 비취요미 [달이 천 개의 강에 비치는 것이]
② ㉡: 바ᄇᆞᆯ 머긇 대로 헤여 머굼과 [밥을 먹을 만큼 헤아려 먹음과]
③ ㉢: 그 나못 불휘ᄅᆞᆯ ᄲᅢ혀 [그 나무의 뿌리를 빼어]
④ ㉣: ᄆᆞᆯᄀᆞᆫ 믈로 모ᄉᆞᆯ ᄆᆡᇰᄀᆞ노라 [맑은 물로 못을 만드노라]
⑤ ㉤: 님금하 아ᄅᆞ쇼셔 [임금이시여, 아십시오]

◘ 2021학년도 6월 모평 13번

02 〈학습 활동〉을 수행한 결과로 적절하지 않은 것은?

〈학습 활동〉

현대 국어와 달리 중세 국어의 관형격 조사에는 여러 형태가 있다. 선행 체언이 무정물일 때는 'ㅅ'이 쓰이고, 유정물일 때는 모음 조화에 따라 'ᄋᆡ', '의' 등이 쓰인다. 다만 유정물이라도 존칭의 대상일 때는 이들 대신 'ㅅ'이 쓰인다. 이를 참고하여 선행 체언과 후행 체언이 관형격 조사로 연결되었을 때의 모습을 아래 표의 ㉠~㉤에 채워 보자.

선행 체언	아바님 (아버님)	그력 (기러기)	아ᄃᆞᆯ (아들)	수플 (수풀)	등잔 (등잔)
후행 체언	곁 (곁)	목 (목)	나ㅎ (나이)	가온ᄃᆡ (가운데)	기름 (기름)
적용 모습	㉠	㉡	㉢	㉣	㉤

① ㉠: 아바니믜(아바님 + 의) 곁
② ㉡: 그려긔(그력 + 의) 목
③ ㉢: 아ᄃᆞ릐(아ᄃᆞᆯ + ᄋᆡ) 나ㅎ
④ ㉣: 수픐(수플 + ㅅ) 가온ᄃᆡ
⑤ ㉤: 등잕(등잔 + ㅅ) 기름

▶ 2019학년도 9월 모평 14번

03 〈보기〉의 ㉠과 ㉡에 들어갈 말로 바르게 짝지어진 것은?

〈보 기〉

중세 국어에서는 객체를 높이기 위해 선어말 어미를 사용했는데, 이 선어말 어미는 음운 조건에 따라 다음과 같이 다양한 형태로 실현되었다.

어간 말음 조건	형태	용례
'ㄱ, ㅂ, ㅅ, ㅎ'일 때	-ᄉᆞᆸ-	돕ᄉᆞᆸ고
'ㄷ, ㅈ, ㅊ'일 때	-ᄌᆞᆸ-	묻ᄌᆞᆸ고
모음이나 'ㄴ, ㅁ, ㄹ'일 때	-ᅀᆞᆸ-	보ᅀᆞᆸ고

객체 높임 선어말 어미 뒤에 모음으로 시작하는 어미가 오면, 객체 높임 선어말 어미는 '-ᄉᆞᄫ-, -ᄌᆞᄫ-, -ᅀᆞᄫ-'으로 실현되었다.

• 아래 문장에서 객체 높임의 대상은 (㉠)이다.
 – 王(왕)이 부텻긔 더옥 敬信(경신)ᄒᆞᆫ ᄆᆞᅀᆞᄆᆞᆯ 내ᅀᆞᄫᅡ
  [왕이 부처께 더욱 공경하고 믿는 마음을 내어]
• 어간 '듣-'과 어미 '-ᄋᆞ며' 사이에 객체 높임 선어말 어미가 결합하면 다음과 같이 활용했다.
 – 내 아래브터 부텻긔 이런 마ᄅᆞᆯ 몯 (㉡)
  [내가 예전부터 부처께 이런 말을 못 들으며]

	㉠	㉡
①	王(왕)	듣ᄌᆞᄫᆞ며
②	王(왕)	듣ᄉᆞᄇᆞ며
③	부텨	듣ᄌᆞᄫᆞ며
④	부텨	듣ᄌᆞᄇᆞ며
⑤	ᄆᆞᅀᆞᆷ	듣ᅀᆞᄫᆞ며

◐ 2018학년도 9월 모평 14번

04 **〈보기 1〉의 중세 국어의 특징을 바탕으로 〈보기 2〉의 ⓐ~ⓓ를 탐구하는 활동을 수행하였다. 학생들이 탐구한 내용으로 적절하지 <u>않은</u> 것은? [3점]**

〈보기1〉

㉠ 설명 의문문과 판정 의문문에서 쓰이는 종결 어미가 서로 달랐다.
㉡ 체언에 결합하는 조사의 형태는 모음 조화에 따라 결정되었다.
㉢ 높임의 호격 조사로서 현대 국어에 없는 형태가 있었다.
㉣ 선어말 어미의 결합 순서가 현대 국어와 다른 경우가 있었다.
㉤ 듣는 이를 높이기 위한 선어말 어미가 사용되었다.

〈보기2〉

ⓐ ᄆᆞ슴 **마ᄅᆞᆯ 니ᄅᆞᄂᆞ뇨** [무슨 말을 말하느냐?]
ⓑ 져므며 늘구미 **잇ᄂᆞ녀** [젊으며 늙음이 있느냐?]
ⓒ 虛空과 **벼를 보더시니** [허공과 별을 보시더니]
ⓓ **世尊하** 내 堂中에 이셔 몬져 如來 **보ᅀᆞᆸ고** [세존이시여, 내가 집 안에서 먼저 여래 뵙고]

① ⓐ의 '니ᄅᆞᄂᆞ뇨'와 ⓑ의 '잇ᄂᆞ녀'를 비교해 보면, ㉠을 확인할 수 있군.
② ⓐ의 '마ᄅᆞᆯ'과 ⓒ의 '벼를'을 비교해 보면, ㉡을 확인할 수 있군.
③ ⓓ의 '世尊하'를 보면, ㉢을 확인할 수 있군.
④ ⓒ의 '보더시니'를 보면, ㉣을 확인할 수 있군.
⑤ ⓓ의 '보ᅀᆞᆸ고'를 보면, ㉤을 확인할 수 있군.

◐ 2018학년도 6월 모평 15번

05 **〈보기 1〉을 참고할 때, 〈보기 2〉의 ㉮~㉰에 들어갈 말로 적절한 것은?**

〈보기1〉

일반적으로 중세 국어에서는 서술격 조사가 앞에 결합하는 체언의 끝소리에 따라 달리 나타났다. 먼저 체언의 끝소리가 자음일 때 '이'가 나타났다.

○ 샹녜 쓰ᄂᆞᆫ ᄒᆡᆺ <u>일후미라</u>(일훔＋이라) (보통 쓰는 해의 이름이다)

체언의 끝소리가 모음 '이'이거나 반모음 'ㅣ'일 때는 아무런 형태가 나타나지 않았다.

○ 牛頭는 쇠 <u>머리라</u>(머리＋라) (우두는 소의 머리이다)

그리고 체언의 끝소리가 모음 '이'도, 반모음 'ㅣ'도 아닌 모음일 때는 'ㅣ'가 나타났다.

○ 生佛은 사라 겨신 <u>부톄시니라</u>(부텨＋ㅣ시니라) (생불은 살아 계신 부처이시다)

〈보기2〉

○ 齒ᄂᆞᆫ [㉮] (치는 <u>이이다</u>)
○ 所ᄂᆞᆫ [㉯] (소는 <u>바이다</u>)
○ 樓는 [㉰] (누는 <u>다락이다</u>)

	㉮	㉯	㉰
①	니이라	바이라	다락라
②	니라	배라	다락ㅣ라
③	니이라	바라	다락ㅣ라
④	니라	배라	다라기라
⑤	니ㅣ라	바이라	다라기라

◎ 2017학년도 9월 모평 15번

06 〈보기〉의 밑줄 친 부분에서 알 수 있는 중세 국어의 문법적 특징을 설명한 것으로 적절하지 않은 것은?

〈보 기〉

(가) 하ᄂᆞᆳ 벼리 눈 ᄀᆞᆮ 디니이다 〈용비어천가〉
(현대어 풀이: 하늘의 별이 눈과 같이 떨어집니다.)

(나) 王이 부텨를 請ᄒᆞᅀᆞᄫᆞ쇼셔 〈석보상절〉
(현대어 풀이: 왕이 부처를 청하십시오.)

(다) 어마니ᄆᆞᆯ 아라보리로소니잇가 〈월인석보〉
(현대어 풀이: 어머님을 알아보겠습니까?)

(라) 내 이ᄅᆞᆯ 위ᄒᆞ야 〈훈민정음언해〉
(현대어 풀이: 내가 이를 위해서)

(마) 그 믈 미틔 金몰애 잇ᄂᆞ니 〈월인석보〉
(현대어 풀이: 그 물 밑에 금모래가 있는데)

① (가): 무정 명사에 결합되는 관형격 조사 'ㅅ'이 쓰였다.
② (나): 객체를 높이는 선어말 어미 '-ᅀᆞᇦ-'이 쓰였다.
③ (다): 판정 의문문의 '-아' 계열 의문형 어미가 쓰였다.
④ (라): 모음으로 끝나는 체언 뒤에 주격 조사 'ㅣ'가 쓰였다.
⑤ (마): 높이지 않는 유정 명사에 결합되는 관형격 조사 '의'가 쓰였다.

◎ 2015학년도 수능B 16번

07 [가]에 들어갈 내용으로 적절하지 않은 것은?

학습 자료	[중세 국어] ㉠부텻 마ᄅᆞᆯ ㉡듣ᄌᆞᄫᆞᄃᆡ [현대 국어] 부처의 말씀을 듣되 [중세 국어] 닐굽 ㉢거르믈 거르샤 ㉣니ᄅᆞ샤ᄃᆡ [현대 국어] 일곱 걸음을 걸으시며 이르시되 [중세 국어] 니르고져 홇 ㉤배 이셔도 [현대 국어] 이르고자 할 바가 있어도
학습 활동	㉠~㉤을 현대 국어와 비교한 후 공통점과 차이점을 정리해 보자. ([가])

① ㉠: 관형격 조사로 'ㅅ'이 쓰였다는 점에서 현대 국어와 차이가 있다.
② ㉡: 객체를 높이는 선어말 어미가 쓰였다는 점에서 현대 국어와 차이가 있다.
③ ㉢: 어근의 원형을 밝혀 적었다는 점에서 현대 국어와 공통적이다.
④ ㉣: 주체를 높이는 선어말 어미가 쓰였다는 점에서 현대 국어와 공통적이다.
⑤ ㉤: 모음으로 끝나는 체언에 주격 조사 'ㅣ'가 결합했다는 점에서 현대 국어와 차이가 있다.

▶ 2015학년도 9월 모평B 16번

08 〈보기〉의 중세 국어 자료에 나타나는 특징을 탐구한 내용으로 적절하지 않은 것은?

〈보기〉

중세 국어: 뒤헤는 **모딘** 도ᄌᆞᆨ 알ᄑᆡᄂᆞᆫ 어드ᄫᅳᆫ 길헤 **업던** 번게를 **하ᄂᆞᆯ히** ᄇᆞᆯ기시니
현대어 역: 뒤에는 **모진** 도적 앞에는 어두운 길에 **없던** 번개를 하늘이 밝히시니

중세 국어: 뒤헤는 모딘 즁ᄉᆡᆼ 알ᄑᆡᄂᆞᆫ 기픈 **모새 열ᄫᅳᆫ** 어르믈 하ᄂᆞᆯ히 구티시니
현대어 역: 뒤에는 모진 짐승 앞에는 깊은 **못에** 엷은 얼음을 하늘이 굳히시니

① '모딘'이 현대 국어의 '모진'에 대응하는 것을 보니 구개음화 현상이 나타나지 않았군.
② '업던'이 현대 국어의 '없던'에 대응하는 것을 보니 이어적기를 하였군.
③ '하ᄂᆞᆯ히'를 보니 현대 국어에 쓰이지 않는 모음 'ㆍ'가 쓰였군.
④ '모새'가 현대 국어의 '못에'에 대응하는 것을 보니 모음조화가 지켜졌군.
⑤ '열ᄫᅳᆫ'을 보니 현대 국어에 쓰이지 않는 자음 'ㅸ'이 쓰였군.

▶ 2015학년도 6월 모평B 16번

09 〈보기 1〉을 참고하여 〈보기 2〉의 ㉠과 ㉡에 알맞은 것을 고른 것은?

〈보기1〉

현대 국어의 관형격 조사는 '의'만 있지만, 중세 국어의 관형격 조사는 'ᄋᆡ, 의, ㅅ, ㅣ'가 있었다. 이 중 'ᄋᆡ, 의, ㅅ'은 결합하는 명사의 특징에 따라 다음과 같이 구분하여 사용되었다.

명사			관형격 조사
의미 특징	끝 음절 모음		
사람이나 동물	양성 모음	+	ᄋᆡ
사람이나 동물	음성 모음	+	의
사람이면서 높임의 대상	양성 모음 / 음성 모음	+	ㅅ
사람도 아니고 동물도 아님	양성 모음 / 음성 모음	+	ㅅ

예 놈+ᄋᆡ: 노ᄆᆡ ᄠᅳᆮ 거스디 아니ᄒᆞ거든 (남의 뜻 거스르지 아니하거든)
거붑+의: 거부븨 터리 ᄀᆞᆮ고 (거북의 털과 같고)
大王+ㅅ: 大王ㅅ 말ᄊᆞ미ᅀᅡ 올커신마ᄅᆞᆫ (대왕의 말씀이야 옳으시지만)
나모+ㅅ: 나못 여름 먹ᄂᆞ니 (나무의 열매 먹으니)

〈보기2〉

• 父母ㅣ 아ᄃᆞᆯ + ㉠ 마ᄅᆞᆯ 드르샤 (부모가 아들의 말을 들으시어)
• 다ᄉᆞᆺ 술위 + ㉡ 글워ᄅᆞᆯ 닐굴 디니라 (다섯 수레의 글을 읽어야 할 것이다)

	㉠	㉡
①	ᄋᆡ	ㅅ
②	ㅅ	ᄋᆡ
③	의	ㅅ
④	ㅅ	의
⑤	ᄋᆡ	의

2014학년도 수능B 16번

10 〈보기〉의 (가)를 바탕으로 (나)를 이해한 것으로 적절하지 않은 것은?

〈보기〉

(가) 15세기 국어의 음운과 표기의 특징

㉠ 자음 'ㅿ'과 'ㅸ'이 존재하였다.

㉡ 초성에 오는 'ㅲ'은 'ㅂ'과 'ㄷ'이, 'ㅄ'은 'ㅂ'과 'ㅅ'이 모두 발음되었다.

㉢ 종성에서 'ㄷ'과 'ㅅ'이 다르게 발음되었다.

㉣ 평성, 거성, 상성의 성조를 방점으로 구분하였다.

㉤ 연철 표기(이어적기)를 하였다.

(나) 나·랏 :말ᄊᆞ·미 中듀ᇰ國·귁·에 달·아 文문字·ᄍᆞᆼ·와·로 서르 ᄉᆞᄆᆞᆺ·디 아·니·ᄒᆞᆯ·ᄊᆡ ·이런 젼·ᄎᆞ·로 어·린 百·ᄇᆡᆨ姓·셩·이 니르·고·져 ·ᄒᆞᇙ ·배 이·셔·도 ᄆᆞ·ᄎᆞᆷ:내 제 **·ᄠᅳ·들** 시·러 펴·디 :몯ᄒᆞᇙ·노·미 하·니·라 ·내 ·이·ᄅᆞᆯ 爲·윙·ᄒᆞ야 **:어엿·비** 너·겨 ·새·로 ·스·믈 여·듧 字·ᄍᆞᆼ·ᄅᆞᆯ ᄆᆡᇰ·ᄀᆞ노·니 :사ᄅᆞᆷ:마·다 **:ᄒᆡ·ᅇᅧ :수·ᄫᅵ** 니·겨 ·날·로 **·ᄡᅮ·메** 便뼌安한·킈 ᄒᆞ·고·져 ᄒᆞᇙ ᄯᆞᄅᆞ·미니·라

① ㉠을 보니, ':수·ᄫᅵ'에는 오늘날에는 없는 자음이 들어 있군.

② ㉡을 보니, '·ᄠᅳ·들'의 'ㅲ'에서는 두 개의 자음이 발음되었군.

③ ㉢을 보니, ':어엿·비'에서 둘째 음절의 종성은 'ㄷ'으로 발음되었군.

④ ㉣을 보니, ':ᄒᆡ·ᅇᅧ'의 첫 음절과 둘째 음절은 성조가 달랐군.

⑤ ㉤을 보니, '·ᄡᅮ·메'에는 연철 표기가 적용되었군.

◐ 2014학년도 9월 모평B 16번

11 〈보기 1〉의 (가), (나)에 따른 표기의 사례를 〈보기 2〉의 ㉠~㉣에서 찾아 바르게 짝지은 것은?

〈보기1〉

(가) ㅇᄅᆞᆯ 입시울쏘리 아래 니ᅀᅥ 쓰면 입시울 가ᄇᆡ야ᄫᆞᆫ 소리 ᄃᆞ외ᄂᆞ니라

[풀이] ㅇ을 순음 아래 이어 쓰면 순경음이 된다.

(나) 첫소리ᄅᆞᆯ 어울워 ᄡᅮᇙ디면 ᄀᆞᆯ바 쓰라

[풀이] 초성 글자를 합하여 사용할 때에는 나란히 써라.

〈보기2〉

나랏 말ᄊᆞ미 中듕國귁에 달아 文문字ᄍᆞᆼ와로 서르 ᄉᆞᄆᆞᆺ디 아니ᄒᆞᆯᄊᆡ 이런 젼ᄎᆞ로 어린 百ᄇᆡᆨ姓셩이 니르고져 홇 배 이셔도 ㉠ᄆᆞᄎᆞᆷ내 제 ᄠᅳ들 시러 펴디 몯ᄒᆞᇙ 노미 하니라 내 이ᄅᆞᆯ 爲윙ᄒᆞ야 어엿비 너겨 새로 스믈여듧 字ᄍᆞᆼᄅᆞᆯ ㉡ᄆᆡᇰᄀᆞ노니 사ᄅᆞᆷ마다 ᄒᆡᅇᅧ ㉢수ᄫᅵ 니겨 날로 ᄡᅮ메 便뼌安ᅙᅡᆫ킈 ᄒᆞ고져 ᄒᆞᇙ ㉣ᄯᆞᄅᆞ미니라

– 『훈민정음』 언해 –

	(가)	(나)
①	㉠	㉡
②	㉠	㉢
③	㉡	㉣
④	㉢	㉡
⑤	㉢	㉣

◐ 2014학년도 6월 모평B 16번

12 〈보기〉의 ㉠과 ㉡에 속하는 사례를 바르게 제시한 것은?

〈보기〉

모음 'ㆍ'는 중세 국어 이후 크게 두 단계의 변화를 겪었다. 제1 단계 변화에서는 ㉠단어의 둘째 음절 이하에 놓인 모음 'ㆍ'가 'ㅡ'로 변화하였다. 이 변화가 일어나고 난 뒤 제2 단계 변화에서는 ㉡첫째 음절에 놓인 모음 'ㆍ'가 'ㅏ'로 변화하였다. 단어에 따라 이러한 변화에 예외가 보이기도 하지만 대체로 이 두 단계의 변화를 겪어 'ㆍ'는 모음 체계에서 사라지게 되었다.

	㉠	㉡
①	마ᄂᆞᆯ 〉 마늘	ᄒᆞᆰ 〉 흙
②	사ᄉᆞᆷ 〉 사슴	ᄀᆞ장 〉 가장
③	ᄒᆞ나 〉 하나	오ᄂᆞᆯ 〉 오늘
④	사ᄅᆞᆷ 〉 사람	ᄃᆞ리 〉 다리
⑤	아ᄃᆞᆯ 〉 아들	다ᄉᆞᆺ 〉 다섯

MEMO

국어 문법 공부 방법에 대하여

사관학교나 경찰대와 같은 특수 대학 언어(문법) 문제 어떻게 준비해야 하나요?

'국어 문법 FAQ'와 함께 국어 문법 체계를 잡자!

사관학교나 경찰대와 같은 특수 대학을 목표로 준비하고 있는 학생들은 문법 공부를 더 깊게 해야 한다는 부담감이 있을 거야. '국어 문법 FAQ'는 기본 문법 용어부터 실전 이론까지 우리가 대학 입학 시험을 보기 위해 필요한 거의 모든 문법 지식을 다루고 있기 때문에 이 책으로 공부하면 수능뿐만 아니라 특수 대학 문법 문제까지 해결할 수 있어. 다른 영역은 기출로 먼저 시작해도 되지만, 문법만큼은 기본 개념을 정리한 후에 문제를 풀어보는 것이 좋아. '국어 문법 FAQ'로 국어 문법 체계를 전반적으로 공부한 후에 사관학교나 경찰대 문법 기출 문제를 풀어보면서 적용해 보면 돼! 그리고 특수 대학 기출 문제와 관련된 부분을 이 책에서 찾아 노트에 정리하는 것도 좋은 방법이야!

언어(문법) 문제는 〈보기〉를 보고 어느 정도 풀 수 있는데, 따로 문법 용어까지 공부할 필요가 있을까요?

문법은 기본 용어부터 철저하게!

2016학년도 수능까지만 해도 〈보기〉에 어느 정도 문법 지식이 제시되어 있어서 문법 공부에 투자를 많이 하지 않은 학생들도 문제를 해결하는 데 큰 어려움이 없었을 거야. 그런데 2017학년도부터는 기본적인 문법 지식이 있어야만 해결할 수 있는 문제들이 등장하기 시작했어. 문법은 용어들에 익숙해지면 마치 배경지식을 갖고 과학 지문을 읽는 것처럼 문제에 쉽게 접근할 수 있어! 2018학년도 수능 11번에서 '최소 대립쌍', 2017학년도 수능 12번에서 '마찰음, 파찰음, 파열음' 등의 용어가 등장하는데, 이러한 용어들의 개념을 미리 정리해 두었다면, 어렵지 않게 이해할 수 있었을 거야. 독서 지문에서 배경지식 쌓기는 그 범위를 예측할 수 없기 때문에 매우 어렵지만, 범위를 예측할 수 있는 문법에서는 배경지식을 쌓고 가는 것이 효율적이겠지? 그러니 기본 용어부터 실전 이론까지 확실하게 공부해 두자! 공부할 때는 조금 힘들더라도 실전에서 문법을 쉽고 빠르게 해결하고, 어려운 독서 지문이나 문학 지문에 집중할 수 있을 거야!

언어(문법) 공부, 시기별로 어떻게 해야 할까요?

고1, 2 때 문법 개념의 기초를 닦고, 고3 때에는 실전 문제 풀이 위주로 반복 학습하자!

2017학년도 평가원 시험부터 문법 영역이 크게 바뀌면서 지문형 문제가 출제되기 시작했어. 즉, 형식적인 측면에서 독서와 문법의 융합이 나타났지. 그러나 우리가 학습해야 할 문법 공부의 내용이 바뀐 것은 아니야. 또한 국어가 공통 과목과 선택 과목으로 나뉘면서 공통 과목인 독서와 문학 공부에 많은 비중을 투자해서 공부를 하게 될 거야. 그래서 가장 이상적인 방법은 고1, 2 때 미리 국어 문법 개념의 기초를 닦아 놓는 거야. 늦어도 고3, 6월 평가원 모의평가 시험 이전에는 '국어 문법 FAQ'로 개념과 이론 공부를 해 놓아야 해! 그리고 6월 평가원 모의평가를 기점으로 어떤 방향으로 공부를 해야 할지 분석하며 공부하는 거야. 혹시 또 다른 새로운 유형이 출제된다면 그 유형에 당황하지 않도록 친숙해지면 되니까. 결국 문법은 얼마나 정확하게 용어와 이론을 이해하고, 이를 문제에 적용할 수 있느냐의 문제야! 그리고 7, 8월이 되면 EBS 연계 교재에 실린 문법 내용과 예문도 정리해 둘 필요가 있어! 9월 평가원 모의평가 이후에는 꾸준히 실전 연습을 하되, 기출과 비교해 보는 연습도 해 두자! 수능을 한 달 정도 앞두었을 때는 문법의 큰 체계를 한눈에 보면서 놓치고 있는 부분이나 잘못 알고 있는 부분이 없는지 점검하고, 오개념이 있다면 반드시 바로잡아야 해! 그리고 무엇보다 중요한 것은 자신감을 갖는 거야!

한 번 나온 문제는 다시 안 나올 것 같은데, 언어(문법)도 기출 분석이 필요한가요?

언어(문법)도 기출 분석이 중요하다!

수능 국어를 대비하는 가장 좋은 방법은 누가 뭐라고 해도 기출 분석이야. 언어(문법)도 예외는 아니지! 물론, 기본적인 문법 지식 없이 기출 문제를 푼다면 당연히 어려울 수밖에 없을 거야. 하지만 기출 문제를 통해서 언어(문법) 영역에 등장하는 용어와 이론들이 무엇인지 파악할 수 있겠지? 처음에는 수능 국어 언어(문법) 문제에 익숙해지는 데 목표를 두고 기출과 친해져 보자. 그리고 한 번 나온 문제가 완전히 똑같이 출제될 일은 없겠지만, 출제 요소는 반복될 수밖에 없어! 앞에서도 말했듯이 언어(문법)는 수험생들이 학습해야 할 범위가 그 어느 영역보다 확실히 정해져 있기 때문에 그 틀 안에서 출제를 하다보면 중요한 요소는 중복될 수밖에 없거든! 따라서 결론은 언어(문법)도 기출 분석이 중요하다! 단, 먼저 기본 개념이나 이론을 탄탄하게 공부해 둘 것!

'국어 문법 FAQ'는 어떻게 반복 학습하는 것이 효율적일까요?

차근차근하게 전체 체계를 학습,
다시 돌아가서 3번 반복,
고난도 문법 문제 풀이까지!

국어 문법 개념과 이론은 반복해서 공부하지 않으면 쉽게 잊어버릴 수 있어. 그러니 국어 문법의 전체 체계를 중심으로 기본 지식을 학습한 후에, 반복 학습하는 것이 중요해. '국어 문법 FAQ'에는 문법 개념과 이론이 백과사전식으로 정리되어 있으니 이 책을 활용하면 수월하게 문법 개념과 이론의 전체 체계를 학습할 수 있을 거야! 이렇게 1회독 공부를 하면서 전체 체계를 잡았다면, 2회독 학습부터는 각 문법 개념이나 이론이 전체 체계의 어느 부분에 해당하는지 파악하면서 공부를 해야 해. 그리고 다시 돌아가서 3회독까지 반복 학습한다면 국어 문법의 전체적인 체계가 머릿속에 잡히면서 세부 문법 개념과 이론들을 자연스럽게 암기할 수 있을 거야. 이후에는 더 많은 기출 문제를 분석하면서 관련 개념과 이론을 이 책을 통해 다시 찾아 보며 공부하는 습관을 들이도록 하자. 그리고 '문법백제 PLUS'를 활용해서 고난도 문법 문제 풀이로 마무리하면 돼. 이때에도 자신이 약한 문법 개념이나 헷갈리는 문법 이론이 무엇인지 발견하게 될 텐데, 그때 다시 '국어 문법 FAQ'를 참고하여 정리해 두면 수능 언어(문법)는 완벽하게 정복할 수 있을 거야.

수능 국어 문법 필수 개념서

국어 문법

F A Q

기출 문제로
훈련하기

정답과 해설

문제 P.58

PART 1 음운의 변동과 국어 규범

빠른 정답 찾기

01	④	02	④	03	③	04	①	05	①
06	①	07	②	08	①	09	⑤	10	⑤
11	⑤	12	①						

01 ④

정답풀이

〈보기〉의 ㉮에는 '용언 어간 뒤에 '-아/어'로 시작하는 어미가 결합할 때, 단모음이 반모음으로 교체되는 음운 변동' 중 용언 어간의 단모음이 '반모음 'j'로 교체되는 예'가 들어가야 한다. 참고로 교체는 어떤 음운이 다른 음운으로 바뀌는 음운 변동이므로, 교체만 일어난다면 변동 전과 변동 후의 음운의 개수는 동일해야 한다. 어간 '견디-'는 단모음 'ㅣ'로 끝나고 있고, 어미 '-어서'가 결합해 [견뎌서]로 발음되는데, 음운 변동의 과정을 모음 위주로 살펴보면, 'ㅕ, ㅣ + ㅓ, ㅓ → [ㅕ, ㅕ, ㅓ]'로 정리할 수 있다. 이때 가운데의 'ㅣ + ㅓ'가 'ㅕ'로 바뀌었음을 확인할 수 있는데 이중 모음 'ㅕ'는 'j + ㅓ'로 분석할 수 있으므로, 변동된 부분만 다시 정리하면, 'ㅣ+ ㅓ → [j , ㅓ]'가 된다. 이는 용언 어간 '견디-'의 단모음 'ㅣ'가 '-어'로 시작되는 어미와 결합하여 반모음 'j'로 교체된 것이므로, ㉮에 들어갈 말로 적절하다.

오답풀이

① 어간 '뛰-'는 단모음 'ㅟ'로 끝나고 있고, 어미 '-어'가 결합해 [뛰여]로 발음되는데, 음운 변동의 과정을 모음 위주로 살펴보면, 'ㅟ + ㅓ → [ㅟ, ㅕ]'로 정리할 수 있다. 어간의 단모음은 그대로이고, 단모음이었던 어미 'ㅓ'가 이중 모음 'ㅕ'로 바뀐 것인데, 이중 모음 'ㅕ'는 'j + ㅓ'로 분석할 수 있으므로, 다시 정리하면, 'ㅟ + ㅓ → [ㅟ, j, ㅓ]'가 된다. 이는 반모음이 첨가된 경우이므로, ㉮에 들어갈 수 없다.

② 어간 '차-'는 단모음 'ㅏ'로 끝나고 있고, 어미 '-아도'가 결합해 [차도]로 발음되는데, 음운 변동의 과정을 모음 위주로 살펴보면, 'ㅏ + ㅏ, ㅗ → [ㅏ, ㅗ]'로 정리할 수 있다. 이는 어간이나 어미의 단모음 'ㅏ'가 탈락한 경우이므로, ㉮에 들어갈 수 없다. 참고로 'ㅏ/ㅓ'로 끝나는 어간이 모음 'ㅏ/ㅓ'로 시작하는 어미와 결합할 때 'ㅏ/ㅓ'가 탈락하는 현상이 일어나는데, 탈락하는 'ㅏ, ㅓ'가 어간 끝 모음인지 어미 첫 모음인지에 대해서는 의견 차이가 있다.

③ 어간 '잠그-'는 단모음 'ㅡ'로 끝나고 있고, 어미 '-아'가 결합해 [잠가]로 발음되는데, 음운 변동의 과정을 모음 위주로 살펴보면, 'ㅏ, ㅡ + ㅏ → [ㅏ, ㅏ]'로 정리할 수 있다. 이는 'ㅡ'로 끝나는 어간이 모음 '-아/어'로 시작하는 어미와 결합할 때 'ㅡ'가 탈락하는 현상에 해당하므로, ㉮에 들어갈 수 없다.

⑤ 어간 '키우-'는 단모음 'ㅜ'로 끝나고 있고, 어미 '-어라'가 결합해 [키워라]로 발음되는데, 음운 변동의 과정을 모음 위주로 살펴보면, 'ㅣ, ㅜ + ㅓ, ㅏ → [ㅣ, ㅝ, ㅏ]'로 정리할 수 있다. 이때 가운데의 'ㅜ + ㅓ'가 'ㅝ'로 바뀌었음을 확인할 수 있는데 이중 모음 'ㅝ'는 'w + ㅓ'로 분석할 수 있으므로, 변동된 부분만 다시 정리하면, 'ㅜ + ㅓ → [w , ㅓ]'가 된다. 이는 단모음이 반모음 'w'로 교체된 예에 해당되고, 〈보기〉의 ㉮에는 용언 어간의 단모음이 '반모음 'j'로 교체되는 예'가 들어가야 하므로, ㉮에 들어갈 수 없다.

02 ④

정답풀이

〈보기〉를 통해 '음절은 발음할 수 있는 최소의 언어 단위'이고, 음운 변동이 일어나면 음절의 유형이 바뀔 수 있음을 알 수 있다. '국물 [궁물]'에서 '국'이 [궁]으로 바뀐 것은 비음 동화로 인한 것으로 이는 교체의 결과이다. 또한 '국'과 [궁]의 음절의 유형은 모두 '4 자음 + 모음 + 자음'으로 동일하다.

오답풀이

① '밥상[밥쌍]'에서 '상'이 [쌍]으로 바뀐 것은 된소리되기로 인한 것으로 이는 교체의 결과이다. 이때 쌍자음의 음운의 개수는 1개이므로, 'ㅅ'이 'ㅆ'으로 바뀐 것은 첨가가 아니라 교체이다. 또한 '상'과 [쌍]의 음절의 유형은 모두 '4 자음 + 모음 + 자음'으로 동일하다.

② '집일[짐닐]'에서 '일'이 [닐]로 바뀐 것은 'ㄴ' 첨가로 인한 것으로 이는 첨가의 결과이다. 이때 '일'의 음절의 유형은 '3 모음 + 자음'이고, [닐]의 음절의 유형은 '4 자음 + 모음 + 자음'이므로, 음운 변동이 일어난 후 음절의 유형이 달라졌다.

③ '의복함[의보캄]'에서 '함'이 [캄]으로 바뀐 것은 거센소리되기로 인한 것으로 이는 축약의 결과이다. 그러나 '함'과 '캄'의 음절의 유형은 모두 '4 자음 + 모음 + 자음'으로 동일하다.

⑤ '화살(활 + 살)[화살]'에서 '활'이 [화]로 바뀐 것은 'ㄹ' 탈락으로 인한 것으로 이는 탈락의 결과이다. 그러나 '활'의 음절의 유형은 '4 자음 + 모음 + 자음'이고, [화]의 음절의 유형은 '2 자음 + 모음'으로 서로 다르다.

03 ③

정답풀이

〈보기〉에서 '최소 대립쌍이란 하나의 소리로 인해 뜻이 구별되는 단어의 짝'이라고 했으므로, [A]에서 단 하나의 소리만 차이가 나는 것끼리 짝을 지어 보면 '쉬리-소리', '마루-머루', '구실-구슬'의 세 개의 최소대립쌍을 찾을 수 있다. 각 최소대립쌍에서 서로 다른 하나의 소리만 추출하면 'ㅟ, ㅗ, ㅏ, ㅓ, ㅣ, ㅡ'이므로, 이 중 평순 모음은 'ㅣ, ㅡ, ㅓ, ㅏ'로 모두 4개이다.

오답풀이

① 추출된 음운에서 전설 모음은 'ㅣ, ㅟ'로 모두 2개이다.

② 추출된 음운에서 중모음은 'ㅓ, ㅗ'로 모두 2개이다.

④ 추출된 음운에서 고모음은 'ㅣ, ㅟ, ㅡ'로 모두 3개이다.

⑤ 추출된 음운에서 후설 모음은 'ㅡ, ㅓ, ㅏ, ㅗ'로 모두 4개이다.

04 ①

정답풀이

㉠의 '같이'는 받침 'ㄷ, ㅌ'이 모음 'ㅣ'로 시작하는 형식 형태소 앞에서 'ㅈ, ㅊ'으로 바뀌는 구개음화가 적용되어 [가치]로 발음되며, 로마자 표기에도 이를 반영하여 'gachi'로 적었다. 이와 마찬가지로 '땀받이'도 구개음화가 적용되어 [땀바지]로 발음되고, 이를 로마자 표기에도 반영하여 'ttambaji'로 적을 것임을 알 수 있다.

오답풀이

② ㉡의 '잡다'는 된소리되기가 적용되어 [잡따]로 발음되었다. 그런데 로마자 표기는 'japda'로, 된소리되기를 표기에 반영하지 않았다. 이와 마찬가지로 '삭제'도 된소리되기가 적용되어 [삭쩨]로 발음되지만, 로마자 표기에는 이를 반영하지 않을 것임을 알 수 있다.

③ ㉢의 '놓지'는 거센소리되기가 적용되어 [노치]로 발음되며, 로마자 표기에도 이를 반영하여 'nochi'로 적었다. 이와 달리 '닳아'는 어간의 끝소리 'ㅎ'이 모음으로 시작하는 형식 형태소와 결합할 때 탈락하는 현상인 'ㅎ' 탈락이 적용되어 [다라]로 발음되며, ㉢에서 일어나는 음운 변동은 일어나지 않는다.

④ ㉣의 '맨입'은 'ㄴ' 첨가가 적용되어 [맨닙]으로 발음되며, 로마자 표기에도 이를 반영하여 'maennip'으로 적었다. 이와 마찬가지로 '한여름'도 'ㄴ' 첨가가 일어나 [한녀름]으로 발음되고, 이를 로마자 표기에도 반영할 것임을 알 수 있다.

⑤ ㉤의 '백미'는 비음화가 적용되어 [뱅미]로 발음되며, 로마자 표기에도 이를 반영하여 'baengmi'로 적었다. 이와 마찬가지로 '밥물'도 비음화가 일어나 [밤물]로 발음되고, 이를 로마자 표기에도 반영할 것임을 알 수 있다.

05 ①

정답풀이

㉠의 '도매가격'은 ⓐ, ⓒ, ⓓ의 조건은 충족하지만 ⓑ의 조건을 충족하지 못하여 사이시옷을 표기하지 않는다. '도매값'은 ⓐ, ⓑ, ⓒ, ⓓ를 모두 충족하므로 사이시옷을 표기한다. 따라서 두 단어는 조건 ⓐ가 아닌 ⓑ만 차이가 나서 사이시옷 표기 여부가 갈린 예에 해당한다.

오답풀이

② ㉡의 '전세방'은 ⓐ, ⓒ, ⓓ의 조건은 충족하지만 ⓑ의 조건을 충족하지 못하여 사이시옷을 표기하지 않는다. '아랫방'은 ⓐ, ⓑ, ⓒ, ⓓ를 모두 충족하므로 사이시옷을 표기한다. 따라서 두 단어는 조건 ⓑ만 차이가 나서 사이시옷 표기 여부가 갈린 예에 해당한다.

③ ㉢의 '버섯국'은 ⓐ, ⓑ, ⓓ의 조건은 충족하지만 ⓒ의 조건을 충족하지 못하여 사이시옷을 표기하지 않는다. '조갯국'은 ⓐ, ⓑ, ⓒ, ⓓ를 모두 충족하므로 사이시옷을 표기한다. 따라서 두 단어는 조건 ⓒ만 차이가 나서 사이시옷 표기 여부가 갈린 예에 해당한다.

④ ㉣의 '인사말'은 ⓐ, ⓑ, ⓒ의 조건은 충족하지만 ⓓ의 조건을 충족하지 못하여 사이시옷을 표기하지 않는다. '존댓말'은 ⓐ, ⓑ, ⓒ, ⓓ를 모두 충족하므로 사이시옷을 표기한다. 따라서 두 단어는 조건 ⓓ만 차이가 나서 사이시옷 표기 여부가 갈린 예에 해당한다.

⑤ ㉤의 '나무껍질'은 ⓐ, ⓑ, ⓒ의 조건은 충족하지만 ⓓ의 조건을 충족하지 못하여 사이시옷을 표기하지 않는다. '나뭇가지'는 ⓐ, ⓑ, ⓒ, ⓓ를 모두 충족하므로 사이시옷을 표기한다. 따라서 두 단어는 조건 ⓓ만 차이가 나서 사이시옷 표기 여부가 갈린 예에 해당한다.

06 ①

정답풀이

㉠에서 '긁는'의 비표준 발음은 자음군 단순화의 영향으로 겹받침 'ㄺ'에서 'ㄱ'이 탈락하여 '글는'으로 바뀐 뒤 유음화의 영향으로 [글른]으로 발음된 것이다. 반면 '긁는'의 표준 발음은 자음군 단순화의 영향으로 겹받침 'ㄺ'에서 'ㄹ'이 탈락하여 '극는'으로 바뀐 뒤, 비음화의 영향으로 [긍는]으로 발음된 것이다.

㉡에서 '짧네'의 비표준 발음은 자음군 단순화의 영향으로 겹받침 'ㄼ'에서 'ㄹ'이 탈락하여 '짭네'로 바뀐 뒤 비음화의 영향으로 [짬네]로 발음된 것이다. 반면 '짧네'의 표준 발음은 자음군 단순화의 영향으로 겹받침 'ㄼ'에서 'ㅂ'이 탈락하여 '짤네'로 바뀐 뒤 유음화의 영향으로 [짤레]로 발음된 것이다.

㉢에서 '끊기고'의 표준 발음은 거센소리되기의 영향으로 겹받침 'ㄶ' 중 뒤의 자음인 'ㅎ'이 'ㄱ'과 축약되어 [끈키고]로 발음된 것이다.

㉣에서 '뚫지'의 표준 발음은 거센소리되기의 영향으로 겹받침 'ㅀ' 중 뒤의 자음인 'ㅎ'이 'ㅈ'과 축약되어 [뚤치]로 발음된 것이다.

07 ②

정답풀이

㉠'흙일 → [흥닐]'과 ㉢'발야구 → [발랴구]'에서는 'ㄴ' 첨가가 일어났지만, ㉡'닳는 → [달른]'은 자음군 단순화(탈락)와 유음화(교체)만 일어났을 뿐, 첨가는 일어나지 않았다. ㉠~㉢에 공통적으로 일어난 음운 변동은 교체이다.

오답풀이

① ㉠은 자음군 단순화, 'ㄴ' 첨가, 비음화가 일어났으므로 3회, ㉡은 자음군 단순화와 유음화, ㉢은 'ㄴ' 첨가와 유음화가 일어났으므로 각각 2회의 음운 변동이 일어났다.

③ ㉠에서 '흙일'의 음운은 6개이고, 발음인 [흥닐] 역시 6개이기 때문에 음운의 개수에는 변화가 없다. 그러나 ㉡에서 '닳는'의 음운은 7개인데 발음인 [달른]의 음운은 6개이므로 음운의 개수가 줄어들었고, ㉢에서 '발야구'의 음운은 6개인데 발음인 [발랴구]의 음운은 7개이므로 음운의 개수가 늘어났음을 알 수 있다.

④ ㉡은 음운 변동이 2회 일어났고, ㉢은 음운 변동이 2회 일어났다.

⑤ ㉢과 ㉠에는 모두 'ㄴ' 첨가가 일어났다.

08 ①

정답풀이

'흙하고[흐카고]'는 '흙하고 → 흑하고(자음군 단순화) → 흐카고(자음 축약)'와 같은 음운 변동 현상이 일어나므로 탈락과 축약이 일어나 음운의 개수가 8개에서 6개로 줄었다.

오답풀이

② '저녁연기[저녕년기]'는 '저녁연기 → 저녁년기('ㄴ' 첨가) → 저녕년기(비음화)'로 첨가와 교체가 일어났으며, 음운의 개수는 9개에서 10개로 1개 늘었다. 참고로 음운의 개수를 셀 때에는 음절 초성의 'ㅇ'은 포함하지 않는다.

③ '부엌문[부엉문]'은 '부엌문 → 부억문(음절의 끝소리 규칙) → 부엉문(비음화)', '볶는[봉는]'은 '볶는 → 복는(음절의 끝소리 규칙) → 봉는(비음화)'과 같은 음운 변동 현상이 일어나므로, 모두 교체가 두 번 일어났다. 음운의 개수는 동일하다.

④ '얹지[언찌]'는 '얹지 → 언ㄷ찌(음절의 끝소리 규칙, 된소리되기) → 언찌(자음군 단순화)', '묽고[물꼬]'는 '묽고 → 물ㄱ꼬(된소리되기) → 물꼬(자음군 단순화)'와 같은 음운 변동 현상이 일어나므로, 교체와 탈락이 일어났다. 즉, '얹지[언찌]'와 '묽고[물꼬]'에는 축약이 나타나지 않는다. 음운의 개수는 모두 1개씩 줄었다.

⑤ '넓네[널레]'는 '넓네 → 널네(자음군 단순화) → 널레(유음화)', '밝는[방는]'은 '밝는 → 박는(자음군 단순화) → 방는(비음화)'과 같은 음운 변동 현상이 일어나므로, 탈락과 교체가 일어났다. 그러나 음운의 개수는 모두 1개씩 줄었다.

09 ⑤

정답풀이

'읊고'는 (가)의 음절의 끝소리 규칙이 적용되어 '읇고'가 되고 'ㅂ' 뒤에서 'ㄱ'은 된소리되기가 일어나므로 '읇꼬'가 된다. 또한 (나)의 자음군 단순화가 적용되므로 최종적인 발음은 [읍꼬]가 된다. 따라서 '읊고[읍꼬]'에는 (가), (나) 모두에 해당하는 음운 변동이 있다.

오답풀이

① '꽃힌'은 '꽃'의 받침 'ㅊ'이 뒤에 오는 'ㅎ'과 축약되어 [꼬친]으로 발음된다. 따라서 '꽃힌[꼬친]'에는 (가)에 해당하는 음운 변동은 없다. 만약 '꽃'의 'ㅊ'에 (가)의 음절의 끝소리 규칙이 적용되었다고 본다면 '꽃힌'은 '꼳힌'이 되고 'ㄷ'과 'ㅎ'이 축약되어 '꼬틴'인 된 다음, 구개음화가 일어나 [꼬친]으로 발음된다고 설명해야 한다. 하지만 구개음화가 일어나는 조건은 받침이 'ㄷ, ㅌ(ㄾ)'인 경우로 한정되어 있기 때문에 이와 같은 설명은 적절하지 않다. 또한 교육과정평가원의 입장에서도 '꽃힌[꼬친]'의 경우를 축약으로 보고 있다.

② 겹받침이 모음으로 시작된 형식 형태소와 결합되는 경우에는, 뒤엣것만을 뒤 음절 첫소리로 옮겨 발음하며 이때 'ㅅ'은 된소리로 발음한다. (표준 발음법 제14항) 이에 따라 '몫이'는 겹받침 'ㄳ'의 'ㅅ'만을 뒤 음절 첫소리로 옮겨 발음하되 'ㅅ'은 된소리로 발음해야 하므로 [목씨]로 발음되는 것이다. 따라서 '몫이[목씨]'에는 (나)에 해당하는 음운 변동이 없다.

③ '비옷'은 (가)의 음절의 끝소리 규칙이 적용되어 [비옫]으로 발음된다. 따라서 '비옷[비옫]'에는 (나)에 해당하는 음운 변동은 없다.

④ '않고'는 '않'의 겹받침 'ㄶ'의 'ㅎ'이 뒤에 오는 'ㄱ'과 축약되어 [안코]로 발음된다. 따라서 '않고[안코]'에는 (가), (나)에 해당하는 음운 변동이 모두 없다.

10 ⑤

정답풀이

'얹지만'을 [언찌만]으로 발음하는 것은 어간 받침 'ㄵ' 뒤에 결합되는 어미의 첫소리인 'ㅈ'을 된소리 [ㅉ]으로 발음하는 것이므로 ㉠에 해당한다. 그리고 '앉을수록'은 어간 '앉-'과 어미 '-을수록'으로 분석할 수 있는데, 이것을 [안즐쑤록]으로 발음하는 것은 '-(으)ㄹ'로 시작되는 어미인 '-(으)ㄹ수록'의 '-(으)ㄹ' 뒤에 연결되는 'ㅅ'을 된소리 [ㅆ]으로 발음하는 것이므로 ㉢에 해당한다.

오답풀이

① '품을 적에'를 [푸믈쩌게]로 발음하는 것은 관형사형 어미 '-(으)ㄹ' 뒤에 연결되는 'ㅈ'을 된소리 [ㅉ]으로 발음하는 것이므로 ㉢에 해당하고, '삼고'를 [삼꼬]로 발음하는 것은 어간 받침 'ㅁ' 뒤에 결합되는 어미의 첫소리인 'ㄱ'을 된소리 [ㄲ]으로 발음하는 것이므로 ㉠에 해당한다.

② '넓거든'을 [널꺼든]으로 발음하는 것은 어간 받침 'ㄼ' 뒤에 결합되는 어미의 첫소리 'ㄱ'을 된소리 [ㄲ]으로 발음하는 것이므로 ㉡에 해당하고, '얇을지라도'를 [얄블찌라도]로 발음하는 것은 어미 '-을지라도'가 '-(으)ㄹ'로 시작되는 어미이기 때문에 뒤에 연결되는 'ㅈ'을 된소리 [ㅉ]으로 발음하는 것이므로 ㉢에 해당한다.

③ '신겠네요'를 [신:껜네요]로 발음하는 것은 어간 '신-'의 받침 'ㄴ' 뒤에 결합되는 어미의 첫소리인 'ㄱ'을 된소리 [ㄲ]으로 발음하는 것이므로 ㉠에 해당하고, '밟지도'를 [밥:찌도]로 발음하는 것은 어간 '밟-'의 받침 'ㄼ' 뒤에 결합되는 어미의 첫소리 'ㅈ'을 된소리 [ㅉ]으로 발음하는 것이므로 ㉡에 해당한다.

④ '비웃을지언정'은 어간 '비웃-'과 어미 '-을지언정'으로 분석되는데, 이것을 [비우슬찌언정]으로 발음하는 것은 '-(으)ㄹ'로 시작되는 어미인 '-(으)ㄹ지언정'의 '-(으)ㄹ' 뒤에 연결되는 'ㅈ'을 된소리 [ㅉ]으로 발음한 것이므로 ㉢에 해당한다. 그리고 '훑던'을 [훌떤]으로 발음하는 것은 어간 받침 'ㄾ' 뒤에 결합되는 어미의 첫소리 'ㄷ'을 된소리 [ㄸ]으로 발음한 것이므로 ㉡에 해당한다.

11 ⑤

정답풀이

'삶만'의 표준 발음이 [삼만]인 것은 겹받침 'ㄻ'은 자음 앞에서 [ㅁ]으로 발음한다는 ㉠에 따른 것이다.

오답풀이

① '삶과'의 표준 발음이 [삼과]인 것은 겹받침 'ㄻ'은 자음 앞에서 [ㅁ]으로 발음한다는 ㉠에 따른 것이다.

② '삶고'의 표준 발음이 [삼꼬]인 것은 겹받침 'ㄻ'은 자음 앞에서 [ㅁ]으로 발음한다는 ㉠에 따른 것이다. 또한 어미 '-고'의 'ㄱ'을 된소리로 발음하는 것은 ㉢에 따른 것이다.

③ '삶'의 표준 발음이 [삼]인 것은 겹받침 'ㄻ'은 어말에서 [ㅁ]으로 발음한다는 ㉠에 따른 것이다.

④ '삶에'의 표준 발음이 [살메]인 것은 겹받침 'ㄻ'은 모음으로 시작된 조사와 결합되는 경우 뒤의 'ㅁ'만을 뒤 음절의 첫소리로 옮겨 발음한다는 ㉡에 따른 것이다.

12 ①

정답풀이

'꽃이랑'은 '꽃(실질 형태소) + 이랑(실질 형태소)'의 합성어이다. 앞 단어가 자음으로 끝나고 뒤 단어가 '이'로 시작하므로 제29항에 따라 'ㄴ' 소리가 첨가된다. 또한 '꽃'의 받침 'ㅊ'은 대표음 [ㄷ]으로 바뀌는데 이때 'ㄷ'은 첨가된 비음 'ㄴ'의 영향으로 비음화가 일어나 [ㄴ]으로 바뀌어 최종적으로 [꼰니랑]으로 발음된다. 즉, '꽃이랑 → [꼳니랑] → [꼰니랑]'의 과정을 거친다.

다음으로, '꽃오목'은 '꽃(실질 형태소) + 오목(실질 형태소)'의 합성어로, 이때 '오목'은 'ㅗ'로 시작되는 실질 형태소이므로 '꽃'의 받침 'ㅊ'을 대표음 [ㄷ]으로 바꾸어 뒤 음절의 첫소리로 옮겨 [꼬도목]으로 발음한다. 따라서 '꽃이랑'은 [꼰니랑], '꽃오목'은 [꼬도목]이 표준 발음에 해당한다.

문제 P.112

PART 2 형태소와 단어 그리고 문장

빠른 정답 찾기

01 ④ 02 ② 03 ② 04 ⑤ 05 ③
06 ④ 07 ④ 08 ④ 09 ③ 10 ④
11 ② 12 ⑤

01 ④

정답풀이

〈보기〉에 제시된 ㉣을 살펴보면, '살리다'와 '입히다'는 각각 주동사 '살다'와 '입다'의 어근에 접사가 결합하여 만들어진 사동사가 맞지만, '밀치다'와 '깨뜨리다'는 사동사가 아니므로 적절하지 않다. '밀치다'의 '–치–'와 '깨뜨리다'의 '–뜨리–'는 모두 강조의 뜻을 더하는 접사에 해당한다.

오답풀이

① 〈보기〉에 제시된 ㉠을 살펴보면, '넓이, 믿음, 크기, 지우개'는 각각 용언 '넓다, 믿다, 크다, 지우다'의 어근에 접사가 결합하여 명사가 된 것임을 알 수 있다.

② 〈보기〉에 제시된 ㉡을 살펴보면, '끄덕이다, 출렁대다, 반짝거리다'는 각각 부사 '끄덕, 출렁, 반짝'에 접사가 결합하여 동사가 된 것임을 알 수 있다.

③ 〈보기〉에 제시된 ㉢을 살펴보면, '울보, 낚시꾼, 멋쟁이, 장난꾸러기'는 각각 어근 '울–, 낚시, 멋, 장난'에 '–보, –꾼, –쟁이, –꾸러기'라는 접사가 결합하여 사람을 가리키는 의미를 지닌 명사가 된 것임을 알 수 있다.

⑤ 〈보기〉에 제시된 ㉤을 살펴보면, '부채질'과 '풋나물'은 품사가 명사인 어근 '부채'와 '나물'에 각각 접사 '–질'과 '풋–'이 결합하여 다시 명사가 된 것이다. 또한 '휘감다'와 '빼앗기다'는 품사가 동사인 어근 '감–'과 '빼앗–'에 접사 '휘–'와 '–기–'가 결합하여 다시 동사가 된 것이다. 따라서 ㉤에 쓰인 접사는 모두 어근과 품사가 동일한 단어를 만든다는 것을 알 수 있다.

02 ②

정답풀이

'떠넘기다'의 어간은 '떠넘기–'로 어근 2개와 접사 1개로 이루어져 있으므로 ㉠(어간이 3개 이상의 구성 요소로 이루어진 경우)에 해당한다. '떠넘기다'를 둘로 나누어 보면 먼저 '떠'와 '넘기다'로 나눌 수 있는데, 이때 '떠'는 어간(어근) '뜨–'에 어미 '–어'가 결합하면서 '–'가 탈락한 것이므로, 어근 '뜨–'가 직접 구성 요소가 된다. 나머지 직접 구성 요소인 '넘기다'는 어근 '넘–'에 접사 '–기–'가 결합된 파생어로, 직접 구성 요소 분석 시에는 파생어 자체가 어근이 된다. 따라서 '떠넘기다'는 ㉡(직접 구성 요소가 먼저 어근과 어근으로 분석되면) 역시 충족한다.

오답풀이

① '내리치다'는 '내리다'의 어근 '내리–'와 '치다'의 어근 '치–'가 연결 어미 없이 결합한 비통사적 합성어이다. 직접 구성 요소가 어근과 어근으로 분석되어 ㉡에는 해당하지만, 어간 '내리치–'의 구성 요소는 2개이므로, ㉠에는 해당하지 않는다.

③ '헛돌다'는 접사 '헛–'과 어근 '돌–'로 이루진 파생어이므로, ㉠과 ㉡ 모두에 해당하지 않는다.

④ '오가다'는 '오다'의 어근 '오–'와 '가다'의 어근 '가–'가 연결 어미 없이 결합한 비통사적 합성어이다. 직접 구성 요소가 어근과 어근으로 분석되어 ㉡에는 해당하지만, 어간 '오가–'의 구성 요소는 2개이므로, ㉠에는 해당하지 않는다.

⑤ '짓밟히다'는 어근 '밟–'에 접사 '짓–'과 '–히–'가 결합한 파생어이다. 어간 '짓밟히–'의 구성 요소가 3개이므로 ㉠에는 해당하지만, ㉡에는 해당하지 않는다.

03 ②

정답풀이

㉠, ㉡, ㉢은 합성어에서 받침 'ㄹ'의 모습이 각기 다르게 나타나는 단어들이다. ㉠과 같은 예에는 〈보기〉의 '쌀가루', '솔방울'이 해당한다. ㉡과 같은 예에는 〈보기〉의 '무술', '푸나무'가 해당한다. ㉢과 같은 예에는 〈보기〉의 '섣달'이 해당한다. 참고로 '낟알'은 구성 요소가 '낟+알'로 '낟'의 끝소리가 'ㄹ'이 아니므로, 어디에도 해당되지 않는다.

04 ⑤

정답풀이

지문의 [A]와 〈보기〉의 [자료]를 통해 알 수 있는 '숟가락'과 '뭇사람'의 첫 글자 받침이 다른 이유는 현대 국어에서 합성어를 이루는 구성 요소의 형태에 따라 결정되는 것이지, 현대 국어로 오면서 'ㄹ'이 탈락한 후 남은 'ㅅ'의 발음이 서로 달랐기 때문이 아니다. 지문에서도 '근대 국어 시기에 'ㅅ'과 'ㄷ'의 발음이 구분되지 않았다는 언급만 있을 뿐이다.

오답풀이

① [자료]의 중세 국어의 예 중 '술 자ᄇᆞ며 져 놓ᄂᆞ니'를 통해 중세 국어의 '술'과 '져'는 '이틀'과 마찬가지로 자립 명사에 해당함을 알 수 있다. 그러나 현대 국어에서는 홀로 쓰일 수 없으므로, '술'은 자립 명사가 아닌 의존 명사이다.

② [자료]의 중세 국어의 예 중 '술'과 '져'가 결합한 형태가 '슈져'인 것을 통해 합성 과정에서 'ㄹ'이 탈락하여 현대 국어의 '수저'로 이어졌음을 확인할 수 있다.

③ 지문에서 '중세 국어에서 자립 명사 '이틀'과 '날' 사이에 관형격 조사 'ㅅ'이 결합한 '이틄날'로' 나타났다고 했다. 이때 'ㅅ'은 관형격 조사의 기능을 한다고 했으므로, 뒤에 오는 명사를 수식하는 역할을 한다.

④ 지문에서 '이튿날'의 경우 "ㄷ'은 'ㄹ'이 변한 것으로 설명되지 않으므로 '뭇사람'에서처럼 'ㅅ'으로 적는 것이 국어의 변화 과정을 고려한 관점에 부합한다'고 했다. 따라서 '숫가락'이 아닌 '숟가락'으로 적히는 것 역시 국어의 변화 과정을 고려한 관점에 부합하지 않는다.

05 ③

정답풀이

ⓒ의 '별을'은 안은문장에서는 목적어가 맞지만, 관형절인 안긴문장 '(별이) 반짝이는'에서는 목적어가 아닌 주어의 역할을 한다.

오답풀이

① ⓐ의 '삼았다'는 주어 '그는' 이외에도 목적어 '위기를'과 부사어 '기회로'를 필수적으로 요구하는 세 자리 서술어이다.

② ⓑ의 '바다가'는 안은문장에서 서술어 '파랗다'의 주어이고, '눈이'는 부사절인 안긴문장에서 서술어 '부시다'의 주어이다.

④ ⓐ의 '좋은'은 '기회가 좋다.'라는 문장에서 주어가 생략된 관형절로, 안긴문장의 서술어이고, ⓒ의 '반짝이는'은 '별이 반짝이다.'라는 문장에서 주어가 생략된 관형절로, 안긴문장의 서술어이다.

⑤ ⓑ의 '눈이 부시게'는 안은문장에서 부사어 역할을 하므로 서술어 '파랗다'를 수식하고, ⓒ의 '반짝이는'은 안은문장에서 관형어의 역할을 하므로 뒤의 체언 '별'을 수식한다.

06 ④

정답풀이

ⓔ에서 안긴문장은 관형절 '내가 늘 쉬던'으로, 명사 '공원'을 수식하는 관형어로 쓰이고 있다. 이는 원래 문장인 '내가 늘 공원에서 쉬었다.'에서 수식하는 명사와 동일한 문장 성분인 부사어 '공원에서'가 생략된 채 안긴문장으로 쓰인 것이다.

오답풀이

① ㉠에서 안긴문장은 명사절 '자식이 건강하기'로, 목적격 조사 '를'과 결합하여 목적어로 쓰이고 있다. 이때 원래 문장은 '자식이 건강하다.'이므로, 생략된 문장 성분은 없다.

② ㉡에서 안긴문장은 부사절 '연락도 없이'로, 서술어 '안 왔다'를 수식하는 부사어로 쓰이고 있다. 이때 원래 문장은 '연락도 없다.'이므로, 생략된 문장 성분은 없다.

③ ㉢에서 안긴문장은 명사절 '자신의 판단이 옳았음'으로, 목적격 조사 '을'과 결합하여 목적어로 쓰이고 있다. 이때 원래 문장은 '자신의 판단이 옳다.'이므로, 생략된 문장 성분은 없다.

⑤ ㉤에서 안긴문장은 관형절 '아주 어려운'으로, 명사 '과제'를 수식하는 관형어로 쓰이고 있다. 이는 원래 문장인 '과제가 아주 어렵다.'에서 수식하는 명사와 동일한 문장 성분인 주어 '과제가'가 생략된 채 안긴문장으로 쓰인 것이다.

07 ④

정답풀이

윗글에서 '-이'에 대응되는 중세 국어의 명사 파생 접미사는 '-ᄋᆡ/-의'라고 하였다. '높-'은 양성 모음으로 끝나는 어근이므로 모음 조화에 따라 명사 파생 접미사로 '-ᄋᆡ'가 결합하여 파생 명사 '노ᄑᆡ'가 된다. 또한 중세 국어의 부사 파생 접미사의 형태는 '-이'라고 하였으므로, '높-'에 부사 파생 접미사가 결합한 파생 부사는 '노피'이다.

오답풀이

① 윗글에 따르면, 동사 어근 '열-'에 명사 파생 접미사 '-음'이 결합한 '여름'은 파생 명사이고, 동사 어간 '열-'에 명사형 전성 어미 '-움'이 결합한 '여룸'은 동사이므로 각각의 품사가 다르다.

② 윗글에 따르면 동사 어근 '걷-'에 명사 파생 접미사 '-음'이 결합한 '거름'은 파생 명사이고, 동사 어간 '걷-'에 명사형 전성 어미 '-움'이 결합한 '거룸'은 동사의 명사형이다.

③ '걷-'은 모음 조화에 따라 명사 파생 접미사 '-(으)ㅁ'과 명사형 전성 어미 '-움'이 결합하여 '거름'과 '거룸'으로 사용되었고, 마지막 음절의 모음이 양성 모음인 '높-'에는 모음 조화에 따라 명사 파생 접미사 '-ᄋᆡ'가 결합하여 '노ᄑᆡ'로 쓰이고 있는 것으로 보아 '높-'에는 명사형 전성 어미로 '-옴'이 결합할 것임을 알 수 있다.

⑤ 윗글의 설명에 따라 중세 국어의 형용사 '곧다'와 '굳다'는 모음 조화에 상관없이 부사 파생 접미사 '-이'가 결합하여 '고디'와 '구디'의 형태로 쓰일 것이다.

08 ④

정답풀이

'어려운 이웃을 도움으로써 보람을 찾는 이도 있다.'에서 '도움'은 용언의 명사형으로, ㉠의 예에 해당한다. 또한 '나는 그를 온전히 믿음에도 그 일은 맡기고 싶지 않다.'에서 '믿음'은 용언의 명사형으로, ㉠의 예에 해당한다.

오답풀이

① '많이 앎이 항상 미덕인 것은 아니다.'에서 '앎'은 용언의 명사형으로, ㉠의 예에 해당한다. 그러나 '그의 목소리는 격한 슬픔으로 떨렸다.'의 '슬픔'은 파생 명사로, ㉠의 예에 해당하지 않는다.

② '멸치 볶음은 맛도 좋고 건강에도 좋다.'에서 '멸치 볶음'은 '멸치를 재료로 하여 볶은 음식'을 뜻하며, 이때 '볶음'은 파생 명사이므로, ㉠의 예에 해당하지 않는다. 그러나 '오빠는 몹시 기쁨에도 내색을 안 했다.'에서 '기쁨'은 용언의 명사형으로, ㉠의 예에 해당한다.

③ '요즘은 상품을 큰 묶음으로 파는 가게가 많다.'에서 '묶음'은 파생 명사이므로, ㉠의 예에 해당하지 않는다. 반면, '무용수들이 군무를 춤과 동시에 조명이 켜졌다.'에서 '춤'은 용언의 명사형으로, ㉠의 예에 해당한다.

⑤ '아이가 울음 섞인 목소리로 빨리 오라고 소리쳤다.'에서 '울음'은 파생 명사이므로, ㉠의 예에 해당하지 않는다. 반면, '수술 뒤 친구가 밝게 웃음을 보니 나도 마음이 놓였다.'에서 '웃음'은 용언의 명사형으로, ㉠의 예에 해당한다.

09 ③

정답풀이

'너무'는 '일정한 정도나 한계를 훨씬 넘어선 상태로'라는 의미의 부사어이므로 서술어인 '샀다'가 아니라 관형어인 '헌'을 수식한다.

오답풀이

① '눈이 부시게'는 주어 '눈이'와 서술어 '부시다'에서 주어와 서술어의 관계를 확인할 수 있으며, '-게'가 결합한 부사절로, 관형어 '푸른'을 수식하고 있다.

② '하늘에서'는 명사 '하늘'과 부사격 조사 '에서'가 결합한 부사어이고, '펑펑'은 '눈이나 물 따위가 세차게 많이 쏟아져 내리거나 솟는 모양'을 나타내는 부사이다.

④ '닮다'는 주어 외에 부사어나 목적어를 반드시 필요로 하는 두 자리 서술어이므로 ㉠의 '엄마와'는 필수적 부사어이다. 반면에 ㉡에서의 '읽다'는 주어 외에 목적어를 반드시 필요로 하는 두 자리 서술어로, 부사어인 '취미로'는 필수 성분이 아니다.

⑤ 서술어 '되다'는 주어 외에 보어나 부사어를 반드시 필요로 하는 두 자리 서술어로, '주어와 부사어' 또는 '주어와 보어'를 필수적으로 요구하므로 ㉠의 부사어 '재로'와 ㉡의 보어 '재가'는 서술어 '되다'가 반드시 필요로 하는 성분이다.

10 ④

정답풀이

㉠	파생어이면서 소리대로 적은 경우
㉡	합성어이면서 소리대로 적은 경우
㉢	파생어이면서 어법에 맞도록 적은 경우
㉣	합성어이면서 어법에 맞도록 적은 경우
㉤	파생어이면서 소리대로 적되, 어법에 맞도록 한 경우

㉣: '옷소매'와 '밥알'은 모두 합성어로, ⓑ(어법에 맞도록 함)의 원칙을 충족하고 있다. '옷소매'와 '밥알'을 각각 소리대로 적으면 '옫쏘매'와 '바발'이 되지만 소리대로 적지 않고 어법에 맞도록 형태를 고정시켜 적었으므로 '옷소매'와 '밥알'은 ⓑ만 충족하는 합성어에 해당한다. 따라서 ㉣에 들어갈 예로 적절하다.

오답풀이

① ㉠: '이파리(잎 + -아리)'는 파생어로 소리대로 적은 경우에 해당되어 ㉠의 사례에 해당하지만, '얼음(얼- + -음)'은 파생어는 맞지만 소리대로 '어름'으로 적지 않고 어법에 맞도록 '얼음'으로 적었으므로 ㉠의 사례에 해당하지 않는다.

② ㉡: '마소(말 + 소)'는 합성어로 'ㄹ' 탈락 현상을 적용하여 소리대로 적은 ㉡의 사례가 되지만, '낮잠(낮 + 잠)'은 합성어는 맞지만 소리대로 '낟짬'으로 적지 않고 어법에 맞도록 적었으므로 ㉡의 사례에 해당하지 않는다.

③ ㉢: '웃음(웃- + -음)'은 파생어로 형태를 밝혀 어법에 맞도록 적었으므로 ㉢의 사례가 되지만, '바가지(박 + -아지)'는 파생어는 맞지만 어법에 맞도록 '박아지'로 적지 않고 소리대로 적었으므로 ㉢의 사례에 해당하지 않는다.

⑤ ㉤: '꿈(꾸- + -ㅁ)'은 파생어로 소리대로, 어법에 맞도록 적은 경우에 해당되므로 ㉤의 사례가 되지만, '사랑니(사랑 + 이)'는 파생어가 아닌 합성어일 뿐만 아니라 'ㄴ' 첨가 현상을 적용하여 소리대로만 적었으므로 ㉤의 사례에 해당하지 않는다.

11 ②

정답풀이

〈보기〉는 '서술어의 자릿수'의 개념에 대한 이해를 바탕으로 서술어가 요구하는 문장 성분이 빠져 문법적으로 정확하지 못하면 올바른 문장으로 수정해야 한다는 내용이다. 그런데 '문제는 우리가 예의를 지키지 못하는 경우가 많다.'는 주어와 서술어가 호응하지 않아 문법적으로 정확하지 않은 문장이 된 경우이다. 따라서 이를 '문제는 우리가 예의를 지키지 못하는 경우가 많다는 사실이다.'라고 수정한 것은 주어와 서술어를 호응시킴으로써 정확한 문장으로 고친 것이지, 서술어가 필수적으로 요구하는 문장 성분을 보충함으로써 정확한 문장으로 고친 것은 아니다.

오답풀이

① 서술어 '요청하다'는 【…에/에게 …을】의 꼴로 쓰여, 부사어와 목적어를 요구하는 세 자리 서술어이다. '그들은 양식이 다 떨어지자 식량 공급을 요청했다.'에는 부사어가 사용되지 않았으므로 '정부에'를 보충하여 문법적으로 정확한 문장으로 수정한 것이다.

③ 서술어 '소개하다'는 【…에/에게 …을】의 꼴로 쓰여, 부사어와 목적어를 요구하는 세 자리 서술어이다. '나는 오늘 점심을 먹으면서 내 친구를 소개하였다.'에는 부사어가 사용되지 않았으므로 '누나에게'를 보충하여 문법적으로 정확한 문장으로 수정한 것이다.

④ 서술어 '삼다'는 【…을 …으로】의 꼴로 쓰여, 목적어와 부사어를 요구하는 세 자리 서술어이다. '우리는 전화위복의 계기로 삼아 지금보다 강해질 것이다.'에는 목적어가 사용되지 않았으므로 '그 일을'을 보충하여 문법적으로 정확한 문장으로 수정한 것이다.

⑤ '어떤 분야에 대하여 잘 알지 못하다.'의 뜻을 지니는 서술어 '어둡다'는 【…에】의 꼴로 쓰여, 부사어를 요구하는 두 자리 서술어이다. '형은 이곳에 온 지 얼마 되지 않아 어두울 수밖에 없다.'에는 부사어가 사용되지 않았으므로 '동네 지리에'를 보충하여 문법적으로 정확한 문장으로 수정한 것이다.

12 ⑤

정답풀이

'일찍이'는 부사 '일찍'에 '-이'가 붙어서 부사 '일찍이'가 된 것이므로 ㉢의 '더욱이'와 같은 규정이 적용된 사례에 해당한다. ㉢의 '더욱이'도 부사 '더욱'에 '-이'가 붙어서 부사 '더욱이'가 된 것이다.

오답풀이

① '급히'는 '급하다'의 어근 '급-'에 '-히'가 붙어 부사가 된 것이므로 ㉡과 같은 규정이 적용된 사례에 해당한다. ㉡의 '꾸준히' 역시 '꾸준하다'의 어근 '꾸준-'에 '-히'가 붙어 부사가 된 것이기 때문이다.

② '방긋이'는 부사 '방긋'에 '-이'가 붙어서 부사 '방긋이'가 된 것이므로 ㉢과 같은 규정이 적용된 사례에 해당한다. ㉢의 '생긋이' 역시 부사 '생긋'에 '-이'가 붙어 부사가 된 것이기 때문이다.

③ '많이'는 '많다'의 어간 '많-'에 '-이'가 붙어서 부사가 된 것이므로 ㉠과 같은 규정이 적용된 사례에 해당한다. ㉠의 '같이' 역시 어간 '같-'에 '-이'가 붙어서 부사가 된 것이기 때문이다.

④ '깊이'는 '깊다'의 어간 '깊-'에 '-이'가 붙어서 부사가 된 것이므로 ㉠과 같은 규정이 적용된 사례에 해당한다. ㉠의 '굳이' 역시 어간 '굳-'에 '-이'가 붙어서 부사가 된 것이기 때문이다.

문제 P.148

PART 3 문법 요소

빠른 정답 찾기

01 ⑤ 02 ① 03 ⑤ 04 ① 05 ③
06 ④ 07 ② 08 ⑤ 09 ① 10 ①
11 ③ 12 ③

01 ⑤

정답풀이

〈보기〉의 ㉠에는 '안긴문장에서의 객체 높임의 대상이 안은 문장에서 목적어로 실현된 겹문장'이라는 조건에 부합하는 예문이 들어가야 한다. '형은 동생이 찾아뵈려던 선생님을 학교에서 만났습니다.'에서 안긴문장인 '동생이 찾아뵈려던'을 원래 문장으로 만들어 보면 '동생이 선생님을 찾아뵈려고 했다.'가 될 수 있다. '찾아뵙다'라는 객체 높임의 대상은 '선생님'이고, '선생님'은 안은문장에서 목적어로 실현되었으므로, ㉠에 들어갈 예로 적절하다.

오답풀이

① '편찮으시던 어르신께서는 좀 건강해지셨나요?'에서 안긴문장인 '편찮으시던'을 원래 문장으로 만들어 보면 '어르신께서 편찮으셨다.'가 될 수 있다. '편찮으시다'에는 주체 높임 선어말 어미 '-시-'가 쓰였으므로 '어르신'은 객체 높임의 대상이 아닌 주체 높임의 대상에 해당한다. 또한 안은문장에서 '어르신'은 목적어가 아니라 주어로 실현되었다.

② '오빠는 고향에 계신 부모님을 집으로 모시고 갔다.'에서 안긴문장인 '고향에 계신'을 원래 문장으로 만들어 보면 '부모님이 고향에 계시다.'가 될 수 있다. '계시다'는 주체 높임을 나타내는 특수 어휘이므로, 안긴문장에서 '부모님'은 객체 높임의 대상이 아닌 주체 높임의 대상에 해당한다.

③ '나는 할아버지께서 선물을 주신 날짜를 아직도 기억해.'에서 안긴문장인 '할아버지께서 선물을 주신'을 원래 문장으로 만들어 보면 '할아버지께서 (어떤) 날짜에 선물을 주셨다.'가 될 수 있다. '주시다'는 주체 높임 선어말 어미 '-시-'가 쓰였으므로, 안긴문장에서 '할아버지'는 객체 높임의 대상이 아닌 주체 높임의 대상에 해당한다. 또한 안은문장에서 '할아버지'가 목적어로 실현되지도 않았다.

④ '누나는 다음 주에 인사를 드릴 할머니께 편지를 썼어요.'에서 안긴문장인 '누나는 다음 주에 인사를 드릴'을 원래 문장으로 만들어 보면 '누나는 다음 주에 할머니께 인사를 드릴 것이다.'가 될 수 있다. '드리다'라는 객체 높임의 대상은 '할머니'이지만, '할머니'는 안은문장에서 목적어가 아닌 부사어로 실현되었다.

02 ①

정답풀이

'드리다'는 '주다'의 높임말로, 이는 일반적으로 국어에서 높임을 나타내기 위해 사용하는 조사나 선어말 어미를 통해 실현된 높임 표현이 아니라 ㉠(그 자체에 높임의 의미가 담긴 특수 어휘)에 해당한다. 또한 '저희'는 '우리'의 낮춤말로, 어미를 통해 실현된 겸양 표현이 아니라 ㉡(그 자체에 낮춤의 의미가 있는 특수 어휘)에 해당한다.

오답풀이

② '연세가 지긋하신 할아버지께서 걸어가신다.'에서 '연세'는 ㉠에 해당한다고 볼 수 있으나, ㉡에 해당하는 표현은 사용되지 않았다.

③ '제 말씀은 그런 의도가 아니었어요.'에서 '제'와 '말씀'은 ㉡에 해당한다고 볼 수 있으나, ㉠에 해당하는 표현은 사용되지 않았다.

④ '이 문제는 아버지께 여쭈어보자.'에서 '여쭈다'는 ㉠에 해당한다고 볼 수 있으나, ㉡에 해당하는 표현은 사용되지 않았다.

⑤ '지나야, 가서 할머니 모시고 와.'에서 '모시다'는 ㉠에 해당한다고 볼 수 있으나, ㉡에 해당하는 표현은 사용되지 않았다.

03 ⑤

정답풀이

'내가 어제 마신 약은 생각보다 안 쓰더라.'는 '본인만이 직접 느껴 알 수 있는 감정이나 감각을 표현'하는 형용사 '쓰다'가 서술어로 쓰이고 있다.

오답풀이

① '아까 수첩을 보니 다음 주에 약속이 있더라.'에서 '새롭게 알게 된 내용'인 약속이 있는 것을 안 시점은 '아까'로 과거라고 볼 수 있으므로 '-더-'가 사용되었다.

② '나는 그의 합격이 놀랍더라.'의 서술어 '놀랍다'는 '본인만이 직접 느껴 알 수 있는 감정이나 감각을 표현하는 형용사'이고, 평서문에서 1인칭 주어 '나'와 함께 '-더-'가 사용되었다.

③ '영수야, 넌 내가 그리 말했는데도 안 밉더냐?'의 서술어 '밉다'는 '본인만이 직접 느껴 알 수 있는 감정이나 감각을 표현하는 형용사'이고, 의문문에서 2인칭 주어 '너(영수)'와 함께 '-더-'가 사용되었다.

④ '기어이 우승한 그날, 우리 어찌 아니 기쁘더냐?'는 수사 의문문(문장의 형식은 의문문이지만 대답을 요구하지 않고 강한 긍정 진술을 내포하고 있는 의문문)에 해당하는 문장이므로 1인칭 주어 '우리'와 함께 '-더-'가 사용되었다.

04 ①

정답풀이

'왔겠다'에서 '-았-'은 과거 시제 선어말 어미이므로 이때 '-겠-'은 과거 사실에 대한 추측을 나타낸다. 한편 '오겠지'는 시간 부사어 '지금'과 함께 사용되고 있으므로 이때 '-겠-'은 현재 사실에 대한 추측을 나타내고 있다.

오답풀이

② '막차를 놓쳤으니 나는 집에 다 갔다.'의 경우에는 과거 시제가 아니라 집에 가지 못할 것이라는 의미의 반어적 표현으로, 미래의 일을 나타내므로 '-았-'이 과거 시제를 나타내지 않는 경우도 있다.

③ '내가 떠날 때 비가 올 것이다.'의 관형사형 어미 '-ㄹ'은 과거 시제 선어말 어미 '-았-'과 함께 사용되었다는 점에서 미래의 사건을 나타낸다고 볼 수 없다.

④ '그는 내년에 진학한다고 한다.'의 '-ㄴ-'은 시간을 나타내는 부사어 '내년에'와 함께 사용되어 미래에 예정되어 있는 사건을 나타낸다고 볼 수 있다.

⑤ 서술어로 형용사가 쓰인 '오늘 보니 그는 키가 작다.'에는 시제를 나타내는 선어말 어미와 결합하지 않고 사용된 기본형 '작다'가 시간 부사어 '오늘'과 함께 쓰이며 현재 시제를 나타낸다.

05 ③

정답풀이

ⓒ에서 '놀이'는 동사 '놀다'의 어근 '놀-'에 접미사 '-이'가 붙어 품사가 명사로 바뀐 것이므로, 명사 '놀이' 속의 '놀-'은 서술어로 기능하지 못한다.

오답풀이

① ⓐ의 '비워'는 동사 '비다'의 어근 '비-'에 접미사 '-우-'가 결합된 것이므로, 어간은 '비우-'이다. 하지만 '시간이 빈다.'에서 '비다'의 어간은 '비-'이다.

② ⓑ에서 '높이'는 '나는'을 꾸며 주고 있으므로, 형용사 '높다'의 어근 '높-'에 부사 파생 접미사 '-이'가 붙어 형성된 부사이다.

④ ⓓ에서 '끓였다'의 어근 '끓-'에 붙은 '-이-' 역시 모든 동사에 자유롭게 결합하는 것은 아니다. 예를 들어 '비다'의 경우 사동 접미사로 '-이-'가 결합할 수 없고, '-우-'가 결합하여 ⓐ의 '비워(비- + -우- + -어)'처럼 나타난다.

⑤ ⓔ에서 '오시기'의 '오-'는 동사 어간이므로 어근이고 '-시-'는 주체 높임 선어말 어미이고 이때 '-기'는 접미사가 아니라 명사형 어미이다. 명사형 어미는 품사를 바꾸지 못하므로 '오시기'의 품사는 동사이다.

06 ④

정답풀이

'바위 뒤에 동생을 숨겼다.'에서 '숨겼다'는 동사 '숨다'의 어근에 사동 접미사 '-기-'가 결합된 것이다. 이때 생략된 주어인 누군가가 바위 뒤에 동생을 숨게 한 것이므로, '숨기다'는 사동사이다. 그리고 '피곤해서 눈이 자꾸 감겼다.'에서 '감겼다'는 동사 '감다'의 어근에 피동 접미사 '-기-'가 결합된 것이다. 이때 주어 '눈'은 동작을 당하고 있으므로, '감기다'는 피동사이다.

오답풀이

① '울렸다'는 동사 '울다'의 어간(어근)에 사동 접미사 '-리-'가 결합되어 형이 동생을 울게 한 것이라는 의미가 더해진 사동사이다. '돌렸다'는 동사 '돌다'의 어간(어근)에 사동 접미사 '-리-'가 결합되어 그가 지구본을 돌게 한 것이라는 의미가 더해진 사동사이다.

② '놓인다'는 동사 '놓다'의 어간(어근)에 피동 접미사 '-이-'가 결합되어 주어 '마음'이 주체적으로 놓는 동작을 한 것이 아니라 동작을 당한 것이라는 의미가 더해진 피동사이다. '남겼다'는 동사 '남다'의 어간(어근)에 사동 접미사 '-기-'가 결합되어 우리가 용돈을 남게 한 것이라는 의미가 더해진 사동사이다.

③ '눌렸다'는 동사 '누르다'의 어간(어근)에 피동 접미사 '-이-'가 결합되어 주어 '공책'이 동작을 당한 것이라는 의미가 더해진 피동사이다. '찢겼다'는 동사 '찢다'의 어간(어근)에 피동 접미사 '-기-'가 결합되어 주어 '옷'이 동작을 당한 것이라는 의미가 더해진 피동사이다.

⑤ '날렸다'는 동사 '날다'의 어간(어근)에 사동 접미사 '-리-'가 결합되어 내가 종이비행기를 하늘로 날게 한 것이라는 의미가 더해진 사동사이다. '맡겼다'는 동사 '맡다'의 어간(어근)에 접미사 사동 '-기-'기 결합되어 그가 소년에게 중요한 임무를 맡게 한 것이라는 의미가 더해진 사동사이다.

07 ②

정답풀이

보기 분석

ㄱ. 내 힘으로는 군중을 진정시키기 어려웠다.: '진정시키다'는 주체인 '내'가 다른 대상인 '군중'을 진정하게 하는 것이므로 사동 표현에 해당한다.

→ '-시키다'가 적절하게 쓰임

ㄴ. 여러분들께 저희 가족을 소개시켜 드리겠습니다.: 주체가 직접 다른 사람들에게 자신의 가족을 소개하는 행위를 한 것이므로 '소개시키다'는 잘못된 표현이다. '여러분들께 저희 가족을 소개해 드리겠습니다.'로 고쳐야 한다.

→ '-시키다'가 잘못 쓰임

ㄷ. 우리 군대는 적군을 항복시켜 사실상 전쟁을 끝냈다.: '항복시키다'의 주체인 '우리 군대'가 다른 대상인 '적군'에게 항복하게 한 것이므로 사동 표현에 해당한다.

→ '-시키다'가 적절하게 쓰임

ㄹ. 경수는 몸이 아픈 수희를 병원에 급히 입원시켰다.: '입원시키다'의 주체인 '경수'가 다른 대상인 '수희'에게 병원에 입원하도록 한 것이므로 사동 표현에 해당한다.

→ '-시키다'가 적절하게 쓰임

ㅁ. 모든 기계를 가동시켜도 기일을 맞출 수 있을지 모르겠다.: '가동'은 '사람이나 기계 따위가 움직여 일함'의 뜻을 나타내는 주동의 의미와 '기계 따위를 움직여 일하게 함'의 뜻을 나타내는 사동의 의미를 가진다. 사동의 뜻을 나타내는 '가동'에 다시 사동 접미사 '-시키다'를 붙이는 것은 이중 사동 표현으로 잘못된 표현에 해당한다. 따라서 '모든 기계를 가동해도 기일을 맞출 수 있을지 모르겠다.'로 고쳐야 한다.

→ '-시키다'가 잘못 쓰임

따라서 접미사 '-시키다'를 바르게 사용한 것은 ㄱ, ㄷ, ㄹ이다.

08 ⑤

정답풀이

ⓜ의 '-기-'는 주어인 '도둑'이 자신의 의지와 상관없이 다른 대상인 '경찰'에 의해 동작을 당하는 것을 나타내기 위해 사용된 피동 접미사이다. 즉, '경찰'이 동작을 당한 것이 아니라 '도둑'이 동작을 당한 것이므로 적절하지 않은 설명이다.

오답풀이

① ㉠에서는 행위 주체인 '할머니'를 높이기 위해 '먹다'의 높임말인 '들다'에 선어말 어미 '-시-'를 사용하고 있다. 또한 ㉡에서는 행위 주체인 '아버지'를 높이기 위해 '날리다'에 선어말 어미 '-시-'를 사용하고 있다.

② ㉠의 '-ㄴ-'은 현재를, ㉢의 '-었-'은 과거를 나타내기 위해 사용된 선어말 어미이다.

③ ㉡의 '-리-'는 행위 주체인 '아버지'가 다른 대상인 '연'이 날도록 하는 것을 나타내기 위해 사용된 사동 접미사이다.

④ ㉣의 '-겠-'은 '가다'라는 행위에 대한 행위 주체 '나'의 의지를 나타내기 위해 사용된 선어말 어미이다.

09 ①

정답풀이

〈보기1〉은 의문문의 다양한 의미 기능을 제시하고 있다. 의문문은 기본적으로 화자가 청자에게 질문을 하여 그에 대한 대답을 요구하는 문장이다. 이러한 의문문은 긍정이나 부정의 대답을 요구하는 판정 의문문과 '누구, 언제, 어디, 무엇, 왜' 등의 의문사를 동반하면서 청자에게 대답을 요구하는 설명 의문문이 있다. 그리고 굳이 물음에 대한 대답을 요구하지 않고 서술이나 명령의 효과를 나타내는 수사 의문문도 포함된다. 이렇게 볼 때, ㉠은 설명 의문문에 대한 진술이며, ㉡은 수사 의문문 중에서도 명령의 효과를 내는 의문문으로 구분할 수 있다. 따라서 ㉮는 '언제, 어디' 등의 의문사가 쓰인 설명 의문문에 해당하고 ㉯는 '일어나지 못하겠니?'라는 의문문의 형식을 띠지만, 실제로는 '일어나라.'라는 명령의 의미를 지닌 수사 의문문에 해당한다.

오답풀이

㉰는 청자로 하여금 긍정이나 부정의 대답을 요구하는 판정 의문문에 해당하며, ㉱는 억울한 일을 겪은 상황에서 자신의 느낌을 표현한 수사 의문문에 해당한다.

10 ①

정답풀이

'제가 잠시 들어가도 되겠습니까?'는 '내가 잠시 들어갈게.'라고 직접적으로 표현하지 않고 '-겠-'을 사용하여 간접적으로 부드럽게 표현한 것이다. 즉, '내가 잠시 들어가겠다.'라는 의도를 '-겠-'을 사용하여 완곡하게 전달하고 있는 것이다.

오답풀이

② '동생은 영화를 보러 가겠다고 한다.'에서 '-겠-'은 화자의 의지를 나타낸다.

③ '지금 떠나면 저녁에야 도착하겠구나.'에서 '-겠-'은 미래의 일에 대한 추측을 나타낸다.

④ '다음 달 정도면 날씨가 시원해지겠지?'에서 '-겠-'은 미래의 일에 대한 추측을 나타낸다.

⑤ '이 정도의 고통은 내 힘으로 이겨내겠다.'에서 '-겠-'은 화자의 의지를 나타낸다.

11 ③

정답풀이

㉰의 문장은 '주먹밥 하나로 아이들의 주린 배를 꽉 찬 느낌이 들게 할 수는 없었다.'는 의미이므로 '불릴'은 '먹은 것이 많아 속이 꽉 찬 느낌이 들다.'는 의미인 부르다[2]의 사동형이 적절하게 사용된 예이다.

오답풀이

① ㉮에서 '그'가 누군가에게 무엇이라고 부른 것이 아니라 다른 사람들에 의해 천재라고 불림을 당한 것이므로 '불렸다'는 '무엇이라고 가리켜 말하거나 이름을 붙이다.'는 의미인 '부르다[1]「2」'의 피동형에 해당한다.

② ㉯에서 '반장'이 누군가를 오라고 한 것이 아니라 누군가에 의해 오라고 함을 당한 것이므로 '불려'는 '말이나 행동으로 다른 사람의 주의를 끌거나 오라고 하다.'는 의미인 '부르다[1]「1」'의 피동형에 해당한다.

④ ㉱에서 '불리는'은 '그가 재산을 많아지게 한다'는 의미로 '분량이나 수효가 많아지다.'는 의미인 '붇다[2]'의 사동형에 해당한다.

⑤ ㉲에서 '불려야'는 '콩을 물에 젖게 하여 부피가 커지게 한다'는 의미로 '물에 젖어서 부피가 커지다.'는 의미인 '붇다[1]'의 사동형에 해당한다.

12 ③

정답풀이

ㄷ의 '실패하지 않겠다'라는 표현은 '말하는 사람의 의지'를 담고 있다. 그런데 ③번에서는 이를 '말하는 사람의 기대'와 관련하여 해석하고 있으므로 적절하지 않다. 참고로 서술어가 '어떤 대상이 어떤 기준에 이르지 못함'을 의미하는 형용사일 경우 '못' 부정문의 긴 부정문을 사용할 수 있다. 그 예로 '그 아이는 똑똑하지 못하다.'를 들 수 있다.

오답풀이

① '식사를 하지 않은 것'은 '장빈'이 일부러 식사를 하지 않은 것이므로 동작 주체의 의지와 관련이 있다. 이렇게 주체의 의지에 의한 행동의 부정을 나타낼 때에는 '안' 부정문이 쓰인다.

② '비가 오지 않는 것'은 객관적인 사실인데, 이렇게 단순한 사실을 부정할 때에도 '안' 부정문이 쓰인다.

④ '14초 이내로 달리지 못하는 것'은 동작 주체인 '우종'의 능력에 해당하는데, 주체의 의지가 아닌 능력의 원인으로 그 행위가 일어나지 못함을 나타낼 때에는 '못' 부정문이 쓰인다.

⑤ '폭설'은 외부 상황에 해당한다. 외부 상황이 원인으로 행위가 일어나지 못함을 나타낼 때에도 '못' 부정문이 쓰인다.

문제 P.170

PART 4 의미 관계와 동의성

빠른 정답 찾기

01 ② 02 ⑤ 03 ⑤ 04 ① 05 ③
06 ③ 07 ① 08 ① 09 ③ 10 ③
11 ④ 12 ⑤

01 ②

정답풀이

㉡(우리 둘)은 앞 부분의 '우리 강아지 별이는 실뭉치를 좋아해서'를 고려하면, '영이, 별이'를, ㉤(우리 셋)은 앞 부분의 '네가 혼자 나오고 내가 별이랑 나오면'을 고려하면, '민수, 영이, 별이'를 가리킴을 알 수 있다. 따라서 ㉡이 가리키는 대상은 ㉤이 가리키는 대상에 포함된다.

오답풀이

① 민수가 영이에게 '영이야, 우리 둘이 뭐 하고 놀까?'라고 했으므로, ㉠(우리 둘)은 '민수, 영이'를, ㉡은 앞 부분의 '우리 강아지 별이는 실뭉치를 좋아해서'를 고려하면, '영이, 별이'를 가리킴을 알 수 있다. 따라서 ㉠과 ㉡이 가리키는 대상은 동일하지 않다.

③ 민수는 품에 안고 있는 자신의 강아지를 소개하며 '얘가 전에 말했던 봄이야. 봄이 동생 솜이는 집에 있고.'라고 했고, 영이가 '너네 강아지들도 그래?'라고 묻자 민수는 '실뭉치는 둘 다 안 좋아해.'라고 했으므로, ㉢(둘 다)은 '봄이, 솜이'를 가리킴을 알 수 있다. 또한 강아지 '봄이'를 품에 안은 민수가 영이와 만난 상황에서 민수가 '오늘 우리 셋은 공을 가지고 놀자.'라고 했으므로 ㉥(우리 셋)은 '민수, 영이, 봄이'를 가리킴을 알 수 있다. 따라서 ㉢이 가리키는 '봄이, 솜이' 중 '솜이'는 ㉥이 가리키는 대상에 포함되지 않는다.

④ 민수는 품에 안고 있는 자신의 강아지를 소개하며 '얘가 전에 말했던 봄이야. 봄이 동생 솜이는 집에 있고.'라고 했고, 영이가 '너네 강아지들도 그래?'라고 묻자 민수가 '우리 셋은 공을 갖고 자주 놀아.'라고 대답한 것을 고려하면, ㉣(우리 셋)은 '민수, 봄이, 솜이'를 가리킴을 알 수 있다. 한편 ㉤은 앞 부분의 '네가 혼자 나오고 내가 별이랑 나오면'을 고려하면, '민수, 영이, 별이'를 가리키는 것을 알 수 있다. 따라서 ㉣과 ㉤이 가리키는 대상은 동일하지 않다.

⑤ 민수는 품에 안고 있는 자신의 강아지를 소개하며 '얘가 전에 말했던 봄이야. 봄이 동생 솜이는 집에 있고.'라고 했고, 영이가 '너네 강아지들도 그래?'라고 묻자 민수가 '우리 셋은 공을 갖고 자주 놀아.'라고 대답한 것을 고려하면, ㉣은 '민수, 봄이, 솜이'를 가리킴을 알 수 있다. 한편 강아지 '봄이'를 품에 안은 민수가 영이와 만난 상황에서 민수가 '오늘 우리 셋은 공을 가지고 놀자.'라고 했으므로 ㉥은 '민수, 영이, 봄이'를 가리킴을 알 수 있다. 따라서 ㉣과 ㉥이 가리키는 대상은 동일하지 않다.

02 ⑤

정답풀이

'코[1]'의 '포유류의 얼굴 중앙에 튀어나온 부분'은 ㉠(신체 부위를 나타내는 중심적 의미)에 해당하고, '코[1]'의 '콧구멍에서 흘러나오는 액체'는 ㉡(주변적 의미)에 해당한다. 한편 '그물이나 뜨개질한 물건의 눈마다의 매듭'을 뜻하는 '코[2]'는 ㉢(소리는 같지만 중심적 의미가 다른 단어)에 해당한다. 따라서 '어머니께서 목도리를 한 코씩 떠 나가셨다.'의 '코'는 ㉢에 해당한다.

오답풀이

① '묽은 코'에서 '코'는 '코[1]'의 '콧구멍에서 흘러나오는 액체'를 의미하는데, 이는 ㉡에 해당한다.

② '어망의 코'에서 '코'는 '코[2]'의 '그물이나 뜨개질한 물건의 눈마다의 매듭'을 의미하는데, 이는 ㉢에 해당한다.

③ '코끼리는 긴 코'에서 '코'는 '코[1]'의 '포유류의 얼굴 중앙에 튀어나온 부분'을 의미하는데, 이는 ㉠에 해당한다.

④ '동생이 갑자기 코를 다쳐서'에서 '코'는 '코[1]'의 '포유류의 얼굴 중앙에 튀어나온 부분'을 의미하는데, 이는 ㉠에 해당한다.

03 ⑤

정답풀이

국어사전 자료에 이미 형용사 '밭다'가 표제어로 제시되어 있으므로, '밭게'와 '바투' 중 하나는 형용사 '밭다'의 활용형임을 알 수 있다. '-게'가 부사형 전성 어미로 쓰인다는 것을 고려하면, 표제어 '밭다'의 활용형은 '밭게'라고 판단할 수 있으므로, ⓐ에는 '바투'가 들어가야 한다. 따라서 〈보기〉의 남은 단어인 '바투'가 국어사전에 표제어로서, ⓐ의 자리에 들어갈 수 있고, 뜻풀이를 고려하면 ⓑ에는 ㉣이, ⓒ에는 ㉠이 들어가는 것이 적절하다.

04 ① 정답풀이

㉠의 '긁다'는 개정 후 열 번째 의미가 추가되었는데, 이는 '긁다'의 의미가 좀 더 확장되며 주변적 의미가 추가된 것이지 중심적 의미가 수정된 것은 아니다.

오답풀이

② 개정 후에는 사잇소리 현상이 일어난 발음인 [김:빱]을 표준 발음으로 추가하여 현실 발음을 표준 발음으로 인정하였다.

③ '냄새'의 지역 방언이었던 '내음'의 뜻풀이로 새로운 내용이 제시되었고, 방언이라는 내용은 삭제되었으므로 '내음'이 표준어의 지위를 얻은 것이다.

④ 과학적 정보를 반영하여 태양계의 뜻풀이에서 '9개의 행성'이라는 부분이 '8개의 행성'이라는 내용으로 바뀌었다.

⑤ 이전에는 없던 새로운 문물인 스마트폰이 개발됨에 따라 이를 지칭하는 신어인 '스마트폰'이 표제어로 추가되었다.

05 ③ 정답풀이

ⓑ와 ⓔ는 화자인 '나경'과 청자인 '세은, 수빈'을 가리킨다.

오답풀이

ⓐ는 자신과 친밀한 특정 대상(엄마)과 연결되므로 화자인 '나경'만을 가리킨다.

ⓒ는 자신과 친밀한 특정 대상(집)과 연결되므로, ⓒ는 화자인 '수빈'만을 가리킨다.

ⓓ는 '그 부류만이 서로 함께'의 뜻을 더하는 접미사 '-끼리'와 결합하여 청자인 '나경'과 화자인 '세은'을 가리킨다.

06 ③ 정답풀이

'기구'는 '악기'의 상의어이고, '악기'는 '북'의 상의어이다. 3문단에서 '상의어는 하의어를 의미적으로 함의하지 못한다.'라고 했으므로, '악기'는 '기구'를 의미적으로 함의하고 '북'은 '악기'를 의미적으로 함의한다.

오답풀이

① 자료의 '타악기'에는 '실로폰'도 포함되어 있으므로, '타악기'는 '실로폰'의 상의어가 된다. 1문단에서 '상의어일수록 일반적이고 포괄적인 의미를' 지닌다고 하였다.

② 자료의 '타악기'에는 '북'도 포함되어 있으므로, '북'은 '타악기'의 하의어가 된다. 또한 '타악기'는 '두드려서 소리내는 악기'라고 했으므로, '타악기'는 [두드림]이라는 의미 자질이 있음을 추론할 수 있다. 또한 윗글의 내용에 따라 하의어는 상의어의 의미 자질을 갖는 것을 알 수 있다.

④ '기구'는 '악기'의 상의어이고, '악기'는 '타악기'의 상의어이며, '타악기'는 '심벌즈'의 상의어이다. '타악기'와 '심벌즈'는 모두 '기구'의 하의어는 맞지만 '기구⊃악기⊃타악기⊃심벌즈'의 관계이므로, '타악기'와 '심벌즈'는 같은 계층이 아니기 때문에 공하의어가 될 수 없다.

⑤ 자료에서 '악기'는 '현악기, 관악기, 타악기'로 나눈다고 했으므로, '같은 계층'에 있는 '현악기'와 '관악기'는 상의어 '악기'의 공하의어가 된다. 또한 윗글의 내용에 따라 상의어 '기구'의 하의어 '악기'는 '기구'보다 의미 자질의 개수가 더 많음을 알 수 있다.

07 ① 정답풀이

2문단을 통해 ㉠(비양립 관계)은 '공하의어 사이'에서 성립함을 알 수 있다. 4문단에서 이러한 공하의어가 단 두 단어만 있을 때 ㉡(상보적 반의 관계)을 이룬다고 했으므로, ㉠과 ㉡을 모두 만족시키기 위해서는 단 두 단어만 같은 계층에 있는 공하의어야 한다. 따라서 ⓑ(북극)와 ⓒ(남극)만 ㉠과 ㉡을 모두 만족시키는 단어 쌍이다.

오답풀이

ⓐ-ⓔ

ⓐ(여름)와 ⓔ(겨울)는 상의어 '계절'에 대한 공하의어이기는 하지만, '봄'과 '가을'도 공하의어가 될 수 있으므로, ㉡을 만족시키지 못한다.

ⓖ-ⓗ

ⓖ(펭귄)와 ⓗ(갈매기)는 상의어 '조류'에 대한 공하의어이기는 하지만, '제비'나 '참새' 등도 공하의어가 될 수 있으므로, ㉡을 만족시키지 못한다.

ⓐ-ⓓ

ⓐ(여름)는 ⓓ(계절)에 포함되므로, ⓐ는 ⓓ의 하의어이고, ⓓ는 ⓐ의 상의어이다.

ⓕ-ⓗ

ⓕ(개)와 ⓗ(갈매기)는 상의어 '동물'에 대한 하의어이지만, '동물'은 다시 '포유류'와 '조류' 등으로 분류되고 '개'와 '갈매기'는 각각의 상의어에 대한 하의어로 다시 분류된다. 따라서 ⓕ와 ⓗ는 한 상의어 아래에 있는 하의어로 볼 수 없고 두 단어만을 포함하는 공하의어도 아니다.

08 ①

정답풀이

〈보기〉를 통해 중심적 의미를 지니던 것이 주변적 의미도 지니게 되어, 여러 의미를 지닌 것을 다의어라고 함을 알 수 있다. '물은 낮은 곳으로 흐른다.'에서 '낮다'는 '아래에서 위까지의 높이가 기준이 되는 대상에 미치지 못하는 상태에 있다.'를 뜻하여, 공간과 관련된 중심적 의미로 쓰였으므로 ㉠에 해당한다. 한편 '환경에 대한 관심도가 낮다.'에서 '낮다'는 '품위, 능력, 품질 따위가 바라는 기준보다 못하거나 보통 정도에 미치지 못하는 상태에 있다.'를 뜻하여, 중심적 의미가 추상화된 주변적 의미로 쓰였으므로 ㉡에 해당한다.

오답풀이

② '크다'의 중심적 의미는 '사람이나 사물의 외형적 길이, 넓이, 높이, 부피 따위가 보통 정도를 넘다.'이다. 그런데 '그는 성공할 가능성이 크다.'에서 '크다'는 '가능성 따위가 많다.'라는 주변적 의미로 쓰였으며, '힘든 만큼 기쁨이 큰 법이다.'에서 '크다'도 '일의 규모, 범위, 정도, 힘 따위가 대단하거나 강하다.'라는 주변적 의미로 쓰였다. 즉 ②번의 두 예문 모두 ㉡에 해당한다.

③ '두 팔을 최대한 넓게 벌렸다.'에서 '넓다'는 '면이나 바닥 따위의 면적이 크다.'라는 중심적 의미로 쓰였다. 그러나 '도로 폭이 넓어서 좋다.'에서 '넓다' 또한 중심적 의미로 쓰였다. 즉 ③번의 두 예문 모두 ㉠에 해당한다.

④ '좁다'의 중심적 의미는 '면이나 바닥 따위의 면적이 작다.'이다. 그런데 '내 좁은 소견을 말씀드렸다.'에서 '좁다'와 '마음이 좁아서는 곤란하다.'에서 '좁다'는 모두 '마음 쓰는 것이 너그럽지 못하다.'라는 주변적 의미로 쓰였다. 즉 ④번의 두 예문 모두 ㉡에 해당한다.

⑤ '작은 힘이라도 보태고 싶다.'에서 '작다'는 '일의 규모, 범위, 정도, 중요성 따위가 비교 대상이나 보통 수준에 미치지 못하다'라는 주변적 의미로 쓰였으며, '우리 학교는 운동장이 작다.'에서 '작다'는 '길이, 넓이, 부피 따위가 비교 대상이나 보통보다 덜하다.'라는 중심적 의미로 쓰였다. 즉 '작은 힘이라도 보태고 싶다.'에서 '작다'가 ㉡, '우리 학교는 운동장이 작다.'에서 '작다'가 ㉠에 해당한다.

09 ③

정답풀이

'언니가 교복을 입고 있다.'는 교복을 입고 있는 동작이 진행 중인 경우와 교복을 입는 동작이 완료된 후 입고 있는 상태인 경우의 두 가지로 해석될 수 있기 때문에 중의성이 나타난다. 따라서 ㉢처럼 '언니가 교복을 입는 중이다.'로 고치면 동작이 진행 중이라는 의미만을 나타내게 되어 중의성을 해소할 수 있다. 그러나 '지금'을 추가하여 '언니가 지금 교복을 입고 있다.'라고 고치더라도 여전히 동작의 진행과 완료 두 가지로 해석될 수 있어 중의성은 해소되지 않는다.

오답풀이

① '예쁜 모자의 장식물'은 수식의 범위에 따른 중의성이 발생하는 표현으로, '모자가 예쁜 경우'와 '장식물이 예쁜 경우'의 두 가지 의미로 해석될 수 있다. 이때 '장식물이 예쁜 경우'만으로 의미를 한정하기 위해서는 ㉠의 '예쁜, 모자의 장식물'과 같이 쉼표를 사용할 수도 있고, '모자의 예쁜 장식물'처럼 어순을 교체할 수도 있다.

② '다 오지 않았어.'는 부정의 범위에 따른 중의성이 발생하는 표현으로, '손님들 중 일부만 온 경우'와 '한 명도 오지 않은 경우'의 두 가지 의미로 해석될 수 있다. 이를 '손님들 중 일부만 온 경우'만으로 의미를 한정하기 위해서는 '일부가'를 추가하여 ㉡의 '손님들 중 일부가 오지 않았어.'로 고치거나, 보조사 '는'을 추가하여 '손님들이 다는 오지 않았어.'로 고치면 된다.

④ '형은 나보다 동생을 더 좋아한다.'라는 문장은 비교의 대상에 따른 중의성이 발생하는 표현으로, '형이 나와 동생 중 동생을 더 좋아한다는 의미'와 '내가 동생을 좋아하는 것보다 형이 동생을 더 좋아한다.'는 두 가지 의미로 해석될 수 있다. 이를 전자의 의미인 '나와 동생이 비교 대상인 경우'로만 한정하기 위해서는, ㉣의 '형은 나를 좋아하는 것보다 동생을 더 좋아한다.'로 고치거나, '형은 나와 동생 중에서 동생을 더 좋아한다.'로 고치면 된다.

⑤ '나는 웃으면서 매장에 들어오는 손님에게 인사했다.'는 수식의 범위에 따른 중의성이 발생하는 표현으로 '나가 웃으면서 인사하는 경우'와 '손님이 웃으면서 매장에 들어오는 경우'의 두 가지 의미로 해석될 수 있다. 이를 전자의 의미, 즉 '나가 웃으면서 인사하는 경우'로 한정하기 위해서는 ㉤의 '나는 매장에 들어오는 손님에게 웃으면서 인사했다.'나 '매장에 들어오는 손님에게 나는 웃으면서 인사했다.'처럼 어순을 교체하면 된다.

10 ③

정답풀이

(가): 부사어 '반드시'는 '~해야 한다'와 같은 긍정의 의미를 지닌 서술어와 호응하므로 부정의 의미를 지닌 서술어인 '하지 마세요'와 호응할 수 없다. 반면, 부사어 '절대로'는 '~하지 말아야 한다'와 같은 부정의 의미를 지닌 서술어와 호응한다.

(나): 원래 문장인 '우리는 타인의 인격을 존중해야 하고 나와 평등하다는 생각을 지녀야 한다.'와 수정한 내용인 '우리는 타인의 인격을 존중해야 하고 타인이 나와 평등하다는 생각을 지녀야 한다.'를 비교해 보면 '타인이'가 추가되었음을 알 수 있다. '나'와 평등한 대상이 누구인지를 밝혀야 문법적으로 정확한 문장이 되기 때문에 서술어 '평등하다'의 주어인 '타인이'를 추가한 것이다.

따라서 (가)는 'ⓒ주어와 서술어, 부사어와 서술어 등 문장 성분 간의 호응이 지켜지지 않은 경우'에 해당하고 (나)는 '㉠주어, 목적어, 필수적 부사어 등 서술어가 필요로 하는 문장 성분이 빠져 있는 경우'에 해당한다.

11 ④

정답풀이

〈보기〉의 ⓐ '무거운 침묵'은 둘 이상의 단어가 어휘적으로 긴밀하게 결합하여 하나의 단위처럼 인식되는 경우로 이를 '연어'라고 한다. 연어의 특징은 고정된 형식을 지닌다는 점이다. 여기서 고정된 형식이라는 것은 '무거운'과 '침묵'이 긴밀하게 결합되어 있어 다른 말로 대체가 안 되며 앞뒤 순서를 바꾸면 부자연스럽거나 의미가 달라진다는 것이다. 이러한 특징을 보여 주는 예는 '뜨거운 눈물'과 '새파란 젊은이'이다. '뜨거운 눈물'의 경우 '뜨거운' 대신에 '차가운'을 쓰면 '차가운 눈물'이 되는데 이는 보편적으로 사용하지 않는 말이다. 또한 앞뒤 순서를 바꾸면 '눈물이 뜨겁다'가 되어 의미가 변질된다. '새파란 젊은이'의 경우 '새파란'은 '파란' 등으로 대체되지 않으며 '젊은이'도 '어린이' 등으로 대체되지 않는다. 또한 앞뒤 순서를 바꾸면 '젊은이가 새파랗다'가 되어 부자연스러운 문장이 된다. 따라서 '뜨거운 눈물'과 '새파란 젊은이'가 '무거운 침묵'과 유사한 특징을 갖고 있는 말에 해당한다.

오답풀이

① '꽃다운 나이'에서 '나이'는 '외모' 등으로 대체된다. '높다란 나무'에서 '나무'도 '건물' 등으로 대체될 수 있다.

② '진정한 친구'에서 '진정한'은 '착한' 등으로 대체되고 '친구'도 '우정' 등으로 대체된다. 그리고 '싯누런 들판'에서 '싯누런'도 '파란' 등으로 대체될 수 있다.

③ '차가운 공기'에서 '차가운' 대신에 '뜨거운'을 쓸 수도 있고 '공기' 대신에 '물'을 쓸 수도 있다. '막다른 골목'의 '막다른'도 '예쁜' 등으로 대체될 수 있다.

⑤ '팽팽한 대결'에서 '대결'은 '싸움', '관계' 등으로 대체된다. '가벼운 발걸음'에서도 '가벼운'은 '무거운'으로 '발걸음'은 '목소리' 등으로 대체된다.

12 ⑤

정답풀이

'가다'와 '오다'의 경우 이동 방향이라는 의미 차원에서 상대적 관계를 가지므로, 〈보기〉에서 '상대적 관계를 형성하고 있으면서 의미상 대칭을 이루고 있는' 방향 반의어에 해당한다.

오답풀이

① ㉠에서 반의 관계가 성립하려면 하나의 의미 요소가 달라야 한다고 했으므로, 공통 의미 요소만 갖고 있으면 반의 관계가 성립한다고 보기 어렵다.

② ⓒ의 '처녀'와 '총각'은 '성별'의 의미 요소가 다르지만, '손녀'와 '할아버지'는 '성별'뿐만 아니라 '연령(세대)'이라는 의미 요소도 다르기 때문에 반의어라고 보기 어렵다.

③ '선배'가 아닌 사람은 '후배'뿐만 아니라 '동기(친구)'도 있으므로 '선배'와 '후배'는 서로 배타적 대립 관계에 있는 상보적 반의어라고 볼 수 없다.

④ ㉣에서 '길다'와 '짧다'는 그 사이에 중간 등급이 있는 반의 관계라고 하였으므로, '길지 않다'를 '짧다'와 같은 의미로 보는 것은 적절하지 않다.

문제 P.200

PART 5 국어의 역사

빠른 정답 찾기

01	①	02	①	03	③	04	⑤	05	④
06	⑤	07	③	08	②	09	①	10	③
11	⑤	12	②						

01 ①

정답풀이

현대어 ‘달이’에 대응하는 중세 국어 ‘ᄃᆞ리’는 ‘ᄃᆞᆯ + 이’로 분석할 수 있으므로, 모음으로 끝난 체언 뒤에 주격 조사 ‘ㅣ’가 쓰인 것이 아니라 자음으로 끝난 체언 뒤에 주격 조사 ‘이’가 쓰인 것으로 볼 수 있다. 이때 ‘ᄃᆞ리’는 연철된 형태이다.

오답풀이

② 현대어 ‘밥을’에 대응하는 중세 국어 ‘바ᄇᆞᆯ’은 ‘밥 + ᄋᆞᆯ’로 분석할 수 있으므로, 자음으로 끝나는 체언 뒤에 목적격 조사 ‘ᄋᆞᆯ’이 쓰였음을 알 수 있다.

③ 현대어 ‘나무의’에 대응하는 중세 국어 ‘나못’은 ‘나모 + ㅅ’으로 분석할 수 있으므로, 사물을 나타내는 체언 뒤에 관형격 조사 ‘ㅅ’이 쓰였음을 알 수 있다.

④ 현대어 ‘물로’에 대응하는 중세 국어 ‘믈로’는 ‘믈 + 로’로 분석할 수 있으므로, ‘ㄹ’로 끝나는 체언 뒤에 부사격 조사 ‘로’가 쓰였음을 알 수 있다.

⑤ 현대어 ‘임금이시여’에 대응하는 중세 국어 ‘님금하’는 ‘님금 + 하’로 분석할 수 있으므로, 존대 대상인 체언 뒤에 호격 조사 ‘하’가 쓰였음을 알 수 있다.

02 ①

정답풀이

〈학습 활동〉에서 중세 국어의 관형격 조사는 선행 체언이 ‘유정물일 때는 모음 조화에 따라 ‘ᄋᆡ’, ‘의’ 등이 쓰’이지만 ‘유정물이라도 존칭의 대상일 때는 이들 대신 ‘ㅅ’이 쓰인다.’라고 했다. ‘아바님(아버님)’은 유정물이지만 존칭의 대상이므로, 관형격 조사 ‘ㅅ’이 결합하여 적용 모습은 ‘아바닚 곁’이 된다. 참고로 유정물은 사람이나 동물과 같이 감각이 있는 것을 의미하고, 무정물은 나무나 돌 따위와 같이 감각이 없는 것을 의미한다.

오답풀이

② 〈학습 활동〉에서 중세 국어의 관형격 조사는 선행 체언이 ‘유정물일 때는 모음 조화에 따라 ‘ᄋᆡ’, ‘의’ 등이 쓰인다.’라고 했다. ‘그력(기러기)’은 유정물이고, 음성 모음인 ‘ㅕ’가 쓰였으므로 모음 조화에 따라 관형격 조사는 ‘의’가 결합한다. 참고로 중세 국어의 표기는 이어적기가 일반적이었으므로 적용 모습은 ‘그려긔 목’이 된다.

③ 〈학습 활동〉에서 중세 국어의 관형격 조사는 선행 체언이 ‘유정물일 때는 모음 조화에 따라 ‘ᄋᆡ’, ‘의’ 등이 쓰인다.’라고 했다. ‘아ᄃᆞᆯ(아들)’은 유정물이고, 양성 모음인 ‘ㆍ’가 쓰였으므로 모음 조화에 따라 관형격 조사는 ‘ᄋᆡ’가 결합한다. 참고로 중세 국어의 표기는 이어적기가 일반적이었으므로 적용 모습은 ‘아ᄃᆞᄅᆡ 나ㅎ’이 된다.

④ 〈학습 활동〉에서 중세 국어의 관형격 조사는 ‘선행 체언이 무정물일 때는 ‘ㅅ’이 쓰’인다고 했다. ‘수플(수풀)’은 무정물이므로 관형격 조사 ‘ㅅ’이 결합하여 적용 모습은 ‘수픐 가온ᄃᆡ’가 된다.

⑤ 〈학습 활동〉에서 중세 국어의 관형격 조사는 ‘선행 체언이 무정물일 때는 ‘ㅅ’이 쓰’인다고 했다. ‘등잔(등잔)’은 무정물이므로 관형격 조사 ‘ㅅ’이 결합하여 적용 모습은 ‘등잣 기름’이 된다.

03 ③

정답풀이

〈보기〉의 현대어 풀이를 참고하면 '王(왕)이 부텻긔 더옥 敬信(경신)훈 ᄆᆞᅀᆞᄆᆞᆯ 내ᅀᆞᄫᅡ'에서 높임의 대상이 되는 객체는 부사어인 '부텻긔(부처께)'에 해당하는 '부텨'임을 알 수 있다.

한편 〈보기〉에 따라 '듣-' 뒤에는 객체 높임의 선어말 어미 '-줍-'이 쓰이며, 모음 어미 '-ᄋᆞ며' 앞에서는 '-ᄌᆞᇦ-'이 쓰이고, 이어적기가 적용되어 '듣ᄌᆞᄫᆞ며'의 형태로 쓰였을 것임을 알 수 있다.

04 ⑤

정답풀이

'보ᅀᆞᆸ고'에서 '-ᅀᆞᆸ-'은 문장의 객체를 높이기 위해 사용된 객체 높임의 선어말 어미이다.

오답풀이

① ⓐ는 'ᄆᆞᅀᆞᆷ'이라는 의문사가 사용된 설명 의문문이고, 의문형 어미로 '-뇨'가 사용된 것으로 보아 '-오' 계열의 의문형 어미가 사용되었음을 알 수 있다. 반면 ⓑ는 의문사가 없는 판정 의문문이고, 의문형 어미로 '-녀'가 사용된 것으로 보아 '-아' 계열의 의문형 어미가 사용되었음을 알 수 있다.
② ⓐ의 '마ᄅᆞᆯ'에는 양성 모음 뒤에서 목적격 조사로 'ᄋᆞᆯ'이 쓰였다. ⓒ의 '벼를'에는 음성 모음 뒤에서 목적격 조사로 '을'이 쓰인 것을 이어적기 한 것이다. 이를 통해 중세 국어에서는 모음 조화에 따라 다른 형태의 조사가 결합되었음을 알 수 있다.
③ ⓓ의 '世尊하'의 '하'에 대응하는 '이시여'는 호격 조사 '이여'의 높임말로, 어미 '-시-'와 호격 조사 '여'가 결합한 말이다. 따라서 중세 국어에는 높임의 호격 조사로 현대 국어에는 없는 형태인 '하'가 존재했음을 알 수 있다.
④ ⓒ의 '보더시니'는 현대어로 풀이할 경우 '보시더니'가 된다. 따라서 중세 국어에서는 '-더시-'로 쓰이던 선어말 어미의 결합 순서가 현대 국어에서는 '-시더-'로 바뀌었음을 알 수 있다.

05 ④

정답풀이

㉮에서 체언 '니'는 '이'로 끝났으므로, '니라(니 + ∅라)'로 나타나야 한다.

㉯에서 체언 '바'는 '이'나 반모음 'ㅣ'가 아닌 모음으로 끝났으므로, 서술격 조사는 'ㅣ'로 나타나야 하며, 이어적기를 적용하여 '배라(바 + ㅣ라)'로 나타나야 한다.

㉰에서 체언 '다락'은 자음으로 끝났으므로, 서술격 조사 '이'가 와야 한다. 여기에 이어적기를 적용하면 '다락이다'는 중세 국어에서 '다라기라(다락 + 이라)'로 나타나야 한다.

06 ⑤

정답풀이

현대어 풀이 '밑에'를 참고할 때 '의'는 높이지 않는 유정 명사에 결합되는 관형격 조사가 아니라, 무정 명사 '밑'에 결합되어 장소를 나타내는 부사격 조사임을 알 수 있다.

오답풀이

① 현대어 풀이 '하늘의'를 참고할 때 무정 명사인 '하늘'에 관형격 조사 'ㅅ'이 결합되었음을 알 수 있다.
② 중세 국어에서는 목적어나 부사어를 높이는 객체 높임이 선어말 어미로 실현되었다. 현대어 풀이 '청하십시오'를 참고할 때 목적어 '부텨'를 높이기 위해 선어말 어미 '-ᅀᆞᆸ-'이 쓰인 것을 알 수 있다.
③ 현대어 풀이 '알아보겠습니까?'를 참고할 때 (다)는 판정 의문문임을 알 수 있다. 중세 국어에서는 판정 의문문과 설명 의문문이 '-아' 계열과 '-오' 계열의 어미를 통해 구별되었는데, (다)는 '-아' 계열 의문형 어미가 쓰인 '-가'를 통해 판정 의문문임을 알 수 있다.
④ 현대어 풀이 '내가'를 참고할 때 '내'가 주어임을 알 수 있다. 이는 모음으로 끝나는 체언 '나'에 주격 조사 'ㅣ'가 결합된 것이다.

07 ③

정답풀이

현대 국어의 '걸음을'을 중세 국어에서는 '거르믈'로 표기하였는데, 이는 '어근의 원형을 밝혀 적은 것(분철)'이 아니라 '소리대로 적은 것(연철)'이다. 즉, 현대 국어는 '걸음을'로 어근의 원형을 밝혀 적고, 중세 국어는 '거르믈'로 소리대로 적었다는 차이가 있다.

오답풀이

① [illegible]어 '부처의'와 중세 국어 '부텻'을 비교해 보면, 현대 국어에서는 관형격 조사로 '의'가 쓰이는 데 비해, 중세 국어에서는 'ㅅ'이 쓰였음을 확인할 수 있다. 중세 국어의 관형격 조사 'ㅅ'은 높임의 명사나 무정 명사 뒤에 쓰인다.

② 현대 국어에서는 객체인 '부처의 말씀'을 높이기 위한 선어말 어미가 쓰이지 않았지만 중세 국어에서는 객체인 '부텻 ᄆᆞᆯ'을 높이기 위해 '듣ᄌᆞᄫᆞᄃᆡ(듣- + -ᄌᆞᇦ- + -오ᄃᆡ)'에서 객체 높임 선어말 어미 '-ᄌᆞᇦ-'이 쓰였음을 확인할 수 있다.

④ 현대 국어에서는 '-시-'로, 중세 국어에서는 '-샤-'로 주체 높임 선어말 어미가 쓰였음을 확인할 수 있다.

⑤ 현대 국어 '바가'와 중세 국어 '배'를 비교해 보면, 현대 국어에서는 모음으로 끝나는 체언 뒤에서 주격 조사 '가'가 쓰임에 비해, 중세 국어에서는 주격 조사 'ㅣ'가 모음으로 끝나는 체언 '바'에 결합되어 '배'로 나타남을 확인할 수 있다.

08 ②

정답풀이

'이어적기'는 앞말이 자음으로 끝나고 뒷말이 모음으로 시작하는 조사나 어미, 즉 형식 형태소가 올 경우 앞말의 받침 자음을 뒷말의 첫소리로 옮겨 적는 것을 말한다. 이어적기의 예로 '깊- + -은 → 기픈'을 들 수 있다. 그러나 중세 국어 '업던'은 뒷말이 모음으로 시작하는 어미가 아니므로 이어적기를 한 것으로 볼 수 없다. 따라서 중세 국어의 '업던'과 현대 국어의 '없던'의 비교를 통해서는 이어적기(연철)를 확인할 수 없다.

오답풀이

① 'ㄷ'이 'ㅣ' 모음 앞에서 'ㅈ'으로 변하지 않고 '모딘'으로 쓰인 것으로 보아 중세 국어에서는 아직 구개음화 현상이 나타나지 않았음을 확인할 수 있다.

③ '하ᄂᆞᆯ히'에는 'ㆍ'가 쓰였는데 이는 현대 국어에서는 쓰이지 않는 모음이다.

④ 중세 국어에서는 양성 모음 'ㅗ'와 양성 모음 'ㅐ'가 어울려 '모새'였던 것이 현대 국어에서는 양성 모음 'ㅗ'와 음성 모음 'ㅔ'가 어울려 '못에'가 된 것으로 보아 현대 국어에 비해 중세 국어에서는 상대적으로 모음 조화가 잘 지켜진 것을 알 수 있다.

⑤ '열ᄫᅳᆫ'에는 'ㅸ(순경음 비읍)'이 쓰였는데 이는 현대 국어에서는 쓰이지 않는 자음이다. 'ㅸ'은 15세기 중반부터 반모음 'ㅗ̆/ㅜ̆[w]'로 변하여 현대 국어의 'ㅂ' 불규칙 활용으로 이어졌다. 그 예로 '도ᄫᅡ > 도와, 구ᄫᅥ > 구워'가 있다.

09 ①

정답풀이

㉠의 '아ᄃᆞᆯ'은 사람이면서 높임의 대상이 아니고, 'ㆍ'가 양성 모음에 해당하기 때문에 관형격 조사로 'ᄋᆡ'를 취해야 한다. 이때, 'ㆍ'가 양성 모음임을 판단하기 위해서는 〈보기 1〉의 예 중에서 첫 번째에 제시한 'ᄂᆞᆷ'에 관형격 조사 'ᄋᆡ'가 결합하였다는 점을 확인하면 된다. 현대어 풀이를 통해 볼 때 ㉡의 '술위'는 현대 국어 '수레'에 해당하는데, 이는 사람이나 동물을 나타내는 말에 해당하지 않는다. 즉, 사람도 아니고 동물도 아닌 경우에 해당하므로 끝 음절의 모음이 양성 모음인지 음성 모음인지 여부와 관계없이 관형격 조사 'ㅅ'을 취하면 된다. 〈보기 1〉의 예 중에서 네 번째에 제시한 '나모(나무)'가 'ㅅ'을 관형격 조사로 취한 것과 같은 이치이다.

10 ③

정답풀이

〈보기〉 (가)의 ㉢에서 15세기에는 종성의 'ㄷ'과 'ㅅ'이 다르게 발음되었다고 했으므로 ':어엿ㆍ비'의 둘째 음절의 종성 'ㅅ'은 그대로 'ㅅ'으로 발음해야 한다.

오답풀이

① ':수ㆍᄫᅵ'에서 오늘날에는 쓰이지 않는 자음인 'ㅸ'을 확인할 수 있다.

② ㉡의 진술에 의하면, 'ㆍᄠᅳㆍ들'의 'ㅶ'은 'ㅂ'과 'ㄷ'의 두 개의 자음 모두 발음되었음을 확인할 수 있다.

④ ㉣에서 방점을 찍어 성조를 구분하였다고 했는데, ':히ㆍᅇᅧ'의 '히'에는 방점 2개(':')가, 'ᅇᅧ'에는 방점 1개('ㆍ')가 쓰인 것으로 보아 두 음절의 성조가 서로 달랐음을 추론할 수 있다.

⑤ 연철 표기는 이어적기를, 분철 표기는 끊어적기를 의미하는데, 'ㆍᄡᅮㆍ메'는 'ᄡᅮᆷ(명사형) + 에(조사)'의 구성으로 분철 표기가 아닌 연철 표기가 사용되었다.

11 ⑤

정답풀이

〈보기 1〉의 (가)는 순경음에 대한 설명으로, 순음 아래 'ㅇ'을 연서(連書)하여 표시한 음인 'ㅱ', 'ㅸ', 'ㅹ', 'ㆄ' 따위가 이에 해당한다. 이는 ㉢'수ᄫᅵ'의 'ㅸ'에서 확인할 수 있다. (나)는 초성 글자를 나란히 쓰는 합용 병서에 대한 설명으로, 'ㅺ, ㅼ, ㅽ/ㅳ, ㅄ, ㅶ/ㅴ, ㅵ' 따위가 이에 해당한다. ㉣'ᄯᅳᄅᆞ미니라'의 'ㅼ'에서 확인할 수 있다.

오답풀이

㉠'ᄆᆞᄎᆞᆷ내'와 ㉡'ᄆᆡᇰᄀᆞ노니'를 통해서는 '아래 아(ㆍ)'의 쓰임을 확인할 수 있을 뿐, 순경음이나 합용 병서와는 관계가 없다.

12 ②

정답풀이

'ㆍ'는 중세 국어 이후 근대까지 널리 쓰이다 소멸한 음운이다. 〈보기〉에는 'ㆍ'가 조건에 따라 'ㅡ'와 'ㅏ'로 변화하는 과정을 설명하고 있다. ㉠은 'ㆍ'가 둘째 음절 이하에서 'ㅡ'로 변화한 것을, ㉡은 'ㆍ'가 첫째 음절에서 'ㅏ'로 변화한 것을 제시하고 있다. '사ᄉᆞᆷ'의 'ㆍ'가 둘째 음절에서 'ㅡ'로 바뀌어 '사슴'이 되었고, 'ᄀᆞ장'의 'ㆍ'는 첫째 음절에서 'ㅏ'로 바뀌어 '가장'이 되었으므로 '사ᄉᆞᆷ 〉 사슴'은 ㉠에 해당하고 'ᄀᆞ장 〉 가장'은 ㉡에 해당한다.

오답풀이

① '마ᄂᆞᆯ 〉 마늘'은 ㉠에 해당하지만 'ᄒᆞᆰ 〉 흙'은 'ㆍ'가 첫째 음절에서 'ㅡ'로 변했기 때문에 ㉡에 해당하지 않는다.

③ 'ᄒᆞ나 〉 하나'가 ㉡에 해당하고, '오ᄂᆞᆯ 〉 오늘'이 ㉠에 해당한다.

④ '사ᄅᆞᆷ 〉 사람'은 둘째 음절이지만 'ㅏ'로 변한 사례이므로 ㉠에 해당하지 않고, 'ᄃᆞ리 〉 다리'만 ㉡에 해당한다.

⑤ '아ᄃᆞᆯ 〉 아들'은 ㉠에 해당하지만 '다ᄉᆞᆺ 〉 다섯'은 'ㆍ'가 첫째 음절이 아닐 뿐만 아니라 'ㅏ'가 아닌 'ㅓ'로 변했기 때문에 ㉡에 해당하지 않는다.